АНАТОЛИЙ БАРБАКАРУ

Я-ШУЛЕР

ЭКСМО-ПРЕСС
2000

УДК 882
ББК 84(2Рос-Рус)6-4
    Б 24

Серийное оформление художника *Е. Савченко*

Барбакару А. И.

Б 24   Я — шулер. — М.: Изд-во ЭКСМО-Пресс, 2000. —
336 с. (Серия «Криминал»).

ISBN 5-04-003893-3

В карты играют все, независимо от возраста и пола, играют на
деньги и просто так. Единица из армии картежников — профессиональные игроки, «каталы». Автор уже знакомой читателю книги «Одесса-Мама» Анатолий Барбакару один из тех, кого в карточном мире
называют Мастер. Книга его — не учебник. Это исповедь о том, как
становятся «каталами», каков мир игроков и неписаные волчьи законы
этого мира.

                                                                УДК 882
                                                        ББК 84(2Рос-Рус)6-4

ВМЕСТО ПРОЛОГА

«Преступность стала бездуховной», — сказал незадолго до смерти Валера Рыжий, профессиональный уважаемый пьяница, профессиональный одессит.

Какая к черту духовность... Вчера на углу Советской Армии и Шалашного мой сосед мочился белым днем из открытого окна второго этажа прямо на тротуар. Ну, не прямо — под некоторым углом. Выставив в окно волосатое пузо. Люди сочувствующе задирали головы, люди думали, что у кого-то потоп. Но бездуховность — не в деянии соседа. А в том, что, увидев меня, подходившего к дому, он поздоровался. Так сказать, в процессе излияния.

Позавчера в гастрономе напротив Привоза в оживленной беседе одна изящная дамочка предложила другой:

— Поцелуй меня в пи...

О вкусах не спорят. И я бы ничего не имел против, если бы та, которая другая, не держала на руках дочь.

Валера Рыжий умер, поперхнувшись котлетой в кафе на Белинского. Некому было хлопнуть его по узкой сутулой спине. Он корчился на полу, а люди, ОДЕССИТЫ, переступали через него. А потом, затихшего, деликатно вынесли на улицу.

Признаки нового времени.

Редактор бульварной одесской газеты в ходе интервью все норовил выяснить, кого можно считать королем одесских шулеров. Очень уж ему хотелось, чтобы им оказался я: других-то под рукой не было. Какие короли?.. Скромность картежника облагораживает. И обогащает. Впрочем, об этом позже...

Пусть простят мне друзья-аферисты и ту чужую нескромность, и эти записки. Надо писать. Пока помнятся те, кто уже не здесь, пока живы в памяти те, кто уже нигде, пока мы помним себя прежних.

Разные были предложения... Создать школу шулеров, написать книгу: «Краткий курс профессионального игрока»... Обойдемся записками. Может, они и будут смахивать на учебник-хрестоматию. Будут главы о том, как заражаются игрой, о том, как ловится клиент, о том, как клиента обыгрывают, о том, что можно творить с колодой, как получают кровно выигранные деньги. Будут главы о везении и ясновидении в картах, о неписаных законах и организации карточного мира, о его связи с соседними, смежными мирами. Проституток, бандитов, кидал, милиции.

Но это не учебник. Это свободные воспоминания, потому что главным в них будут люди. Конкретные истории с конкретными людьми, которые, какими бы они ни были, дороги мне.

Ни слова не придумаю на потребу публике. Все будет — правда. Вот можно было бы написать, что Рыжего застрелил освободившийся бандит Котя. Тем более что тот грозился. Я написал, как было на самом деле: Рыжий поперхнулся. Кто спорит: незавидная смерть.

Двадцать лет назад, когда Рыжий держал цеха, его опускали вниз головой в колодец и спускали микрофон, чтоб сказал, где деньги. Не сказал. Тогда все обошлось и — на тебе...

О смерти Рыжего мне рассказал один из лучших его друзей — Леня Морда. Тот самый, который двадцать лет назад спускал Рыжего в колодец, хотя, вполне вероятно, что он отвечал тогда всего лишь за микрофон. Еще он рассказал о том, что как-то ночью по пьянке, забывшись, **побрел** к Рыжему. С бутылкой водки. Во дворе у квартиры случилось просветление: вспомнил, что Рыжий умер.

Надо знать Леню Морду, чтобы согласиться: разбитая им в два часа ночи бутылка водки — признак высокой духовности.

Глава 1

О ТОМ, КАК НАЧИНАЮТ

Все мы приходим в мир карт. Не знаю ни одного совершеннолетнего гражданина, не умеющего играть. Так что все мы — картежники. Но это не проблема. Проблемы начинаются, когда невозможно из этого мира выйти. И не важно по какой причине: потому ли, что выходить не хочется, или же потому, что вне этого мира — пропадешь. Как возникает зависимость от него, потребность дышать именно его атмосферой — другой вопрос. Конечно, каждый из надолго входящих попадает сюда по-своему, и, думаю, это самая недоступная для исследования область. Но одно можно сказать точно: для того, чтобы заболеть картами, надо хоть один раз сыграть на деньги. Желательно покрупнее.

Как в карты пришел я?

Однажды поинтересовался у Рыжего: не жалеет ли он, что жизнь не удалась? Тот сощурил добрые ехидные глаза и ответил, что в этой стране он мог стать только профессиональным пьяницей.

В этой стране в то время я мог стать только игроком.

И все же — как начинал?

Был девятнадцатилетним студентом и к картам относился не то чтобы брезгливо, но вполне снисходительно. Сокурсники уже два года в преферанс натаскиваются, меня то и дело норовят приболтать. Я — ни в какую. Нас только двое таких, устойчивых, на курсе. Второй — Юрка Огаров, студент-переросток, его к нам уже на третьем подбросили. Тридцатилетний не слишком общительный парень. Конечно, в то время тридцатилетние казались нам уже мужиками.

Юрка не казался. Среднего роста, тонкий, не с таким, как у всех, плоским запястьем, странно широкоплечий надменный блондин. Мы в нем видели парня. Хотя он и не общался с нами. Не от надменности, скорее неинтересно ему было.

Этим интриговал.

И еще тем, что имел машину, «Жигули».

И тем, что в машине всегда присутствовали невероятно красивые, взрослые женщины. Каждый раз — другие. Которые подолгу ожидали его, пока он неспешно решал институтские дела.

Не играл он скорее всего потому, что неловко ему было бы соплякам проигрывать. А как без этого научишься? Преферанс сноровки требует.

Начинают происходить странности: Юрка зачастил в общежитие. Он — одессит, до этого мы его и на лекциях-то когда-никогда видели, и вдруг ежедневно наблюдаем.

Оказалось: роман у него. С Галкой, из нашей же группы. Этого мы уж совсем понять не могли. Променять ТЕХ женщин на Галку?!. Костлявую троечницу, улыбчиво-покорную, из непроизносимого молдавского села?.. Каждый из нас мог бы сказать, что она ему глазки строила: такая манера у нее была глядеть — покладистая.

Подробно рассказываю потому, что все это будет иметь значение.

По осени нас отправляют в колхоз.

Под жилье выделяют сельский клуб. Причем мы, как самый малочисленный факультет, живем в пристройке к сцене, в зале — основная масса приехавших. На раскладушках. На самой сцене — авторитеты. Студенты из самых блатных. Дверь на сцену с нашей стороны заставлена шкафом. Над ним в двери зияет дыра, и по вечерам мы слышим, как блатные отвязываются.

Наша аудитория поделена пополам ширмой, за ней женская половина. Не половина — пять девчонок. В том числе — Галка.

Однажды ночью слышу за ширмой голоса. Нежножизнерадостный шепот. С тоской узнаю персонажи. Один — Галка, похоже, и в этот момент улыбающаяся. Второй... Гришка, староста курса. Гришка — из тех, кого я не хотел бы числить в друзьях. После армии, выглядит взросло: тяжеловатый, чернявый, с морщинами, но... Тоже улыбчивый, покладистый. Поссориться с ним невозможно. Потому и в старостах.

За Юрку тоскливо. Он, конечно, в колхоз не поехал — этого еще не хватало... Но как можно было связаться с этой?! С другой стороны, и Гришку я мог понять: любопытство, видать, взяло. Что-то же нашел в ней Юрка? Чего не нашел в ТЕХ женщинах.

Долго я ворочался в ту ночь.

На следующий день к вечеру наезжает Юрка. На своих красных «Жигулях». Проведать любимую. Любимой — хоть бы хны... Привычно улыбается Юрке. Гришка, конечно, хвост поджал, тихонько поспешил снять свою кандидатуру. Тоже улыбается, мерзавец. Привычно.

Юрка, к удивлению, на ночь остался. За ширмой с Галкой, но уже — официально.

Гришка — ничего, быстро заснул.

Я опять ворочаюсь. И не хочу, а прислушиваюсь. Из-за ширмы — ни звука.

Те, за дверью, галдят, даже визжат время от времени. Может, потому и не слышно ничего. Из-за ширмы.

Почти засыпаю — вдруг: свист, улюлюканье... Через пробоину в двери летят в комнату помидоры. Блатные развлекаются. И тут же мгновенно на шкаф взлетает голый Юрка. Резким, отрывистым движением швыряет что-то в «оборотку». Что-то посущественней. Показалось, нож. Честно сказать, от него такой стремительности не ожидал. Насчет решительности — не знаю. В зале как-никак сотня парней; те, которые на сцене, — главари.

Удивительно, главари сразу стихли.

Казалось бы, инцидент исчерпан. Причем наша сторона — не то чтобы победила, но достоинство соблюла. С продолжением — лучше не рисковать. Юрка произвел впечатление.

Плохо мы его знали. Он появился из-за ширмы уже одетый, подошел почему-то ко мне, тронул за плечо. Не спросил, сказал:

— Поможешь... — И пошел к выходу.

Хотелось притвориться спящим, как все остальные, наши...

На улице я, неискренне зевнув, предложил:

— Может, разбудим остальных?..

— Справимся, — серьезно ответил он.

И пошел к главному входу в клуб.

Как мне не хотелось идти!..

Юрка проследовал через зал. Под вызывающую тишину. Поднялся на сцену. Тут также царил покой, поразительно: блатные старательно спали. Забыв погасить тусклую далекую лампочку.

— Кто бросал?! — громко, строго, спокойно спросил Юрка.

Спящие талантливо заворочались спросонок. Все это походило на сцену из спектакля.

— Кто?! — герой фамильярно двинул коленом рядом лежащего.

— Ну я! — видно спохватившись, с вызовом откликнулся один из, похоже, главных. И с вызовом же сел на раскладушке. Спортивный, кучерявый. — Что дальше?!

Юрка начхал на вызов. Уверенно направился к нему, проснувшемуся. Подойдя, спросил:

— Зачем бросал?

— Все бросали, и я...

Не договорил. Юрка тщательно, с дожимом вмял ему в глаз помидор. Оказывается, держал до сих пор в руке. Сок, семена, кожура потекли по не успевшему отстраниться лицу.

Кучерявый не пикнул. Весь был занят тем, что счищал с лица овощ.

— Пошли, — сказал мне Юрка. И под уцелевшую тишину пошел через зал к выходу. Действующие лица на сцене играли сон.

Утром в столовой к нашему столу была послана делегация. Передала приглашение:

— Вечером у входа в клуб будем разбираться.

— Может быть, вы окажетесь правы? — спросил едкий Юрка.

Мы знали, что он приехал только на вечер. Меня это беспокоило, был уверен: уедет. Не уехал.

Зато днем всем нашим сокурсникам, включая Гришку, срочно понадобилось отбыть в Одессу.

Вечером мы с Юркой сиротливо и, на мой взгляд, обреченно сидели у входа. Поодаль собиралась стая. Причем съезжались почему-то и местные. На шумных мопедах.

Я трусил. Не понимал, на что рассчитывает сообщник. И чего еще ждут те.

Сообщник докурил сигарету, бросил. Сам направился к стае. Я, совсем уже как под наркозом, последовал за ним.

Стая расступилась, Юрка оказался в центре, прямо против того кучерявого и его дружков, приближенных.

— В Одессе вас убьют.

Он сказал это... Не пугал, не угрожал. Пооткровенничал.

Сбоку за спинами студентов рычали мопеды. Что-то грубое выкрикивали местные рокеры. Кучерявый и дружки молчали.

— Пошли, — уже привычно бросил мне Юрка и направился к нашей, пустой сегодня, спальне.

Прошло два месяца. С Юркой мы не сдружились. Он вел себя так, словно нас ничего не связало. Чего ж я буду набиваться? Что-то в этом было. В этом несближении. Как будто так странно он ввел меня в свой интригующий мир.

Как-то случился у меня разговор с Гришкой-старостой. Он пришибленный последние дни по институту бродил. Как лунатик. Открылся мне. Обыграли его на полторы тыщи в преферанс. Деньги для меня по тем временам несусветные. Невероятно!.. Я знал, что Гришка числился среди наших сильным игроком и играл не только со своими. Рассказал, как произошло.

Неделю назад в перерывах между парами, в буфете, увидел у Юрки пачку сторублевок. Тысяч десять, не меньше. Пошутил по этому поводу. Дескать, можно уже институт бросать. Юрка поведал, что умудрился деньги выиграть. За вечер. В одном частном клубе. Ну дела!..

Всего за месяц до этого Гришка взялся его обучать. (Вину, наверное, чувствовал все же — загладить хотел). Решился-таки Юрик на обучение. И — на тебе. Я догадывался, что с его характером перспективы у него неплохие.

Но чтоб десять тысяч!.. За один вечер!

Вот Гришка и обалдел, стал требовать: проведи в клуб. Как отказать учителю? Юрка, правда, сомневался: примут ли, но в конце концов дал адрес. Предупредил, чтобы на него не ссылался, чтобы сказал, мол, от какого-то Ленгарда.

Приняли Гришку. И обыгр   ......сячу восемь-сот. Триста у него с собой былс   .....оры отсрочку дали — два месяца. Пожалели сс   .....Интересовал-ся Гришка насчет Юрика. Те   ....е вспомнили. Может, Юрка с другими играл. Там   ..оди постоянно меняются.

Хорошенькое дельце.

Что-то во мне щелкнуло, переключилось. Столько страстей вокруг этого преферанса... Юрка — и тот заболел им. И не пожалел, что заболел. Посочувствовал я Гришке — чем еще мог помочь?..

Вечером, когда наши традиционно засели за «пулю», я смирненько пристроился за спиной Гришки. И без удивления почему-то обнаружил, что игра меня захватывает. Огорчения оттого, что сокурсники ушли далеко вперед, играют лихо, уверенно, — не было. Не было и тени сомнения, что мигом догоню.

И обойду.

Через месяц — играл с ними. И не проигрывал. Через два — единственным, с кем готов был считаться, к кому прислушиваться, остался Гришка. Игрища и в жизнь вносили свои поправки. В отношения между нами. Застольный авторитет не исчезал и в жизни. Это приятно удивляло, потому что я был уже при авторитете.

Радовался, когда выигрывал Гришка: помнил о его беде. Хотя проку в этих выигрышах...

Мы играли по мелочи.

Через два месяца я украдкой считал себя лучшим среди наших. Гришка остался единственным серьезным оппонентом. Но как точно определить, кто выше? Есть же еще фактор везения. Неудачи обычно списываешь на него.

Это опасное заблуждение любителя и толкнуло

меня на... Решил играть с теми, в роковом клубе. Гришка аж испугался моему решению. Это его хоть как-то отвлекло; последние дни он был совсем потерян. Тут даже взвился от возмущения:

— Чтоб я тебя подставил?! За кого ты меня держишь?! Ты представляешь, какие там волки? Меня видно не было...

— А Юрку?..

Гришка смолчал.

— Не фарт был, — сделал я авторитетное заключение. — Юрка выиграл столько, потому что рисковый. Крупно не побоялся играть.

— Так ведь и я крупно...

— Не фарт, — подтвердил я. И добавил мужественно: — Я их «хлопну».

Виделось мне, что в такой ситуации Юрка держался бы так же и произносил бы такие же слова.

— Не пущу, — сказал Гришка.

Твердости в его голосе не было.

На следующий день после занятий я подошел к нему в общежитии:

— Ну?..

— Вечером поедем. — Он не держал взгляд. И уже не отговаривал.

Вечером солидно, на такси, мы ехали в клуб. В кармане у меня лежали четыреста рублей — сбережения от колхоза и летних заработков. Я почти не волновался; было легкое, приятное возбуждение. Предощущение подвига. Как-то не сомневался, что выиграю. Возбуждение было оттого, что хотелось выиграть много. Весь долг Гришки. И аннулировать его. Хорошо бы хоть немного везения!..

— Еще те типы, — сказал вдруг Гришка, когда поднимались по лестнице. И еще — уже у двери, пока мы ждали, когда откроют: — Я тебя предупреждал...

Типы действительно оказались еще те. Впрочем, колоритные. Все — сорокалетние, с драными физиономиями, но при этом — разные. Один — спокойный, можно сказать, никакой опасности не представляющий. (Это уже позже я узнал, что как раз такие — наиболее опасны.) Второй — тоже спокойный, но очень властный, седой в затемненных очках. Этот был у них за главного. И третий... Натерпелся я от него за вечер. Все чего-то тявкал, цеплялся по пустякам. «Шестерка» какая-то.

Клуб оказался обыкновенной квартирой, ухоженной, прилично обжитой. Хозяин клуба, дородный интеллигентный мужчина с шевелюрой и в спортивном костюме, поприветствовав, удалился во вторую комнату.

Троица пристально всматривалась в меня, без долгих разговоров пригласила за стол.

Гришка прятал глаза. Выглядел совсем подавленным, испуганным. И жалко его было, и зло взяло. Нельзя же так... Унижаться.

Ну ничего, поглядим, что будет дальше. Эти, наверное, думают, что я — подарок...

Эти думали правильно. Через четыре часа я проигрывал около четырех тысяч. Согласившись играть сразу крупно, я ускорил процесс. В голове была каша. И в душе. Деловитые соперники, карты, испуганный взгляд Гришки, мелькающий хозяин квартиры... Все виделось в тумане. И в тумане же — собственное ощущение: дальше будет еще хуже. Видел, что невероятно не везет, что невезение — просто какое-то колдовское... И не мог остановиться, нельзя уже останавливаться. Поздно теперь останавливаться. И необходимо было дождаться окончания колдовства, дождаться везения. Когда-то же оно должно прийти. Без него — крышка.

Как сквозь болезненный бред слышал свои и

чужие реплики по игре, ехидные замечания «шестерки», звонок в дверь квартиры...

И вдруг туман рассеялся. Не рассеялся — исчез.
Разом. Всё стало резко, четко, слышно.

В проеме двери стоял Юрка. Из-за широкой кос-
тлявой спины его выглядывало Галкино покладистое
личико. Выражение Юркиного лица было строгим и
обиженным.

— Сказал же: играю — я, — произнес он недовольно.

Я с удивлением обнаружил, что он смотрит на
меня, обращается ко мне.

— Тебя не было... Не дождались, — удивляясь
себе, отозвался я.

— Деньги у меня — значит, и играю — я.

Юрка достал толстенную пачку денег, похлопал
ею о ладонь.

Троица недоуменно созерцала пришельца. Деньги
явно произвели впечатление. Седой глянул на Гришку, спросил:

— И этот — твой?

Гришка испуганно кивнул.

Седой вдруг улыбнулся.

— Какая разница, кто играет, если вы — друзья.
Милости просим. — Он указал на место, которое я
еще не освободил.

Я покорно встал. Это не походило на бегство, ведь
Юрка был сообщником. Произошла смена игрока —
и только. Стало легко и надежно. Я знал: Юрка не
проиграет. Потому что он — из победителей.

И только из второй комнаты долго с недовольством глядел хозяин квартиры.

Юрка отыграл мой проигрыш за два часа. Это
было... колдовство. Волки превратились... не в ягнят,
в волков, поджавших хвосты. «Шестерка» притих,
Седой часто, нервно курил. Юрка был небрежен и де-

ловит. Лихо сдавал, быстрее всех непринужденно оценивал расклады, умудрился даже сделать пару замечаний партнерам. Я был горд за него. И точно знал: все это бред, за два месяца стать таким игроком невозможно. Скорее всего таким игроком невозможно стать вообще. И еще одно знал точно: в этой игре он — хозяин. Не знаю, что имел в виду, думая так, но все, что случалось в игре, все, что делали или не делали его противники, происходило потому, что он, Юрка, этого хотел.

Галка на диване никчемно читала газету. Гришка сидел рядом с ней, издали испуганно следил за игрой. Седой время от времени неприязненно косился на него. И все так же, с недовольством из второй комнаты время от времени выглядывал хозяин.

Отыграв четыре тысячи, Юрка прекратил игру. Это показалось неразумным, странным, несправедливым. Не было сомнения, что он с легкостью отыграет и деньги Гришки, и проигрыши других неизвестных жертв.

Я не знал, что все было продумано. Юрка проучил Гришку, подставил.

Хозяин квартиры, Юркин приятель, держал клуб, с игры имел долю. Но по договоренности с ним Юрка в этот огород не лез. Это была вотчина троицы. Обыгрывали лохов. Юрка — «катала» другого уровня — с ними знаком не был. (Мы, оказывается, правильно догадались: со студентами не играл потому, что неинтересно. Кстати, и в институте числился, чтобы статью за тунеядство не схлопотать.)

Наказал Гришку. За Галку. (И привел ее для того, чтобы сама увидела, что из себя представляет Григорий.)

Не просчитал только, затевая комбинацию, что в игру я полезу. И когда в этот вечер заехал к Галке в общежитие, узнал, что я ушел с Гришкой, подался следом. (Меня, кстати, подставил Гришка, чтобы отсрочили долг.)

Это я узнал позже, когда он преподавал мне, покоренному его колдовством, азы игры. Не той, студенческой, а настоящей. В которой обязан быть властителем происходящего.

Тогда я этого не знал. Я был благодарен и горд. И удивлен, что все закончилось так скоро и неожиданно. И старался не глядеть на Галку. Потому, что тогда, в колхозе, после отъезда Юрки, я тоже был с ней. Всего один раз и только из любопытства... Но — был.

Юрка погиб через год, разбился на своих «Жигулях». К тому времени он отстал от нас еще на курс, и видели мы его еще реже. Он не слишком баловал меня воспитанием. Но время от времени мог показать очередной трюк и выдать очередное правило поведения картежника.

Галка после его гибели вновь спуталась с Гришкой.

И еще один урок я усвоил тогда. С замужней женщиной, с женщиной, у которой есть другой, любящий мужчина, дела лучше не иметь...

Глава 2

О ТОМ, ГДЕ ИГРАЮТ

На деньги играют гораздо массовее, чем это можно было бы ожидать от наших, воспитанных в известных традициях, сограждан.

Мне приходилось играть со студентами в общежитиях. В основном в преферанс. С преподавательским составом, начиная от женщин-ассистенток и кончая мужчинами-профессорами, прямо на кафедрах. Играл с шоферами на стоянках и в гаражах в ожидании рейсов, со строителями — в ожидании стройматериалов, с артистами — в гримуборных. С грузчиками — в колхозах во время уборочной...

Иду по Одессе, и именно география, знакомые места: улицы, дома, учреждения, скверы, стоянки, — вызывают воспоминания.

Сберкасса. В квартире над ней долгое время регулярно обыгрывали ушедшего в отставку военного. И регулярно спускался он вниз за деньгами. Чтобы жену не волновать, подделывал записи в сберкнижке. Потом с женой случился удар...

Школа. Здесь в течение недели я обыгрывал завуча — учителя обществоведения. В учебном кабинете после занятий. За последнюю игру педагог не сумел до конца рассчитаться, глобус предлагал или бюст вождя. Я не взял. Не люблю брать вещами.

Баня. Администратор, хитрюга, когда играли, посадил меня так, что вдали сквозь неплотно прикрытую дверь видны были проходящие обнаженные женщины. Не помогло. Жаль, скоро уволили администратора. Нравилось мне это место.

Диетическая столовая. Подсобного кухонного работника обыгрывал. Что запомнилось: карты шибко слюнявил. За посетителей грустно было. Он этими же мокрыми пальцами салаты нарезал. В перерывах. (Занятно было: руки мыл *не после игры, а после нарезки*.)

Но это все места нетрадиционные, случайные, требующие импровизации.

Вот, например, бар. Один из приятелей-профессионалов обыграл в нем молодого цеховика. Цеховики — осторожная братия. Но этот знал моего приятеля еще по институту, вот и нырнул в игру. Проиграл чуток. Перенесли встречу на следующий день. Но что-то дрогнуло у моего приятеля, уверенность потерял. Нашел меня, предложил продолжить за него. Замену как-то надо было обставить...

Обставили с горем пополам. Мол, тренировка у дрогнувшего, а я — тоже спортсмен, но — с травмой; от тренировки освобожден. Рядом дамочку пристроили для пущей непринужденности, знакомую приятеля. До этого я и не видел ее ни разу. Мол, с дамой в баре отдыхаю, но, может, она и разрешит сыграть, отпустит ненадолго.

Дама разрешила. Играем. Эта глупышка, краля моя, в карты смотрела, в игре чуток смыслила. Никак успокоиться не могла. К бармену знакомому почти вслух приставала:

— Да он же — без понятия!.. — это про меня. — У него же — все восемь козырей, а он думает: заказывать или нет. — Нервничала, зараза.

Конечно, у меня все козыри. Я, еще до того как карты сдал, знал, что они будут. Но надо ж делать вид, что карта у меня — не очень, что потом повезло, с прикупом.

А цеховик — ничего, приятный малый: после вдвое больше проигранного заплатил за то, что я взялся обучать его. И не обиделся.

...Играть можно везде, даже в очереди за дефицитом и в переполненном троллейбусе. Единственные необходимые условия — наличие карт и присутствие денег в бумажнике клиента.

Но, конечно, существуют традиционно, классически-игровые места. В нормально организованном обществе это клубы, казино. В нашем обществе в те времена сложилась своя классика. Вот ее составляющие:

Аэропорты, вокзалы.

Тут две специализации. Одна — попроще: фраера ловятся и обыгрываются в залах ожидания, в близрасположенных сквериках, вторая — автомобильная. Играют либо в машинах на стоянке, либо разрабатываются клиенты, которые решили взять такси. В пути и разрабатываются. Мне недавно предлагали организовать бригаду в аэропорту. Для этого было выбито специальное разрешение у хозяина.

Парки, скверы.

Популярная точка — бильярдная в одном из парков Одессы. Традиционное место общения профессионалов. Очень уважаемый мной профессионал старого образца Ленгард во время съемок фильма «Место встречи изменить нельзя» обыграл здесь на пару с Дипломатом (тоже известный специалист) Высоцкого и Конкина. Дипломат, кстати, исполнял виртуозные удары кием для фильма. (Куравлев все советы коллегам давал. Не отлупили его, но замечание сделали.) Выиграли они всего сто рублей.

— Было бы больше, — грустил Ленгард, — если бы над душой не висела эта... «шмондя»... Ну, как ее?.. Жена Высоцкого. Не давала играть. Я ж тогда не думал, что он — гениальный. Ну, Высоцкий... И что? Свой мужик, простой.

В другом парке — проходняк, много случайных клиентов, приезжих. Но место — авторитетное, жесткое. Здесь однажды обнаружили повешенного.

Поезда, круизные суда.

Как-то заезжаю в прикормленную точку в Москве. Опоздал: игры закончены. Один, из Печоры, обыграл моих прикормленных. Утром являюсь прямо из Внукова — он только-только деньги упаковал. Такая обида взяла.

— Я, собственно, на минутку, — своим, обыгранным, говорю. — По дороге в Печору заскочил. Позарез туда надо. И вы, товарищ, туда же?.. Вот повезло, не так скучно будет.

Скучно не было. Отыграл часть. Он-то понимал, что если бы не он, то еще какое-то время я мог обойтись и без Печоры. Но в игру ввязался, деньги, в пачки упакованные, которые я ненавязчиво «засветил», с толку его сбили. Соскочил вовремя, на зубную боль сослался.

В поезде коллеги работали, недовольство мне в тамбуре высказали. Мол, лицензия — у них, а я браконьерствую.

— Извините, ребята, — говорю, — я со своей дичью. Вашего мне не надо.

Все равно обиделись.

Позже, когда мой, дантиста не посещающий, маленько обыграл их, обида прошла. Удивлялись, на обратном пути (через день возвращался, и они сами убедились, что на чужое не зарюсь) все с уважением выспрашивали: как у нас в южных краях? Клиент, должно быть, шибко крученный? Постоянной работы над собой требующий.

Кемпинги, гостиницы.

Тут — все понятно. Вот, к примеру, гостиница в Одессе, одна из центральных, интуристовских. В ней еще задолго до начала моей карьеры обыграли Акопяна-старшего. На сорок тысяч. В так называемой «распашонке». В номере играли двое. Из соседних номеров в этот заранее были просверлены дыры в стенах. Помощники играющего, в зависимости от того, как сидел великий фокусник, размещались в нужном номере. Глядели из-за его спины через дыру в карты и слали «маяки». Для этого через стенку был заранее пропущен шланг к кислородной подушке, расположенной под ногами своего игрока. Сигналили, качая воздух.

Различные игровые хаты. От убогих — где играют в основном между собой, варятся в собственном соку, до престижных — куда и клиенты, капиталы нарастившие, с удовольствием забредают (по рекомендации в основном), и шулеру проникнуть — за счастье.

Однажды собрались на только-только снятой под «катран» (так называют освоенные, игровые точки, другое название — «барбут») квартире. Устроили, так сказать, презентацию. С милицией, конечно, вопрос в первую очередь решен был, но тут вдруг соседи испуганные наряд вызвали. Патруль нагрянул, ничего понять не может. Публика — приличная, при документах. И ни одной женщины. Мальчишки-рядовые — в недоумении, старшина, виды видавший, усмехается: за гомосексуалистов нас принял. Начальству от нас позвонил — совсем растерялся. Приказали ему не обижать нас. Решил, видно, что и начальство — из этих...

Как-то пребывая в состоянии романа с одной элитарной телевизионной дамой, ехидства ради завел ее в подвал, пункт сдачи стеклотары на Большой Арнаутской. Милый такой подвал, филиал катакомб. Метров десять — извилистое ущелье в темноте и запахе плесени между ящиками, в тупике — неожиданная дверь, за ней — каморка, полтора на два метра. Примус, ящики вместо стульев и парочка бичей высшего, последнего сорта. Из этой каморки, как из прихожей — дверь в последнюю уже аудиторию. Два на два метра. У стены — подобное дивану сооружение, в центре — сооружение, подобное столу. Ящики по периметру. На ящиках и диване — мужчины респектабельные, импозантные. На столе — карты, деньги.

Дама была близка к обмороку. Она оказалась бы к нему еще ближе, если бы видела, как то мужчины эти породистые, то бичи беспородные время от времени кормят с рук обнаглевшую огромную крысу — хозяйку подвала. Эта точка, конечно, не самая престижная.

Вот другая, из самых авторитетных. Одна из нескольких хат на Молдаванке. Публика матерая, фраера сюда не забредают, а если забредают, то на свое горе. Время от времени наведывается милиция. За пошлиной.

Однажды при мне Моржу, небезызвестному в городе шахматисту и покеристу, во время облавы — на этот раз серьезной, не купленной — кто-то из завсегдатаев подбросил в карман пальто пять тысяч рублей. Одной пачкой. От греха подальше. Так потом и не признались. Как признаешься, что товарища чуть не подставил?

Игра здесь крупная, жесткая. Часто носит престижный характер.

В другой раз я был свидетелем того, как фраеру, многознающему, гонористому минчанину, утверждавшему, что для него в картах нет темных пятен, подсыпали что-то в стакан. Утром представили написанный его собственной рукой многотысячный счет. Сюда являлись по спорным вопросам. Так сказать, на суд. Это называлось: «идти на люди».

Центр города. На хате у Монгола собирались цеховики. Десятки тысяч каждый вечер разыгрывались. Попасть в этот огород было практически невозможно.

В тот период нас было четверо: небольшая корпорация, играющая в общий котел и делящая его. Один из наших — Шахматист (звание мастера спорта — приличное прикрытие), попал-таки в этот заповедник. Позже втянул и меня. Моя легенда-прикрытие — тоже ничего. Видный спортсмен в отставке. (Пришлось ксивы о достижениях мирового уровня справить.) Долгое время мы подпитывались из этого источника. Работать было непросто. Публика пристальная, настороженная. Особенно к новичкам. Приходилось следить за тем, чтобы выигрывал в основном Шахматист. Впрочем, вычислил нас Монгол. Вынуждены были взять и его в долю.

Но, конечно, самое одесское, самое карточное место — пляж. Играют на всех пляжах, где гуще, где разряженней... Больше всего воспоминаний связано с одним.

Если на каком другом пляже кто-то из игроков слишком задавался, его одергивали:

— Раз такой умный, иди играй... — и рекомендовали пляж, о котором говорю.

Играли здесь круглый год. Зимой жгли костры. Но основные события происходили, конечно, летом. Человек заезжий — обречен. Он может сам организовать «пульку» и свести партнеров из разных концов пляжа, причем из осторожности выбрать людей разных возрастов, обликов. Партнеры эти, разношерстные, будут обыгрывать его, несмышленыша, на системе сигналов — «маяков», которой пользовались на пляже еще двадцать лет назад.

В карточном клубе пляжа представители всех сословий, всех профессий: уголовники, грузчики, шоферы, продавцы, артисты, преподаватели, ветераны-фронтовики, милиционеры, военные, профессора... Были даже одна адмиральша и один дипкурьер. Бывший, правда. У пенсионеров-ветеранов — своя игра, мелкая, осторожная. У прочих — своя. Крупнее, безошибочнее. Иногда, когда нет фраера и играют между собой, почти «лобовая» (честная), но «лобовая» до конца — никогда.

На пляже отходили душой самые известные, самые крупноиграющие игроки города. Игроки союзного значения. Сюда их тянуло чаще всего после крупного проигрыша.

Место, в котором промышляет профессионал,— основной показатель его положения в табели о рангах. Показатель рейтинга. Высший уровень — игровые, престижные хаты. Из низших — залы ожидания, поезда.

Душа моя всегда тянулась к пляжу. Очень может быть, что это показатель не высшего рейтинга, но, кроме всего прочего, каждый имеет право на слабость. Пляж был моей слабостью. Впрочем, не только он.

Имелась еще одна точка. Хата Рыжего. «Малина».

Об этой хате и о самом Рыжем надо рассказать подробнее...

Стереотипный одесский дворик напротив Ланжерона. С высоченными желто-серыми стенами по периметру, с бельем на веревках и краном посередине.

Квартира Рыжего — двухкомнатный подвал. Впускали в нее только того, кто правильно стучал, — два внятных удара, с внятным интервалом.

Кухня с окном в «колодец» (пространство два на два метра, простреливающее дом по вертикали. В него выходили окна кухонь и туалетов). Потолок на кухне висит лохмотьями от вечной мокроты. Такое впечатление, что над подвалом — сразу крыша. Которой нет.

Одна комнатушка, редко посещаемая, в ней отсыпались совсем уже привередливые, ищущие уединения. Комната психологической разгрузки.

И зала... Большая комната с антикварным столом посредине. Стулья при нем — из общественной столовой. В углу — раскладной диван, который никогда не складывался. На нем гора рваных ватных одеял и обычно или сам Рыжий, или Наташка-Бородавка, его женщина. Часть одной из стен — странной, тоже антикварной выделки старинная печка. В ней — отверстия от пуль (дружки Рыжего проверяли амуницию).

Причудливая люстра, которую не опасается только один из завсегдатаев — Пигмей. В люстре — много патронов, но одна лампочка. На тумбочке с ампутированной ногой, подпертой кирпичом, — довоенный действующий приемник. На стене — неожиданный портрет Пушкина в раме. Все вещи (и Рыжего, и Бородавкины, и их приятелей), не имеющие отношения к текущему сезону, — в маленькой комнате на полу. Беспорядочной кучей.

С Рыжим подружился я в самом начале своей деятельности. Возвращался вечером с Ланжерона (на этом пляже — свой клуб — самый любительский, но славящийся высокой техникой игры), вдруг на выходе из Купального переулка — два милиционера пытаются повязать старика-алкаша. Старик капризничает, не хочет в распахнутый «бобик». Прохожу себе мимо. Вдруг старик кричит:

— Толян, мать твою!.. Совсем скурвился!..

Я споткнулся, всматриваюсь в алкаша — не узнаю. А тот мне:

— Так и будешь смотреть, как батю упекут?!.

Осторожно подхожу, присматриваюсь. Милиционеры тоже замерли, обернулись ко мне.

— Ваш отец? — спрашивают без подозрения, с удивлением скорее.

Ничего понять не могу, молчу.

— Ты еще откажись!.. От отца родного, гаденыш!..

— Мой, — говорю.

Патруль старика выпустил, тот на стену повалился и продолжает меня материть.

Доставил я Рыжего домой. Он не таким уж пьяным оказался, извинился вполне вежливо, объяснил: ничего не оставалось, как на случайного прохожего понадеяться. С именем — угадал просто.

В квартире публика мне не удивилась. Рыжий весело рассказал, «как мы ментов кинули». И это никого не удивило. Я, конечно, сразу ушел. Сдал с рук на руки потасканной блондинке с бородавкой над губой, и поскорее — на воздух. Тяжкий дух в помещении. И люди — тяжкие. Хотя пара рож — серьезно-уголовные. Такие пригодиться могут.

Через месяц, опять же случайно, почти против воли своей, подругу его выручить довелось.

Дело было на Привозе. Наташка-Бородавка имела много специальностей, одна из них «продуктовая кидала». Техника кидания следующая: Наташка устраивается в очереди за какой-нибудь пищевой продукцией. Неважно — какой. Главное, чтобы продавец была женщина и обязательно — не городского, неискушенного происхождения. Подходит очередь — Бородавка просит, например, полкило сливочного масла. Пока продавец взвешивает, покупательница, попробовав масло, решает купить килограмм. Все эти пробы, размышления, просьбы увеличить вес, проходят под мельтешение двадцатипятирублевой купюры, зажатой в руке Бородавки. Можно решиться еще грамм на триста. Не помешает.

К тому моменту, когда приходится рассчитываться, купюры в руке уже нет. Продавщица взирает непонимающе. Покупательница — тоже. Дескать: деньги — уже у вас. Продавщица, разумеется, удивляется. Заглядывает в свой шкафчик, но это ничего не проясняет: купюра популярная. Покупательница даже слегка возмущена. Но продавец — в сомнении. Разрешить его помогает стоящая следующей в очереди солидная импозантная дама бальзаковского возраста. Подтверждает, что деньги продавцом получены. Бородавка, мало того, что имеет продукт, так еще получает сдачу. И отойдя, выказывает недовольство. Впрочем, недолго. Потому как предстоит дележка с «бальзаковской» сообщницей. Делятся после каждой успешной операции — не доверяют друг другу.

Прохожу между рядами, возвращаясь из мясного павильона. (Получил давний долг с азартного рубщика мяса.) В молочном отделе гвалт. Бородавку с помощницей выловили. Не то чтобы выловили — скорее просто узнали. То ли с продавщицей ошиблись, то ли — подсказал кто. Дамочка в белом халате — румяная, здоровьем пышущая, из-за прилавка за рукав Наташку ухватила. Цепко так держит, та никак не вырвется. Да и нельзя слишком вырываться: «рожу» надо делать, что ты прав. Сообщницу оттерли; та и сама не против устраниться — сдрейфила. Я бы мимо прошел. Да она, Бородавка, приметила. Кричит поверх голов:

— Толичек, ты смотри, что делается?!. Иди поговори с этой...

Эта «Толичка» увидела, сразу пальцы разжала: решила, что я — прикрытие. Бородавка с возмущением, не спеша привела себя в порядок, направилась ко мне, так и не подошедшему, взяла под руку. Повела к выходу. Сдачу не получила, но продукты-таки урвала. (С тех пор я не раз видел ту испугавшуюся румяную женщину. Стыдно было попадаться ей на глаза.) Выйдя из павильона, устало, хмуро попросила:

— Погоди, проведи за ворота... — И добавила: Ну, хуна!.. — Это о напарнице своей, предавшей. — Рыло начищу...

За воротами обнаружился Рыжий. Как я понял, случайно. Он никогда не помогал сожительнице, брезговал. Обрадовался мне:

— А, детеныш!.. Маню мою снял!..

— Если бы не он, была бы уже в «обезьяннике», — сердито поведала Маня — Наташка. — Райку, сволоту, порву...

Два товарища Рыжего — пожилые мужики вполне опустившегося, похмельного вида, с вялым любопытством глянули на меня. Прилично оцетый, не жаждущий выпивки сопляк не мог быть своим.

— Ну, все, все... — отмахнулся от зазнобы Рыжий. — Не нуди. Поделись с детенышем довольствием...

Бородавка и впрямь полезла в авоську. Я остановил.

— А что, Толянчик, может-таки сделаем из тебя человека?

Это уже было интересно: воспитатели перспективные.

— Валет вчера освободился. У меня пока очухивается. «Катала» авторитетный. Из тебя исполнителя сделает (шулера, значит). Хочешь?

Так, занятно стало.

— Хочу, — говорю.

— Таланта и терпения хватит — партнерами станете.

Валет, лысый бледный крепыш, глядящий исподлобья стылым взглядом, выслушал Рыжего. При этом глядел на меня не мигая. Сказал:

— Не потянет. Сырой.

— За детеныша я отвечаю. — Рыжий не просил, советовал товарищу.

— Ну давай, сдавай, — очень снисходительно уступил Валет.

— Почем? — уточнил я.

Валет не выдал удивления, только снова вперил в меня змеиный взгляд.

— А говоришь: «Сырой»! — обрадовался Рыжий.

Нет, в партнеры Валета я бы не взял. Через полчаса игры он и сам понял, что проситься не следует. Неожиданно отбросил карты и без эмоций сообщил:

— Его надо свести с Маэстро. — И к Рыжему: — Где ты его подобрал?

Рыжий лукаво и гордо улыбался. Ответил:

— Наш человек.

Черт возьми!.. Мне это было приятно.

Так я стал в этом доме своим. Рыжий звал меня детенышем, но уважал. И все уважали. Всякий раз, когда на хату забредал кто-то свеженький, то ли из освободившихся, то ли редкий гость, и, видя карты, рвался в бой, искал партнера, Рыжий, а за ним и другие, отмахивались:

— Вот тебе пацан. «Хлопнешь» — дадим другого.

Деньги, выигранные в этом доме, обычно в нем и оставались. Шли в общак и быстро пропивались. Случалось, крупные деньги.

Что тянуло к Рыжему? В душную, опасную атмосферу его квартиры, которая к тому же, как выяснилось, состояла на учете в милиции. В качестве «малины».

Сложно сказать... Во-первых, люди, завсегдатаи. Это были одесситы. Из классических. Еще не отошедшие, но уже отходящие. Непростые, рисковые, нагоняющие жуть одним своим видом, но — разные, сочные, интересные. Эти люди уважали меня. Не понимал за что, но чувствовал: не только за карты. Они решали свои рисковые дела, не опасаясь моего присутствия, и это тоже льстило. И было приятно лезть в их дела, нахально давать советы, говорить им грубости... Все это почему-то мне прощалось, только отмахивались:

— Детеныш...

Но главная причина моей привязанности к этой точке — сам Рыжий.

Рыжий был... интеллигентным человеком. Сложно объяснить. И воспитание, и образ жизни были далеки не только от интеллигентного, но даже от добропорядочного... Но это было так. И неспроста в квартире его можно было встретить и члена Союза художников, и дипломата, и даже эстетствующих иностранцев. (Был случай, к Рыжему угодили французы, художники. Напились до чертиков. В два часа ночи остро встала проблема со спиртным. Рыжий повез делегацию в Шалашный переулок. Пока Рыжий торговался со знакомыми продавцами водки, французы, восхищенно разглядывая трущобы, очерченные лунным светом, кричали ему:

— Валери Ильитч!.. Эт-то Венеция!)

Всем было с ним интересно. Думаю, главная его черта: доброта. Он не умел быть злым. И это подкупало всех, включая убийц, скрывающихся в его квартире от «вышки».

Не знаю, какое образование у него было, но воспитание получил не самое праведное. Из его рассказов о детстве запомнился один.

Послевоенные годы, у шпаны своя, взрослая жизнь. Самому старшему в компании — четырнадцать лет. Рыжему — семь. На месте больницы в соседнем парке было место их сбора, называлось «сердечко». Компашка приводила на «сердечко» королеву квартала пятнадцатилетнюю Ленку. Старшие трахали ее прямо здесь. Мальцам — Рыжему и другим, которым еще считалось рано — доверяли ответственную работу... Леночка утомлялась подмахивать попкой, ее сажали на совковую лопату, и малявки двигали ручкой лопаты в такт предающимся любовным утехам.

Позже, в семидесятых, Рыжий с товарищем держали цеха, производили зубные щетки, дешевые цепочки. На них наехали бандиты. Именно тогда Рыжему предоставили возможность сказать пару слов в микрофон. Правда, в несколько необычной манере, будучи подвешенным вниз головой в колодце. Рыжий не дрогнул. Но все обошлось, потому что в это же время в лесопосадке за городом его напарник три часа простоял на табуретке с петлей на шее в ожидании, когда гонец привезет деньги.

Еще через пару лет держателей цехов прикрыли, многим дали «вышак». Рыжий увернулся, успел собственноручно бульдозером засыпать склад готовой продукции. Погреб, в котором цепочек и щеток было на двести пятьдесят тысяч.

Тогда он был женат, имел умницу жену, защитившую кандидатскую диссертацию, дочь, в которой души не чаял, человеческую обстановку. Нынче от всего этого остался только портрет Пушкина и редкие встречи с дочерью. (Даже они были запрещены бывшей женой.)

Наташка-Бородавка безбожно ревновала его. Трижды нешуточно, довольно глубоко подрезала кухонным ножом. Рыжий отлеживался, возвращался к ней. Какое — возвращался!.. Кто бы ему дал уйти?..

Он был само ехидство и доброта. Наташку называл не иначе, как то — Маня, то — «тетушка», и неизменно унижал тем, что в стакан ее наливал на палец меньше, чем себе и всем остальным.

В этой хате я был как у себя дома. Случалось, приходил за советом. Впрочем, чаще всего советы меня не устраивали. Например, Рыжий не мог уразуметь, почему я брезгую проститутками, особенно если те готовы — по любви. Обещал, что с возрастом это у меня пройдет.

Как-то у него нашла меня проститутка Тала, которую я когда-то украдкой увел у перепившего ответственного работника, приняв за благочестивую посетительницу ресторана. (Потом приятельницы-путаны очень обиделись: ими пренебрегаю, а залетных — жалую.) Но и в первый вечер я не жаловал уведенную. Услышал, сколько она стоит, заплатил, извинился за испорченный вечер. Тала деньги взяла, но потом все норовила их отработать. Еще и на любовь «косила». И обижалась, сцены устраивала. Рыжего адрес раздобыла, засаду устроила. Рыжий — проходимец — ее сторону принял, совестил меня. Хорошо, Бородавка помогла, выставила домогательницу, еще и звездану-ла пару раз промеж глаз. У Бородавки я был в любим-цах: считала меня единственным приличным челове-ком в этом доме.

Когда у Рыжего приключилось горе: дочь его, Рус-лану, попытались изнасиловать, при этом полоснули девчонку по лицу бритвой, все ринулись на поиски подонка. Рыжий оставался прежним. Только иногда лукавые морщинистые глаза его замирали, станови-лись невидящими.

Опоздали блатные, пацана взяли менты.

Наши думали на тюрьму передать, чтобы «опусти-ли» насильника особо, от души. Рыжий запретил. Сказал: сам разберется. Огорчились ребята. Как раз-берешься здесь, если он — там?.. Долго Рыжему недо-вольство высказывали.

Таким был Рыжий.

Однажды после Нового года забредаю к нему. В гостях — Резаный. Это было странно, насторожило. В обозримом будущем не ожидал встретить его здесь, да еще по своему поводу.

Резаный — известный картежник, которого ува-жали, но от которого старались держаться подальше.

Почему уважали? Не за игру, за духовитость. Ког-да-то давно его «закрыли». На допросе в кабинете следователя он разбил стекло зарешеченного окна и осколком перерезал себе горло. Так нажил уважение и кличку — Резаный.

Почему старались держаться подальше? Резаный был партнером Бегемотику. Вместе они держали иг-ровую хату. Вот в хате-то все и дело...

У квартиры была репутация заколдованной. В ней невозможно было выиграть. Сильные игроки, испол-нители, пытались противостоять колдовству. Не су-мели. Дураков играть в ней становилось все меньше и меньше, среди профессионалов конечно. Нормальные «лохи» лезли туда с удовольствием. Во-первых, потому, что квартира — из ухоженных, чистенькая, светлая (электричество не экономят), по желанию стопочку поднесут и закуски в ассортименте (при этом ничего не подсыпают). Да и блатные стороной обходят. Во-вторых, считают: раз некто свыше жуликов здесь не жалует, значит, у них, лохов, все шансы. Их манера игры, «честная», должна прийтись по душе. А то, что проигрывают, как всегда, даже с большим размахом, так к этому по жизни привыкли.

Все же и известные «каталы», случалось, лезли сюда. Из принципа, как в бой бросались со сказочным чудищем. Как и положено: чудище побеждало. Сумели выстоять только четыре участника турнира: Мотя — профессионал союзного значения; Чуб, часто выступающий и за рубежом; тот самый, упомянутый Валетом, Маэстро, единственный, кого я признал за авторитет. И — ученик Маэстро, пытающийся писать эти записки.

Причем если первые трое поступили мудро: проникли в заколдованную хату, устояли, и не просто устояли, выиграли прилично, выслушали просьбу хозяев не частить с приходами и потерялись, то нынешний писака — вечный балбес, победу обставил со скандалом.

Сначала я поспорил с Резаным, что управлюсь с их духами, выиграю у него. (Согласитесь: всегда в единоборстве выигрывал, да он в другом месте и не садился со мной, у того же Рыжего — в жизни не рисковал, после нескольких попыток конечно.) Потом выиграл больше, чем следует. И, выиграв, форсил победой. Нет чтобы брать пример со старших: меньше шуму — больше денег. Так еще и в Резаном да Бегемотике врагов нажил.

И вдруг Резаный зовет к себе. На ту самую хату. Правда, дает объяснение. Появился у них клиент, тоже непробиваемый — обыграть не могут. И тоже гонористый, утверждает, что никто и не обыграет его. Достал хозяев. И вот они обращаются ко мне за помощью. Просят проучить клиента.

Возможное объяснение...

Мне бы, фраеру, задуматься: почему все-таки меня зовут — не Мотю, не Маэстро? Почему к врагу — с просьбой? Не задумался.

А они еще и гарантию дают. Во-первых, ставки будут серьезные, и мое финансовое обеспечение — полностью их проблема. Во-вторых, если что-то не заладится, заготовлен сюрприз.

— Что за сюрприз? — настораживаюсь.

— Как всегда, барышня, — отмахивается Резаный.

Соглашаюсь. Назначаем день.

После ухода Резаного Рыжий щурит свои и без того морщинистые глаза:

— Комбинация... Это — точно...

— Да ладно, — говорю. — На месте разберусь. Бабок со мной не будет. И Резаный — чистый лох.

— А то я его не знаю, — вроде соглашается Рыжий. Хотя, чувствуется, имеет в виду что-то свое. И вдруг заявляет:

— Не иди.

Я пошел. Через два дня заявился к Бегемотику. И очень удивился. Партнером моим был... Саша-мент.

С давним членом пляжного клуба Сашей мы были в сдержанных, но уважительных отношениях. Он вообще сдержан. Со всеми. И то сказать: работа. Саша трудился следователем. На пляже ему приходилось играть с разным людом, в том числе и с бывшими уголовниками. Карты всех уравнивали. Отсутствие фамильярности и сдержанность — вот и все, что он мог предпринять, чтобы чувствовать себя более-менее в своей тарелке...

Щуплый, чернявый, похожий на подростка (капитан), он играл ... Как-то... Как, наверное, должен играть именно следователь: вдумчиво, выверенно, неожиданно. Мне он нравился. И не только за игру — по-человечески.

Часто с ним на пляж приходили жена (сложившаяся, не подходящая ему, гладкая женщина) и дочь (золотистая, вечно лезущая на колени) Аленушка.

И еще... Не сомневался: он знает, что я — в розыске. Но он был на пляже — не на работе. И на работе информацию насчет меня почему-то не использовал. Я давно перестал опасаться его. Но удивляться — не перестал.

Значит, предстояло обыгрывать Сашу. Мне это очень не понравилось.

Он тоже удивился мне, неприятно удивился.

В квартире было празднично, наверное, из-за елки, которая все еще стояла в углу. Из-за мерцающих на ней гирлянд.

Бегемотик, похожий на итальянца курчавый карапуз, в прихожей передал мне надутый бумажник.

Стол, колоды — все было готово. За столом, положив на него руки, сидел Саша-мент, которому я должен был доказать, что он — не игрок. Почти сразу придумал продолжение: проиграю. Проиграю все содержимое этого толстенного портмоне. Тем более что, когда Резаный уговаривал меня, предупредил: в проигрыше моей доли не будет.

Я воспрянул духом. Расслабился. Приятно, черт возьми, стало, что хоть чем-то смогу отблагодарить Сашу за его непрофессиональное отношение.

· Саша, удивленный уже и моим поднявшимся настроением, взял колоду. Он должен был сдавать.

В нем вновь обнаружился следователь. Явно силился понять происходящее: и нашу с ним встречу именно здесь (ну, это имело объяснение, наверняка догадался сразу), и мое оживление. «Ну ничего, Санек, — думал я предвкушающе, — не пыжься, все проще и приятней».

Хозяева деликатно уединились на кухне, только пару раз вежливо (от Резаного я такой вежливости и не ожидал) осведомились: не подать ли нам чего.

А я себе проигрывал!.. Единственный раз в жизни самозабвенно, с удовольствием проигрывал чужие деньги. Большие деньги. И хорошему человеку.

Освобожденные от профессиональных, обязательных в игре проблем, мысли блуждали по отвлеченным темам. Думалось, например, о том, чем же может быть уникально это место?.. Если взять и снова (в который раз) попробовать отбросить мистику... И почему именно мы, четверо, не подвластны ей. Приятно, конечно, объяснить свою стойкость каким-нибудь защитным полем... А если все-таки не оно... Что у нас, четверых, общего?.. Мастерство? Нет. Попадались и другие, искусные исполнители. Манера держаться за столом?..

Вдруг с неприятным удивлением понял, что эти двое — и Резаный, и Бегемотик — видят (хоть не появляются почти), что я проигрываю... Проигрываю их деньги. И хоть бы хны... Довольны даже, улыбаются. Не особо задержался на этом удивлении, считают, наверное, что до поры до времени.

Так на чем я остановился?.. На манере держаться за столом... Стоп! Не держаться — держать. И не себя — карты. Вдруг вспомнил урок Маэстро: «Карты следует держать так, чтобы видел их не просто только ты, но и только одним глазом». Он приучил меня к технике держания — карты почти полностью скрыты в ладони, при этом вторая ладонь совсем уже перекрывает первую, оставляя маленькое отверстие-глазок для просмотра. Неприятная, хлопотливая техника. Пока к ней не привыкнешь. И Чуб, и Мотя держат карты так же. А все остальные?.. Ну, за всех не знаю, но те, кого знаю, этой техникой не пользуются, держат по-людски — главное, чтобы сопернику и окружающим видно не было. Горячо... Но ведь и об этом задумывались, и не раз. Нет за спиной ни зеркала, ни шкафов подозрительных, и стены — чистые. Хата эта к тому же угловая, две стены — на улицу. Бред.

Обнаружил, что разглядываю елку. Конечно, игрушки отсвечивают: теоретически можно использовать как зеркало... Но елка — только на Новый год... Кстати, почему ее до сих пор не убрали? Столько времени перестояла. И не сыплется... Гирлянды эти на нервы действуют...

И тут началось!.. Я совсем забыл про обещанный сюрприз. Ведь он был припасен как раз на случай неудачного выступления. Пожалуй, выступление уже можно было назвать неудачным...

Сюрпризом оказалась... Тала. Та самая отвергнутая мной проститутка. Она выплыла со стороны кухни и была выряжена в серьги и медальон. Только в них. Все произошло стремительно. Настолько, что не произвело эротизирующего эффекта. Тала, не глядя на меня, плавно и быстро приблизилась к растерявшемуся Саше. Положила одну руку ему на плечо, другой небрежным жестом отодвинула лежащие на столе деньги. Громко, как актриса самодеятельного театра, произнесла:

— Я согласна, чтобы ты получил меня в виде проигрыша!..

Я видел, что Саша на подобный расчет не согласен, но не успел это доосмыслить...

Я понял. Понял, что не устраивало меня в елке, в

гирляндах. От елки на кухню тянулся необычный провод. Телевизионный кабель...

— Саня! Атас! — почему-то заорал я и глупо повалил Сашу на пол, словно спасал от неизбежной, уже выпущенной пули.

Дальше — стремительнее. Тала без крика подалась в прихожую. Я, оставив Сашу на полу, ломанулся на кухню. Как бы не так! Дверь подпирали изнутри. Когда мы на пару таки вышибли ее, в кухне оказался только Бегемотик, нисколько не испуганный, злорадный. Окно, как в киношном боевике, было распахнуто. В сердцах я «вложился» в нахальную курчавую физиономию. Бегемотик полетел в угол, под окно. Меня подмывало продолжить. Саша не дал. Он был удивительно спокоен, собран. Только цепко, серьезно стрелял глазами по сторонам.

В кухонном столе мы обнаружили видеомагнитофон. По тем временам — диковинку. Без кассеты, конечно. На елке среди игрушек была пристроена миниатюрная видеокамера. Таких теперь полно. Рекомендуют использовать вместо дверного глазка. Тогда она показалась нам шпионской аппаратурой.

Талу мы больше не видели; из прихожей, накинув на голое тело шубку, подалась от греха подальше.

Бегемотик был циничен и откровенен. Кассета, на которой Саша и выигрыш в виде обнаженной девушки, у них. Саша — выиграл, я — проиграл. Кто угодно подтвердит, что мы с ней встречались; те же официантки в ресторане. Чего хотят от Саши? Чтобы он отмазал подследственного. Кого именно? Племянника Бегемота, ну да — взятого за попытку изнасилования... дочери Рыжего. Вот такое совпадение... Не совпадение. Меня выбрали потому, чтобы «замазать» в этом деле, чтобы не слишком гонорился. В будущем. А с Рыжим?.. С его людьми?.. Все равно и Рыжий, и я — во врагах. Какая уж тут разница...

...Саша отмазал племяша... Но лучше бы он этого не делал. Рыжий лично собственноручно отбил гаденышу орудие преступления. И сжег пол-лица кислотой.

Саша через несколько месяцев уволился, но все так же посещал клуб.

Я думал о том, что мне повезло тогда: вовремя спохватился. Тошно было бы знать, что он держит меня за подонка.

Секрет хаты был раскрыт. Бегемотик с Резаным и раньше пользовались камерой, только прятали ее в другом месте, среди книг. Пока Резаный играл, Бегемотик на кухне считывал с экрана заурядного «Шилялиса» информацию. «Маяки» слал с помощью более простого устройства. (О нем позже, в другой главе.)

Бегемотик потерялся. Не уехал, но получил бойкот в нашем мире.

Резаный остался уважаем. Может быть, даже более, чем раньше.

Недавно встретил его. Занимается нынче продажей вертолетов, танков и подводных лодок. Передал прайс-лист. Я не купил. Если очень понадобится что-нибудь из этого товара, возьму в другом месте.

Глава 3

О МАСТЕРСТВЕ

Частенько приятели, из некартежников, уговорив развлечь их шулерским трюком, изумляются:

— Фокусник!

Причем полагают, что для меня восклицание — комплимент.

Мастерство фокусника, манипулирующего картами, и профессионализм карточного шулера — две большие разницы. У фокусника задача — выступить, произвести трюком эффект, у картежника — сделать выступление по возможности неприметным.

Конечно, и фокуснику и «катале» есть чему поучиться друг у друга. Игроку у фокусника — отточенной технике, фокуснику у игрока — знанию психологии одурачиваемых и крепости нервов. Своих, разумеется. Ошибка в работе фокусника — чревата свистом в зале и в худшем случае снижением гонорара. Ошибка шулера может стоить жизни.

Что есть мастерство «каталы»?.. Начинающие считают, что достаточно отшлифовать некоторое (желательно побольше) количество «примочек», не побояться применить их в игре, и успех обеспечен.

Если бы все было так просто... Конечно, арсенал «примочек» имеет большое значение, и над расширением его постоянно следует работать, но владение им чаще всего необходимо для того, чтобы не дать себя провести. Удивятся горячие «многоумеющие» специалисты, если узнают, что шулера-авторитеты чаще всего используют в работе два-три фирменных трюка. Что наверху, где все — исполнители, большинство трюков не проходит.

И тут большое значение имеет индивидуальность.

Мотя... Я не видел ни одного уникального приема в его исполнении. Конечно, он знал многое, но не применял. Не знаю, почему... Скорее всего опасался за репутацию, а может, действительно не владел в совершенстве. Но играл на самом высоком уровне. За счет чего? Об этом до сих пор спорят. Но кто ж ответит... Есть подозрение (подтвержденное экспериментами): за счет редкой — цирковой даже! — зрительной памяти. Достаточно было дважды раздать колоду, чтобы он по малейшим дефектам, возникшим на картах за эти две сдачи, мог видеть расклад. Поди, поборись с ним. Поблефуй. Особенно в покер.

Чуб брал высочайшей техникой игры и незначительными, но при этой технике все решающими мини-секретами. Но был способен и на дерзкий, ударный трюк.

Маэстро. Феноменальная дерзость на базе феноменальной техники. И феноменальный, нескончаемый арсенал.

С ростовскими залетными долгое время не могли справиться. Те несколько сезонов «кормились», наши не могли понять, что «кушают». Потом раскусили: «на перстнях» играли. Внутренняя поверхность выровнена и отполирована. Масти отражаются, как в зеркале.

Вариацию этой идеи использовал Махмуд. На стол небрежно бросалась блестящая зажигалка. Когда над ней проносили карту, мелькала масть.

Говорить о мастерстве коллег — значит в какой-то степени раскрывать их секреты... С этим надо поосторожнее.

Я считался представителем школы Маэстро. Предполагающей всестороннее обследование клиента. В игре следовало как можно скорее определить, что с большим успехом «кушает» фраер, этим его и «кормить». Конечно, сначала желательно выждать, понять, чем попытается «накормить» он. Но и активный метод приемлем. Главное — следить за реакцией и не ошибиться насчет его прикрытия.

Оглядываясь на прошлое, удивляюсь: за все время профессиональной деятельности случился только один прокол. Играл со Щербатым (тоже «катала»; когда не было фраеров, баловались между собой) на пляже пластиковыми картами. И вдруг три карты выстреливаются с моей стороны, падают на топчан. Щербатый аж подпрыгнул.

— Ладно, — говорю, — не дергайся. Доставай и свою, лишнюю.

Зарделся, сказал:

— Ну тебя в пень... — И, бросив «лишак» на мои три, прекратил игру.

Как-то обходилось.

Помню, когда только начинал, рассказывали легенды. Например, о том, как заезжие гастролеры чудили в парке. Играли в преферанс в двух соседних компаниях. И вдруг один обернулся и заметил играющему по соседству за спиной приятелю:

— Ты ошибся. — И продолжил игру. По звуку, по шелесту тасовки услышал, что друг делает не то.

Тогда рассказ завораживал, казался слишком невероятным.

На самом-то деле для профессионала — это семечки. Через два года на пляже в процессе обучения друга и партнера Шурика я повторил этот фокус. Играли на пляже, и он тоже сидел спиной. Слышу: ошибся. Вполоборота поворачиваюсь, делаю замечание:

— Еще две сверху.

И ни Шурик, ни я не удивились. Потом вспомнили, посмеялись.

Или — другая легенда. Говорили: есть исполнитель; карты со стола сгребает, помнит, как они ложатся в колоде, врезает ровненько одну в одну. После каждой врезки представляет, как карты перераспределяются. После того как колоду срезает и раздает, по своим картам знает, как разлеглись остальные.

Освоил этот трюк, хотя исполнял не так искусно, прозаичней. Один из сообщников-дольщиков, кандидат-математик, вывел формулы на основные игры. Но при сборе колоды приходилось следить за расположением не всех, только нужных карт. И врезать приходилось одну в одну. И «вольт» исполнять, передергивать, значит. Впрочем, трюк громоздкий, чаще всего ненужный. Другие — намного удобнее.

Конечно, каждый профессионал старается изобрести что-то свое. Так сказать, внести лепту. Но лепта — это потом. Ни к чему ее обнародовать раньше времени.

И мне удалось открыть несколько «фирменных» рецептов. Не беда, что некоторые из них оказались «изобретенным велосипедом». Послужили исправно, как новенькие.

Например, возникла проблема с «маяками». В игре с залетными использовали, конечно, «маяки», всем своим известные, классические. Но и со своими случалось играть, с теми, кто в курсе классики. Приходилось придумывать нечто новенькое (изящную систему изобрели: сразу после сдачи карт — все запросы, весь расклад у сообщника, как на ладони). Но и новенькое скоро расшифровывалось. Свои — не подарок.

И вот внедрили новинку, которую — были уверены — раскусят не скоро. Использовали технические средства. В прямом смысле — «радиомаяки». Особо не мудрили: устройство взяли из радиоуправляемой модели-самолета — в «Юном технике» продавалась. Приемное устройство один из наших (во Дворце пионеров когда-то кружок посещал) оформил в виде миниатюрной катушки, в которой находился подвижный заостренный сердечник. При получении сигнала сердечник выдвигался. Устройство крепилось пластырем либо под мышкой, либо в области бедра, там, где карман. (Мне и еще одному из наших крепление под мышкой не нравилось. Щекотно.)

Случались накладки: ложные сигналы. Технарь наш пояснил: закономерные неприятности. То грозовые разряды поблизости. То в линии электропередачи — неполадки. (Из-за этих неприятностей я однажды на «мизере» шестью взятками обогатился.)

Но и эта система долго в секрете не продержалась. Так-то по игре ее вычислить невозможно, но четверо допущенных к секрету — слишком много. Именно эту, нами изобретенную систему, и использовали в своей мистической квартире Бегемотик с Резаным. В качестве обратной связи.

Целое направление в работе профессионалов — специальная подготовка колоды. Направление, уже достаточно развитое предшественниками, но — нескончаемое, дающее возможность для полета фантазии.

Признаюсь: в этом жанре особые озарения меня не посещали. Как-то скоро клиенты приучили к тому, что колода, мной принесенная, к игре не допускается. (Неважно, что упакованная... Мало ли было случаев, когда клиент сам покупал в магазине карты, уже препарированные, готовые к употреблению против него). С другой стороны, эти их капризы вынудили развиваться в ином направлении: по ходу игры доводить до ума колоды чужие.

И конечно, каждый профессионал должен иметь свой коронный трюк. Трюк на «черный день».

(Своей заначкой я почти не пользовался. Хотя она давала стопроцентную(!) гарантию победы в одной партии в деберц. Только в одной партии. С каждым клиентом, разумеется.)

Но никогда не следует обольщаться, что знаешь все. Это — невозможно. А значит, на любого исполнителя всегда найдется другой исполнитель, более изощренный.

И главное, мастерство картежника — это весь его образ, умение себя подать, знание законов, устава профессии, право ощущать себя гражданином мира карт.

Если приводить в пример чей-то образ, то стоит

выбрать Маэстро. Может быть, это не совсем верно — Маэстро был не только картежником, но я знал его лучше других и к тому же смежные специальности не портили, скорее дополняли его как шулера.

Итак, Маэстро...

В том самом парке, где однажды утром обнаружили повешенного, проходила известная престижная встреча Маэстро с азербайджанцем.

В городе объявился качественный азербайджанский шулер. Вообще-то это нахальство — заявляться с гастролями в Одессу. Но с этим никак не могли управиться: многих наших пообыгрывал.

Отыскали на него Маэстро. Играли в парке. В «триньку», один на один. Вокруг — гвардия секундантов: одесских исполнителей с десяток, но и азеров не меньше. С иностранцами в такой ситуации бороться сложно, лопочут по-ихнему, конечно же, и по игре своему помогают, кольцо вокруг — от всех глаз не убережешься.

Маэстро играл на «лишаке» — лишней карте, трюк сложный, нахальный. Особенно когда играешь с профессионалом.

Один из сбоку стоящих умудрился углядеть у Маэстро лишнюю карту. Бросил «маяк» своему, по-азербайджански, конечно.

Играли долго, добавляли и добавляли в банк. По правилам, если у противника лишняя карта, банк весь забирается обнаружившим излишек. Долго играли, гастролер на банк изошел, да и Маэстро крепко опустел.

— Смотрю, — цепко, усмешливо наблюдая за Маэстро, сообщил азербайджанец.

Погорячился с усмешкой: когда тот зоркий помощничек еще только воздухом запасся, чтобы подсказать своему, Маэстро уже сосчитал его и мягко так, в своей обаятельной манере предупредил:

— Поправляю, — поправил лежащий на столе остаток колоды.

И «лишак» сплавил.

У Маэстро оказалась «тринька».

— Лишнюю доставай, — с удовольствием, жестко потребовал азербайджанец.

— Ты не знаешь, как это делается?.. — усмехнулся уже и Маэстро. Жестко. — Колоду считай.

Азиат дважды пересчитал карты и, совсем как в боевике импортном, вставил стоящему за спиной подсказчику в живот нож.

...На Привозе у входа, в самом зловонном людской мерзостью месте растерянно стоял сельский гражданин. В немыслимых полосатых штанах с мотней у колен, в немыслимом крапчатом пиджаке на вырост, лоснящемся от огородной грязи, в соответствующей костюмному ансамблю кепке набекрень. Растерянно рылся в карманах, искал что-то. Выворачивая, извлекал на свет божий их немыслимое содержимое: грязные тесемки, квитанции базарные многодневные, огрызки бублика, носовой платок, которым, должно быть, обтирал и сапоги. И вдруг — засаленную лохматую колоду карт, и стопку, толстенную стопку разнокалиберных грязных купюр. Извлеченные вещи наивно и доверчиво держал пока в руке.

— Что, батя, посеял? — сладко посочувствовал возникший подле гражданина один из хозяев этого не самого уютного места под солнцем.

— Шо? — отозвался батя, не прерывая поисков.

— О, карты, что ли? — изумился вроде сочувствующий.

— Ну.

— Ты шо, батя, в карты граешь? — явно подхали-
мажно сбился на сельский говор подошедший.

— Та, граю, — доверчиво, как соседу через пле-
тень, подтвердил гражданин.

Что тянуть. Заманил этот привозный подхалим
мужичка в игру. Мужичок его и нагрузил на восемнадцать штук. И пришлось платить. Потому как кличка у мужичка была Маэстро.

Этот сюжетный ход с легкими вариациями Маэстро использовал частенько. Например, мог стоять на
пляже на самом видном месте в семейных цветастых,
но выцветших трусах, за резинку которых была за-
ткнута манящая пачка купюр. При этом неуклюже тасовать колоду, так что карты то и дело выскальзывали
из рук. Ну как не клюнуть, когда при лохе карты,
бабки беззаботные, очки солнечные с треснувшим
стеклом и на голове платок носовой, тот самый, са-
пожный, только с узелками на углах.

...Поезд шел в Одессу. Пригородный: Раздельная
— Одесса.

В вагоне толпа работяг. Шумных, хмельных, друж-
ных. Своя компания. Ежедневно ездят аж в Одессу.
Работать. Чем заниматься в пути?.. Обычно играют в
карты. В «триньку». Незатейливая игра. Сдают всего
по три карты. Наибольшая комбинация — три туза,
конечно. Хотя нет, еще выше ценятся три шестерки.
Такое странное правило.

С соседней скамьи за игрой следит интеллигент.
Инженерик, должно быть, сторублевый. В очечках,
при галстуке. Сперва помалкивает, потом у кого-то из
близсидящих интересуется правилами. Ему явно завидно, что в компании все свои, что всем весело.
А он, хоть и интеллигент, — чужак. Но компания
доброжелательна, предлагают очкарику вступить в
игру. Тот с благодарностью во взоре пересаживается к
играющим. Похоже, ему и проигрыш будет в радость.

Вроде как приютили. Да он не шибко-то и проигрывает. Хотя и играет впервые; игра на везении основана, умения особого не требует. С полчаса играют.

В момент очередной сдачи очкарик интересуется:

— Затемнить сейчас можно?

— Чего ж нет, — гудят партнеры, переглядываясь: дескать, решился, интеллигентишка.

Затемнить — значит добавить в банк некую сумму, не видя своих карт. В этом случае все остальные должны класть суммы, в два раза большие. Конечно же, после того, как пройдет круг, затемнивший смотрит свои карты и дальше играет, исходя из того, что обнаружит.

Круг проходит, в игре остаются еще три партнера.

Очкарик ведет себя азартно: отказываясь поднять свои карты, добавляет в банк.

Работяги озадачены, но и обрадованы. Карта им пришла не та, против которой стоит играть вслепую. Но вскоре манера игры инженера начинает смущать их. Карты не поднимает, в банк знай себе добавляет.

Много денег набралось. Да и играющие, сверив со временем карты друг друга, вышли из игры. Остался один — обладатель трех тузов. Очкарик карты со стола не поднимает. Увеличивает и увеличивает ставки. У противника его уже и деньги кончаются. Но приятели, конечно, поддерживают: скидываются.

Поезд подъезжает к Одессе.

Работяга трехтузовый и рад бы продолжать поединок: дело верное, но денег общих хватает только на то, чтобы сверить карты с картами очкарика, которые все еще лежат на столе. Нетронутые.

— Смотрю, — огорченно сообщает мужичок. — Три туза.

Приятели во все свои добродушные глаза глядят; кто на очкарика, кто на таинственные его три карты.

Инженер, ни слова не говоря, начинает сгребать со стола деньги в раскрытый портфель.

Работяги растеряны. От растерянности молчат.

— Ты че?.. — издает наконец последний игрок.

— А? — не понимает Маэстро.

— У тебя что?

— Понятия не имею. — Маэстро встает, потому что поезд уже — у перрона.

Мужичок переворачивает девственные три карты. Конечно, три шестерки. Работяги рты разинули. Но и сказать нечего. Наглость ведь несусветная, но никто ничего не заметил.

Вдруг бабуля какая-то, кучей денег напуганная, запричитала. Проклинать Маэстро кинулась.

Тот — что на него, впрочем, совсем не похоже — деньги работягам вернул.

Когда я потом спрашивал его: чего вдруг, объяснил, что шум ему был ни к чему. Но, думаю, дело не в этом. Проклятья его могли смутить. Это — раз. Во-вторых, что ему эти гроши. Он из Москвы с гастролей возвращался, с пересадкой в Раздельной. Тысяч сто пятьдесят вез. Теми еще деньгами. И в-третьих... Любил Маэстро иногда поработать на публику. Артист в нем умер.

Что он время от времени вытворял с колодой!.. Подвыпив, конечно, и среди своих. Фейерверк, фонтан трюков. Даже и ненужных для игры. Двенадцать карт висело у него в воздухе: запускал по одной, подкручивая так, что они возвращались к нему, и он снова отправлял их в полет.

До сих пор ни слова не сказал о том, как Маэстро выглядел...

Высоцкий... К нему, случалось, подходили, как к Высоцкому. За автографом. Рост, тертое магическое лицо, глаза морщинистые с хитринкой — все соответствовало. И голос.

Когда мне случалось выпендриваться с картами, демонстрировать среди своих перенятые у Маэстро трюки, свои понимающе ворчали:

— Ну, еще бы... С такими пальцами.

Видели бы они руки Маэстро. Сбитые, короткие пальцы бывшего боксера.

Конечно, Маэстро был не только картежником. Универсал. Аферы, «кидняки», «постановки» — не знаю, кто бы мог соперничать с ним в этих жанрах.

Один из «кидняков»...

Черный рынок Одессы. Семидесятые годы.

Он, солидно одетый в элегантный плащ, с соответствующей спутницей присматривает песцовую шубу. Причем на даме шуба уже имеется.

Находят продавца. Начинаются примерки. Вроде шуба подходит. Уже готовы брать. В последний момент вновь сомнения. Еще бы — деньги немалые, шуба семь тысяч тянет. Уже и деньги отсчитывались. От толстенной пачки отсчитали семь тысяч на виду у продавца, так, что тот видел: в пачке осталось как минимум еще тысяч десять. Но эти семь тоже остались пока в общей пачке. Еще раз надо бы примерить.

Опять же на виду у продавца деньги кладутся в карман элегантного плаща. Плащ снимается и временно (вместе с деньгами) доверяется продавцу. Надевается шуба. И тут начинается «кипеж». Раздаются крики:

— Милиция!

Публика суетится, свои, конечно, стараются. Оттирают продавца от покупателя.

Продавец не противится. Он совсем не прочь оказаться подальше от покупателя. Ведь плащ с семнадцатью тысячами при нем.

Как бы не так!..

В кармане плаща дырка, и деньги через эту самую

дырку перед тем, как снять плащ, Маэстро сунул в карман своего пиджачка. Так добровольно они и разбегаются...

Или вот пример другой постановки.

Маэстро тогда корешил с Гиеной, вполне авторитетным блатным.

Как-то заявляются к знакомому часовщику, пожилому классическому еврею Изе. У Изи как раз неприятности. Повадился его обижать Пират, здоровенный бандит с «дюковского» парка. Тоже популярный в городе. В прошлом чемпион вооруженных сил по боксу. В тяжелом весе. Все чего-то требует от старенького Изи. И лупит почем зря. Имея уважение к возрасту, не сильно, но регулярно.

Изя плачется Маэстро и Гиене. Те обещают помочь.

Во время очередного набега Пирата завязывают потасовку. (Интересно было бы ее пронаблюдать: Пират в два раза тяжелее Маэстро и Гиены, вместе взятых.) В потасовке Маэстро ножом пырнул Пирата в живот. Вся мастерская в крови, Пират, скрюченный, лежит на полу, Изя в ужасе. Помощнички, чтобы не подводить часовщика, утаскивают с собой зарезанного.

На следующий день заявляются к Изе с сообщением, что Пират в реанимации, милиция на хвосте и...

Дальше классика: тянутся деньги. До тех пор, пока Изя случайно через окно Сарая (бывший ресторан «Театральный») не замечает кутящего Пирата.

Маэстро плевался:

— Просили же: потерпи недельку, отсидись дома... Вот так, работай с бандитами.

Сколько я его знал, видел в разных рисковых ситуациях, Маэстро изо всех сил избегал конфликтов. Впрочем, это профессиональная черта настоящих

аферистов. Но, если деваться было некуда, мог продемонстрировать и настоящий дух, способность на
все...

Это было... Неважно, в одном из центральных рес-
торанов. Маэстро ужинал с женой Светкой и ее сестрой. Мирно, по-семейному.

Оказалась в этом же кабаке пара жлобов. Залетных, должно быть, потому как Маэстро не признали.
Все поглядывали на женщин, спутниц Маэстро. Тот
заметил, насторожился. Но не уходить же.

Подходят жлобы к столику троицы. Один заявляет:

— Выйдешь со мной. — И нахально так, цепко
берет за руку сестру Светки.

— О, хлопцы! — обрадованно улыбается Маэстро.
— Яшку Кривого давно видели?

— Сиди тихо, — второй амбал тяжело кладет обе
руки на плечи Маэстро. Стоя у того за спиной, не давая встать.

Маэстро берет со стола салфетку, промокает губы,
чуть отодвигается и бьет стоящего сзади салфеткой в
живот. Тот, охнув, выпучивает глаза. Напарник растерянно наблюдает, как на животе его приятеля рас-
плывается алое пятно.

— Ну, нам пора, — сообщает им Маэстро и, пото-
рапливая спутниц, покидает ресторан.

Под салфеткой на столе лежал нож. Ресторанный,
обеденный. И тут надурил — с фокусом зарезал.

С Маэстро иметь дело было непросто. Ухо, кто бы
ты ни был, стоило держать востро. Даже если ты —
ближайший партнер. Это у него было на уровне реф-
лекса — дурить.

Обыграли они на пару с Тимуром в Аркадии бармена. Деньги тот все отдал: это понятно. Должен ос-

тался, тоже само собой. Ну и, конечно, перстень-печатку отдал.

Маэстро сразу же вырядился в украшение. И, оставив пока беседующих Тимура и бармена, пошел купаться. Возвращается, отфыркиваясь, обтирается полотенцем...

— Маэстро! Печатка где?! — восклицает Тимур.

Долго Маэстро изумлялся. Отодвинув от себя руку, направив злосчастный палец в небо. Всем палец показывал, как нечто, не имеющее к нему отношения.

— Ну надо же, зараза, — осуждающий взгляд на перст. — Как чувствовал, не хотел надевать. Свободно болтался, соскочил. Пойду поныряю, может, найду.

И понырял бы, но удержали. Хотя все присутствующие и понимали: перстень где-нибудь под приметным камушком на дне.

Конечно, при разделе имущества драгоценность не учитывали. С пониманием отнеслись к неприятности. Как и положено у хороших приятелей.

Будучи на «химии» (тоже надо умудриться: имея за спиной судимость, вторично попасть на «химию». Это они у скупки золота «кинули» одного из консультантов фильма «Место встречи изменить нельзя». Кстати, консультанта по вопросам жульничества. За это Маэстро и взяли. Потерпевший на суде утверждал, что Маэстро ни при чем), так вот, будучи на «химии», Маэстро организовал прием малолеток в касту воров. С приемными экзаменами, с тестами. С выдачей удостоверений. Гордые свежеиспеченные воры, разумеется, вносили крупные взносы в общак. Общак контролировал Маэстро...

Что с учителем не стоит расслабляться, я понял в самом начале совместной деятельности, но и меня он, было дело, подвел.

Посетили Одессу французские тележурналисты. Что-то вроде нашего «Клуба кинопутешествий». Одессу они держали за очень романтичный город. И очень криминальный. Нужен им был жулик-консультант. Сашка Милкус, известный московско-одесский журналист, который таскался с французами в качестве куратора, отыскал меня.

Сидим в номере «Черного моря». Французов очень интересует, чтоб жулик из ничего сделал деньги.

— Много? — спрашиваю.

— Как можно больше, — улыбается переводчица.

После небольшой процедуры всучил им вместо их стодолларовой купюры их же один доллар.

Но дурить перед камерой никого не собирался. Маэстро им был бы в самый раз.

Нахожу его, знакомлю. Маэстро произвел впечатление, и к тому же он готов работать.

Французы желают, чтобы он «надул» кого-нибудь в порту на морвокзале. Перед скрытой камерой.

Подгадываем момент, когда в порт приходит «Собинов», договариваемся со спецслужбой, устраивающей рейд на морвокзале каждый раз, когда приходят суда, чтобы нашего исполнителя не трогали.

Французы показывают, в какое место Маэстро должен подвести клиента, чтобы оказаться в кадре. На теле, под рубашкой, прячут радиомикрофон и отпускают на охоту. Договорившись, разумеется, о гонораре. Деньги клиенту после съемки, само собой, вернут.

Маэстро ловит клиента, таскает по всему морвокзалу. Французы нервничают: что он тянет.

— Так положено, — успокаиваю. А самого терзают грустные предчувствия.

Маэстро с клиентом где-то в морвокзале. (Группа расположилась на площади перед вокзалом.)

Переводчица, на которой наушники радиоприемника, краснеет, меняется в лице. Беру наушники, слушаю. Маэстро с клиентом — в туалете. Ярко представляю картину: стоят рядом у писсуаров. Слышно четко (микрофон фирменный), как мочатся, пукают, при этом беседуют по душам. Все пишется на пленку.

«Кинул» наш герой фраера где-то в закутке. Как исчез с морвокзала — неизвестно. Мы вроде выход контролировали. Микрофон передал через оперативника. Того самого, которому запретили Маэстро трогать. Хорошо, хоть так. За микрофон я больше всего и переживал. Знал бы Маэстро, что эта штучка пять тысяч долларов стоит!

— Да пошли они, — это он о французах потом, при встрече. — Что мне их полтинник. С человека семьсот поимел.

Между прочим, французы деньги потерпевшему не вернули. Перед оперативниками мы с Милкусом отдувались.

Но сказать, что истинный аферист — человек без совести...

Была еще ситуация, когда мы с Маэстро оказались в достаточно тесном закрытом помещении. В компании с другими нескучными людьми. С непростыми, жесткими людьми.

И был среди этих людей один странный, тихий, с тяжелым спокойным взглядом.

Молодняк шустрый в блатных вдохновенно играет. Всех достает. Этого, хоть он и тихий, не трогают...

Я и раньше не был, и сейчас не уверен, имею ли право рассказывать об этом человеке... об этом эпизоде. Но и не рассказать нельзя...

У этого невероятно спокойного мужчины, назовем его — Вадим, были скрючены кисти рук. Именно скрючены, как будто их уродовали. Как это случилось — не интересовались. Не потому, что публика деликатная, а потому, что мужичок явно не из тех, у кого спросишь. Даже если ты — «крутой».

Но однажды Маэстро мне открылся.

Получил Вадим пятнадцать лет. Из них пять лет «крытой». Хуже не бывает, да и столько мало кто выдерживает. Жил достойно, в уважении. Но в какой-то момент дрогнул. Хапнул чью-то пайку. Втихаря. Соседи по нарам поймали момент, когда он сидел за столом. Одновременно двумя ножами прибили кисти к столу. И трахнули всей камерой.

По воровским законам, если в компании «опущенный», тот, кто знает, обязан предупредить. Смолчит — у самого будут крупные неприятности. Маэстро смолчал.

...Я называю Маэстро учителем. Это не значит, что он поучал или даже что-то показывал. В этом мире учатся сами. Учителя те, кто позволяет учиться. А ты, если хочешь набраться ума, прислушивайся, наблюдай, не пропускай мимо ушей и глаз. До многого доходи сам.

Например, Маэстро рассказал, как его по молодости обыграли на фосфоре. Сам он играл на «вольте». Уже тогда его коронный трюк. И проиграл.

Потом, сам доходя, у людей уточняя, я выяснил, что значит — фосфор. Игрок держит под рукой, или в кармане, или прямо на виду губку, пропитанную бесцветным влажным соединением фосфора. Якобы смачивает пальцы, чтобы удобней играть было. (Многие картежники пользуются влажной губкой.) Соединение во время игры наносит на рубашку карт, используя определенную схему. Элементарный крап. Но чтобы он был различим, играют в темных очках. Причем нижняя часть стекол, буквально тоненькая полоска, затемнена совсем. Вот через нее-то и заметно свечение.

Большие ли суммы выигрывал Маэстро?.. Огромные. И полтора миллиона выигрывалось в семьдесят восьмом году, да только получить не удалось.

Насколько я знаю, наибольший выигрыш, который он к тому же и получил, — восемьсот тысяч. Это было в восьмидесятом году, когда «Волга» новая стоила 5600 рублей, а квартира двухкомнатная 12—15 тысяч. Правда, из этих восьмисот доля Маэстро была тысяч пятьсот. Но двоим напарникам его, бандитам, пришлось поработать. Дело было на Северном Кавказе, и они, когда с полученными деньгами возвращались через горы, попали в засаду.

— Теперь вы, — сказал Маэстро хлопцам, увидя поставленную поперек дороги машину и людей с ружьями. Сказал, думаю, не так спокойно, как рассказывал потом мне.

Двух сбросили в пропасть, один ушел.

— Часть золотом получили. Светка моя, когда вернулся, на свадьбу друзей вырядилась в бриллианты. Кто ж теперь поверит, что я пустой.

Поверить в это действительно сложно. В те самые годы, когда машины и квартиры стоили смехотворные суммы, у Маэстро в кармане меньше сорока тысяч не водилось. Просто так, на всякий случай, на игру.

Что еще можно добавить?..

Как-то Маэстро поспорил, что выбросит монетой (чужой) «орла». Двадцать раз из двадцати.

Проспорил. На восемнадцатый раз выпала «решка». Пари заключалось при мне, и хотя Маэстро проспорил, я не посчитал этот неудачный результат признаком отсутствия мастерства...

Глава 4

О ТОМ, КАК ЛОВЯТ КЛИЕНТОВ

Засомневался — писать ли об этом.

С одной стороны, примеров ловли и без того описано предостаточно. В литературе, созданной на карточных сюжетах, тема ловли, пожалуй, одна из немногих, вразумительно изложенных. И здесь, в записках, в каждой главе без этого не обходится.

С другой стороны, не все способы и случаи втягивания фраера в игру имею право вспоминать. Многие до сих пор действенны, до сих пор служат людям. Когда-нибудь, может быть, и расскажут о них. Когда это уже не будет иметь значения. Хотя уверен, такое время не придет или, во всяком случае, придет весьма не скоро.

Но выделить эту грань профессии игрока надо бы. Все-таки целое направление. Может быть, самое важное направление. Со своими правилами, законами, исключениями.

Обыграть фраера — чаще всего дело техники. Заполучить его, организовать игру — почти всегда проявление таланта. Именно с решения этой проблемы начинается профессионал.

Не буду рассматривать те ситуации, когда исполнитель попадает в уже обжитой заповедник, на прикормленное место. Тут единственное условие — не слишком шокировать своим появлением расслабившихся обитателей. Конечно, и умение не дать обеспокоиться на свой счет — искусство. И все же разрабатывать уже открытую жилу — задача не из самых трудных. Правда, почти всегда приходится делиться с открывателями ее.

Единственно известный обывателям трюк — дать жертве для начала выиграть, а после пустить по миру — банален, малодейственен и непопулярен у профессионалов. Хотя и может использоваться как составная часть сценария. Сколько этих сценариев: трагедий, фарсов, фантастических детективов — доводилось создавать и наблюдать...

Когда-то один из моих давних наставников втолковывал:

— Дорогого клиента не доверяют случаю, не ждут. Его надо создавать.

Наверное, он был прав. Состояния наживались на этой методе.

Подвернувшемуся председателю колхоза помогли устроиться в известную на весь Союз клинику. Больших это знакомств требовало. Постарались. После трех курсов лечения вверенный колхоз перестал числиться в миллионерах.

И своих, одесситов, случалось, даже приятелей многолетних в отдельные палаты помещали по блату. С телевизором, с особой кухней. Повышенное внимание персонала обеспечивали... И в этих самых отдельных палатах обыгрывали.

Прежняя, уже отходящая плеяда профессионалов славилась именно умением организовать игру, создать клиента.

И на пляже были большие специалисты в области организации. Некоторые только на этом и специализировались. И не знали, с какого бока подступиться к колоде, а долю — имели.

Залетный еще ногой на песок не ступил, по лестнице только спускается, а его уже кличут:

— Товарищ! Вы в преферанс играете?

Не жлоб какой кличет, пожилой седовласый мужчина. С добродушнейшей улыбкой, в душу проникающей. (Между прочим, преподаватель труда в школе.)

Почему бы действительно не сыграть, если соперники — приличные люди. И, что успокаивает, — все разные. Один — моложавый кандидат-математик, другой — отставной военный (с формой, сложенной рядом, на топчане), третий — бородатый геолог, «акающий», приехавший в отпуск, четвертого — насилу от шахмат оторвали. Чего уж тут беспокоиться, если сам их по всему пляжу собирал.

Перед учителем труда, конечно, неловко. Тот первый подошел и остальных игроков помогал искать. Но играть хотел бесплатно, чудак. Кто ж в преферанс без денег садится. Пришлось — без него. Ну ничего, пусть понаблюдает, подучится.

К подбору имиджей всегда тщательно относились. Мне, например, на свой жаловаться было грех. Часто выручал. Спортсмен с травмой. Команда приехала на сборы, а у меня — растяжение, от тренировок освободили. Вот загораю. В команде преферанс популярен; чем еще заниматься спортсменам на выездах, в гостинице? И (что больше всего расслабляло жертву) какого уровня игры можно ожидать от спортсмена, привыкшего играть только со своими, с таким же, как он. И главное, все остальные — еще так-сяк. Могут (теоретически) оказаться сообщниками. Но этот — точно сам по себе. Слишком молод и долговяз. Два метра роста — не признак преферансиста, тем более не преферансиста-профессионала. Признак профессионала-спортсмена. Этот параметр только для того, чтобы облапошить кого-то, не присвоишь...

Бывало, играли вчетвером. Втроем обыгрывали одного фраера. Двое из наших, соучастники, вполне достоверно ссорились во время игры, демонстрировали антагонизм. Чуть ли не до рукоприкладства доходило якобы на нервной почве.

Но у клиента, залетного, случалось, закрадывалось сомнение. Расплатившись, отводил меня в сторону, делился подозрениями. Мол, эти, кажись, играют в пару.

Еще бы. Я приводил довод в пользу этой версии:

они уже два дня меня обыгрывают. Мерзавцы. Решали больше с ними не играть. Решали играть между собой. Потом, конечно, выигрыш приходилось делить на троих.

Для того чтобы как следует обыграть лоха, совсем не обязательно играть крупно. Можно загорающего рядом провинциала, только приехавшего, с еще не успевшим обгореть пузом, обучить любой простейшей игре. (Лучше, если он обучит вас.) И начать игру на мороженое. Самое дешевое. К концу отпуска обыграть на две тысячи порций.

В большинстве людей живет постоянное стремление: попасться. Важно только не мешать им в этом. Не спугнуть. Впрочем, и уже побывавшие в силке вновь норовят влезть в те же самые сети.

Ежегодно отдыхающий в Одессе ленинградский миллионер в конце концов притомился финансировать наше с ним общение. Зарекся играть со мной. При этом задел за живое. Рассчитываясь последний раз, сделал выговор.

— Меня, — говорит, — люди годами обирали. На сотни тысяч. И я не понимал. Потому, что профессионалы. А ты — щенок... Сел, «хлопнул» и все... Никакой тонкости. Кто так работает?..

Так обидно стало... А главное, должен был признать: он прав. Все-таки огрызнулся, не молчать же...

Это его совсем расстроило:

— Ну вот, еще и хам. Деньги получил, нахамил... Как так можно?! Кто с тобой после этого сядет?..

И больше не садился. Насмешливо посматривал на меня, бесперспективно ожидающего клиентов. Причем с другими — играл и проигрывал так же непринужденно. Можно сказать, мои деньги.

Как-то я пришел на пляж позже него. Ленинградец с одним нашим в покер режется. На меня, неподалеку расположившегося, глянул надменно, даже не поздоровался.

Устроился в трех топчанах от них. Три карты бросаю, тренируюсь.

Не отрываясь от игры, миллионер косит взгляд в мою сторону. Не удерживается, снисходительно замечает:

— Тут тебе еще потренироваться надо. Заметно пока. Красная справа.

— Да, — сокрушаюсь. Красная и впрямь — справа.

Так — несколько раз. Угадывает он, не слишком при этом напрягаясь, продолжая игру. При этом давит на то, что мне еще до профессионалов о-го-го...

Разнервничавшись, я в очередной раз готов поставить полтинник, что он не угадает. Уравновешенный и снисходительный, он соглашается.

Не угадывает, конечно.

— Погоди-погоди... — недоумевает. — Ну-ка, еще раз.

Снова не угадывает.

— Погоди-ка, — это уже своему сопернику-покеристу.

Откладывает карты, перебирается на мой топчан и уверенно доводит проигрыш до тысячи.

Впрочем, к чести его, на этом спохватывается. Сообщает, что получил удовольствие. Точь-в-точь как персонаж О. Генри. Благодарит за урок.

Таким образом расположение его я вернул. Вернул и финансовый источник... Не вернул, но и не потерял. Сам миллионер больше со мной не связывался, но если приезжал с дружками, обязательно знакомил их со мной. То ли хвастая, то ли подтверждая свой рассказ о том, как «его нашли», первым делом всех вел ко мне. Радостно причитая:

— Сейчас он покажет!.. Сами увидите!.. Вадик,

давай тебя первого!.. По сотке. Ну-ка, щенок, «хлоп-ни» этого «волчару»!..

Я с удовольствием «хлопал».

— Во дает! — радовался миллионер. — И не видно же ни хрена! Давай еще разок!

Честно говоря, я не понимал, чего они радуются. И чему удивляются. Трюк древнейший, особенно популярный сразу после войны. Но ладно — нравится людям, пусть радуются.

...Была разработана методика, по которой знакомые проститутки в кабаке, где мы имели обыкновение ужинать, помогали с поставкой фраеров.

Общаясь с подвыпившим похотливым толстосумом, в разгаре кутежа проститутка нахально, в своей профессиональной манере требовала вдруг:

— Ну-ка, подкинь четвертачок.

Клиент, конечно, замешкивался. Тогда ему с укоризной сообщали:

— Да не жмись ты. Видишь, хлопец сидит, «закатал» вчера восемь «штук» и — ничего, улыбается, как видишь. — Пальцем при этом на нас указывали.

Клиенты порой клевали на эту незатейливую наживку...

Многие из жизненных ситуаций могут привести к игре. Профессионал всегда об этом помнит, всегда начеку. При этом следует иметь в виду: уговаривать жертву — последнее дело. Правильнее все устроить так, чтобы уговаривали тебя. Это и вообще приятно, когда тебя уговаривают.

Неожиданный сценарий возник однажды. Не то чтобы сам собой, но писался по ходу развития сюжета.

Загораю как-то на пляже с женщиной, новой знакомой, одесситкой-филологом. С виду непорочной студенткой-идеалисткой. Познакомился только-только, тут же на пляже. Не успел еще трюками карточными впечатление произвести. Юлечка только и узнала обо мне: имя и профессию. Причем профессию имиджевую — спортсмен.

Загорала она на подстилке у самой кромки моря. Первый акт общения (знакомство) состоялся, я застолбил территорию принесенной колодой, оставив ее при филологе, сам отправился к своим за вещами. И чтобы предупредить: при обнаружении клиента пусть кликнут.

Возвращаюсь к студентке с вещами... На тебе! Восседает подле подстилки на песке, поджав под себя колени, вполне немолодой, тощий, занудный тип. В очках с многими диоптриями и плавках широченных, на всю костлявую задницу. Фамильярно так орудует моими картами. Что-то под это самое орудование предмету моих ухаживаний вешает. Ну, ни на минуту оставить нельзя!..

Уверенно, с видом первооткрывателя плюхаюсь на подстилку.

— Ой, знакомьтесь!.. — чему-то радуется идеалистка. — Это Антон. Он экстрасенс, приехал в Одессу на конгресс.

Во, думаю, шустряк. Когда успел? Скороговоркой, что ли, информацию про себя выболтал. Или способом передачи мыслей на расстояние?

Очкарик несколько озадачился моим присутствием, но особо виду не подал. Пожав руку, подтвердил, что он — Антон, кажется, замешкался, не присовокупить ли и отчество. Не присовокупил. Непосредственно так продолжил вешать лапшу моей женщине. Оказывается, он обучал ее игре в карты. Моей колодой!

Ну-ну... Я вытянулся на подстилке, сделал вид, что и мне интересно (интересно было на самом деле), что прислушиваюсь к уроку.

Очкарика явно вдохновило, что ему внимают. Что соперник хоть и моложе, здоровее, а глядишь, и ему, молодому, здоровому, есть чему поучиться. Излагал доступно, делая поправку на отсутствие у слушателей базы. То и дело цитировал великих, включая почивших до изобретения карт древних греков. В конце концов заявил, что экстрасенс-игрок (скромно добавил, что не себя имеет в виду) — игрок, встреча с которым — несчастье для любого шулера. Но, к счастью последних, у экстрасенсов есть дела поважнее, чем обезвреживание «катал».

Юлечка, кажись, потихоньку начинала видеть в зануде не то чтобы богоподобное существо, но сверхъестественное — точно. Глядела глазенками, полными то ли ужаса, то ли обожания.

Я подумал, чего это он напирает на шулеров? Уж не видел ли, как я отходил от сборища картежников... Нет, он просто добирал авторитета. В процессе обучения...

И я начал выстраивать сценарий.

После урока он сыграл с Юлечкой, потом напросился я. Очкарика, конечно, больше устраивало практиковать студентку. Это не очень устраивало меня. По сценарию.

Читатель подумает: разве ж это сценарий — проучить зазнавшегося несмышленыша-экстрасенса. Что тут мудреного, развитие ситуации очевидно...

И я так думал. Подучусь, думал, у него маленько, да и «хлопну» на сколько удастся... Вышло — забавнее.

Первые игры я, разумеется, отыграл рафинированным фраером. Даже Юлечке за меня неудобно было.

— Ну что ты в самом деле?.. — чуть не плакала она. — Кто же так ходит. — И лезла ко мне в карты. Норовила за меня сходить.

Я ей это позволял.

Антон благородно защищал меня.

— Зря вы, Юлечка, думаете, что у всех такие способности, как у вас. Бывает, годами учатся. У Анатолия неплохо получается. Правда-правда. (Это мне.) И потом: он тоже, наверное, делает что-то лучше других. В спорте, например. Так же, Анатолий?..

— Блокирую неплохо, — подтверждал я. — И подача — одна из лучших в команде.

Кажется, мои спортивные успехи не добавляли уважения в глазах Юлечки. Она продолжала серчать на мою карточную бестолковость.

— Ой! Давай лучше я, — не выдерживая, она отнимала карты, — ты пока посмотри. Если непонятно — спрашивай.

Она играла с удовольствием. Может, чувствуя себя лидером среди нас двоих. На очкарика же взирала, как на гуру. Тем интересней обещала быть развязка. Тем выше должны были взмыть мои акции. В последнем акте. Как бы этот гуру не соблазнил героиню до срока...

Спектакль, по моим планам, мог растянуться на несколько дней.

Очкарик так и просидел при нас до вечера. Это меня не сильно расстраивало. Хотя и отодвигало развитие отношений с филологиней на несколько дней. Что романтичней? Совратить женщину в первый же вечер или получить ее в результате интриги? Думаю — первое. Но иногда, для разнообразия, стоит выбрать второе.

Я посматривал в сторону картежников-клубников. Знак мне не дали: фраеров либо не добыли, либо с ними управились сами. Ничего страшного. Интересно, какие суммы таскают с собой на конгрессы экстрасенсы?..

До некоторых пор можно было не опасаться воздействия на мою женщину чар колдуна. Юлечка по вечерам оказалась занята. По просьбе родственников присматривала сиделкой за хворой бабушкой. Ничего не скажешь: добропорядочная девушка.

А вот утренние часы не следовало выпускать из-под контроля.

Когда на следующий день спозаранку пришел к морю, они уже играли. Причем экстрасенс-шельмец привел с собой приятеля. Тоже из ясновидящих. Чтобы в общении с дамой устранить помеху. Меня.

Приятель — Сева, полновато-рыхлый, еще менее загоревший, чем коллега-брюнет, откровенно скучал, играя со мной. После третьей партии напрочь потерял интерес, заявил:

— Надо набраться энергии. — И, сев по-турецки, закрыл глаза, подставил небу растопыренные пальцы.

Юлечка, играя, с восторгом посматривала на него, отрешенного.

После обеда плотность экстрасенсов на нашем пляже стала просто катастрофичной. Нагрянули еще несколько человек. Заседание конгресса можно было проводить прямо здесь, у кромки. Все — важные, мудрено строящие фразы, ироничные. Все оказывающие внимание совсем разомлевшей моей женщине.

Антон-гад предостерегал:

— Юлечка, с ними поосторожней. Ни о чем таком не думайте. Все до одного — читают мысли. И не теряйте бдительность; глазом не успеете моргнуть, приворожат.

«Ты-то чего беспокоишься?» — безрадостно думал я.

Пришедшие, интеллигентно, но коварно усмехаясь, говорили комплименты филологу. Из приличия, снисходительно знакомились со мной.

Юлечка обалдела от такого внимания. Обо мне уже и не вспоминала.

Впрочем, вся компашка, позагорав часа два, покинула пляж. Прихватив с собой заряженного Севу.

Примерно в это же время приятели-жулики жестом дали условный сигнал: «Внимание! Фраер». Я не отреагировал. Тоже небось не на отдыхе...

К концу одной из сыгранных со мной партий первопроходец-экстрасенс не выдержал:

— Так не пойдет... Если хочешь научиться, нельзя играть без денег... Закономерность проверенная...

Я внимательно, настороженно глянул на него, откинулся на подстилку. Изрек:

— Правильно меня тренер предупреждал: «В Одессе обмишурят — не заметишь».

— Тебе не стыдно? — возмутилась Юлечка. — Неужели не видно, с кем общаешься... Как можно так не разбираться в людях!

— Не все такие ясновидящие, — укоротил ее экстрасенс. И мне: — Зря вы так. Если хотите научиться...

— Уже не хочу, — сказал я. Откинутый. Сквозь очки наблюдая Юлечкино негодование.

На следующее утро меня ждал сюрприз. И какой!.. Я вновь опоздал. Две стороны нашего треугольника были уже на месте.

Кроме них, на подстилке обнаружился Милик-Пистон. Один из пляжных жуликов. Слабенький низкорейтинговый шулерок. Антон и Милик резались в деберц. Под азартное переживание Юлечки. Переживала она за гуру-Антона.

Но не эта мизансцена оказалась сюрпризом. Понятно: мои издалека видели, что с кем-то шлепаю картами, решили, что выудил фраерка. Ну и пока меня не было, влезли в заводь. Эка невидаль... На такую невоспитанность наши всегда горазды...

Сюрприз был в другом: Антон выигрывал. И не просто выигрывал, а используя шулерские навыки. Против Пистона. И они — проходили.

Ничего себе — оборотик!.. Полная неожиданность. Особенно если учесть, что с самого начала я предвидел такой зигзаг и в первый же вечер навел справки. Все подтвердилось: конгресс экстрасенсов как раз сейчас проходит в Одессе, среди участников — Антон Розенвассер, представитель белорусской ассоциации каких-то магов, почетный магистр какого-то ордена...

Колдун уверенно дурил Милика. На слабеньком, но редко используемом трюке. Хорош волшебничек!..

Милик, нечистоплотный безденежный шулер, неприятно потел. Взглянул на меня, отвел взгляд. Это — само собой. Закон пляжа: не подавай вида, что знаком.

Я решил — выручать не буду. Чего ради?.. В мой заказник влез, у меня, может, планы далекоидущие, а этот нарушитель со своими мелочными потребностями в мою изящную разработку... Кстати, теперь разработку стоит сделать еще изысканней...

После двух партий Пистон, не солоно хлебавши, отбыл к нашим, на базу. Жалостливо, но невиновато глянув на меня. Ничего, пусть передаст. Чтоб неповадно было.

После того как Антон, на радость Юлечки, вышел победителем в финансово небезопасной схватке, играть в бесплатную игру было просто неприлично. Деликатный экстрасенс, понимая мое щекотливое положение, предложил фору. Для начала — сто очков.

Я проигрывал. Даже тогда, когда фора была понемногу повышена до трехсот. Исправно платил символически назначенный проигрыш. Компенсацию получал в виде сочувствия филолога. Юлечка уже болела за меня. По-прежнему то и дело пыталась сама выхватить карты. Нервничала.

— Зато по-мужски, — поддерживал меня Антон. Пряча в карман сумки небрежно смятые, полученные у меня купюры.

...Я проигрывал и весь следующий день. Юлечка оказалась весьма азартной. Утром мы с ней пришли до того, как явился колдун. Филолог-идеалистка предложила:

— Если будешь браться не за ту карту, я тебя ущипну за бок, ладно?..

Я был тронут, но горд. Попросил меня подобными предложениями не унижать.

К вечеру, выплатив белорусскому представителю приличную сумму, пооткровенничал. Решил, что, как экстрасенс, он должен понять и одобрить.

— Товарищ из местной команды обещал свести с местным колдуном-знахарем. Тот одесских ребят от травм иногда лечит. Говорит, на карты может заклинание наложить. Выигрывать будут... Карты.

— В принципе это возможно, — продекламировал магистр. — Но только не в игре против экстрасенса. Дело в том, что возможно блокирование...

Я слушал. Дослушав, сказал:

— Попробую, не у вас, так у других выиграю... Говорят, осечек не было.

Юлечка, разинув ротик, глядела на меня. Недоверчиво, но с надеждой...

На следующий день она пришла первой. Видать, крепко пробрало... Еще бы!.. Можно сказать, проверка чуда на практике.

— Ну как? — спросила первым делом. Восторженно.

— Что? — спокойно не понял я.

— Наложил заклятие?

— Что его накладывать?.. Пару слов сказал, и — все... Не думаю, что поможет.

— Ну что, заколдованный вы наш? — потирая руки, возник предвкушающий победу Антон. — Начнем состязание с духами?

Зря он так. С духами надо бы поделикатней.

Конечно, он не все проигрывал. Но нервничал ужасно. Хотя вида не подавал. Проигрывая, затихал. Выигрывая, начинал разглагольствовать на темы противостояния полей... Мне, в отличие от Юлечки это было неинтересно. Потому что было важно, чтобы он не заподозрил неладное в моих словах о том, что знахарь-заклинатель потребовал более крупной игры, чтобы не обижать заклятие. Ставки в этот день были значительно выше.

— Чувствуешь: другое дело? — иногда вопрошал магистр. — А говорят — лженаука. Вот бы этих говорунов сюда. Да сыграть. А?!. Притихли бы.

— Еще вечером пойду, — признался я. — Дед сказал: надо несколько сеансов.

— Лучше несколько, — подтвердил специалист.

Вечером, прощаясь со мной обогащенным, обескураженный Антон сделал вывод:

— Завтра будем играть без форы. Тяжело бороться. К тому же, говоришь: еще сеанс?

— Та не знаю, идти или так оставить... — Я неопределенно пожал плечами.

— Я бы пошел, — безрадостно посоветовал корректный соперник.

Три последующих дня я обыгрывал его без форы. По-крупному. Под изумленные, счастливые взгляды Юлечки. Получая удовольствие, расплачиваясь за все. За то, что он вешал моей женщине, за то, что заставил потеть Мильку, за высокомерие его дружков.

Нравилось наблюдать его недоумение от беспомощности используемых трюков. Мои-то были куда сильнее. Поэтому и не мешал ему финтить. Если клиент играет на «примочке» и ты не хочешь, чтобы он соскочил, мешать не следует. Эту шулерскую заповедь поколениями проверяли...

Не понимал он ничегошеньки. И закончить не решался. Досадно было ему заканчивать. Все надеялся: вот-вот фокусы начнут приносить результаты.

На следующий день собрал консилиум. Из своих коллег-конгрессменов. С утра пораньше.

Обступили толпой меня, одиноко сидящего на подстилке (Юлия задерживалась). Советовались над головой, точь-в-точь как врачи при пациенте. Нисколько не стесняясь. Все были настроены весьма скептически. Антон, нервничая, горячась, втолковывал что-то про те самые поля.

Два человека попробовали сыграть. Я, имея уважение к важности эксперимента, согласился. Но предупредил: ставки — нешуточные.

Какие шутки, когда — буквально — на карту поставлена репутация науки?!..

Проиграли. Для чистоты эксперимента каждый по две партии.

Окружающие — пришедшие и Антон — следили за мной во все глаза. Ясновидящие слепцы...

Тогда двое из неигравших — наблюдавшие — пригласили Антона и облапошенных отойти в сторонку. Это я предвидел: здоровый научный скепсис. Подозревают, что я — шулер. В сторонке Антон и парочка проигравших горячо доказывали невозможность предпосылки. Еще бы, со всех сторон десятка два глаз контролировали. Скептики сдержанно им возражали. В конце концов все вернулись ко мне.

— Как можно связаться с этим... заклинателем? — спросил один из неверящих.

— Он принимает только по рекомендации от своих... — заелозил я.

— Так я и думал. — Неверящий обернулся к коллегам.

— А что? — не понял я — спортсмен. — Сомневаетесь, что ли? Точно. Мировой дед. Веселый. Говорил: «Если кто сомневается, пусть позвонит. Я его имя ему же по телефону скажу». Не знаю, наверное, врет. Можно проверить.

Конгрессмены заволновались. Сдержанно, но явно. Принялись обсуждать предложение.

— Вы можете дать телефон? — спросил тот же, подозрительный.

— Деда проверить?

— Да-да, проверить... — он несколько раздражился.

— Чего ж нет. Хотя... Сам номер наберу. Дед — конспиратор. — Хмыкнул: — Даже самому интересно.

Направился к лестнице. Скептик и Антон за мной. У телефона предупредил:

— Разговаривать сами будете.

Вставил монету, начал набирать номер, спохватился:

— Хоть как вас зовут действительно? А то надурите старика...

— Меня зовут Вадим Петрович, — строго, внятно, как надоевшему, не очень хорошо воспитанному спортсмену, ответил скептик. И потянулся к трубке.

— Вы повежливее, — посоветовал я. — Спросите Василия Порфирьевича. Скажете: от Дмитрия Евгеньевича. — И уже себе под нос. — Нахамят человеку пожилому ни за что...

Мы с Антоном напряженно ждали.

Дед оказался дома. Вадим Петрович не церемонился. Сказал, от кого он, и сразу же попросил сообщить, как его, Вадима Петровича, зовут. Миленький такой разговорчик. По-видимому, после паузы на том конце провода ему ответили. Вадим Петрович задумчиво, даже как-то обреченно нажал пальцем на рычаг. Постоял несколько секунд, тупо глядя на телефон, сквозь него, и пошел к пляжу. Мы с Антоном, первыми узнавшие о результатах эксперимента, — за ним.

Дальше было не так интересно. Компания уже не спорила. Громко высказывалась по тому поводу, что деда надо тащить на конгресс. Приставали ко мне, требовали адрес, телефон.

Я хоть и спортсмен, а человек деликатный. Без разрешения координаты не сообщил. Договорились, что разрешение постараюсь получить вечером, а они, экстрасенсы, найдут меня завтра. Здесь же.

Юля появилась в тот момент, когда компашка магов поднималась по лестнице. Они были настолько увлечены обсуждением происшедшего, что почти не обратили на филолога внимания. Даже Антон отделался кивком. Это ее поразило.

Ко мне она подошла вполне обиженная.

— Что с ними?

Я откинулся на песок. Не ответил. Уж если кому обижаться, то мне. Эта непунктуальная идеалистка испортила весь праздник.

Не так уж много нажил я на этой истории. Ну и что?.. Вспоминается хоть и без особого удовольствия, но ярко. Значит, было ярко. А это не последнее дело.

Все гадал — Антон этот, кто он: картежник или экстрасенс. Думаю, второе. Шулерскими трюками пользовался, чтобы простых смертных с толку сбивать, подавлять сверхъестественными способностями.

Надо, конечно, дать растолкование насчет деда — Василия Порфирьича...

Никакой он не Порфирьич. Его зовут Ленгард. Договорились заранее, на всякий случай. Как имя угадал? Звонивший сам и сообщил. Когда сказал, кого ему нужно и от кого он. В зашифрованном виде и сообщил. Старый цирковой трюк. (За экстрасенсов даже как-то неудобно. Если прочтут — небось обидятся.)

Глава 5

О ДРУЖБЕ, ПАРТНЕРСТВЕ

Без всяких вступлений хочется поведать о Ваньке Холоде.

Познакомился с ним, когда мне было двадцать лет. Шулером приличным еще не стал, спортсменом классным, как выяснилось, уже не стану. Очередной неприятный разговор с тренером... и бросил команду. С ней и все льготы советского профессионального спортсмена. Куда податься? В проводники, конечно. Студенты, которые летом подрабатывали, золотые горы сулили.

Прошел короткие курсы и — в рейс. Одесса — Мурманск.

Бригада попалась беззлобная, вежливо так приняли, отдали учеником к кроткой простецкой бабенке. Похоже, она меня даже чуток побаивалась.

В пути заявляется в наше служебное купе невысокий сорокалетний мужик со шрамом на лице и прокуренным голосом. Тоже проводник. Хмельной и весьма общительный. То на руках предлагает тягаться: кто кого положит, то зовет к себе: пить. С руками ничья вышла, с выпивкой — уворачиваюсь.

Оказывается, понравился я ему тем, что на бригадира неугодливо глядел. Пока в Мурманск ехали, надоел мне коллега до чертиков. Со своей пьянкой и со своими разговорами о том, какой он независимый.

В Мурманске, правда, когда белой ночью почему-то только мой вагон приступом брали местные бичи, рассчитывая на водочный трофей, и бригада испуганно отсиживалась в службёках с зашторенными стеклами, завсегдатай не изменил себе. И тут объявился. С монтировкой.

Ванька (это был он) уступил мне оружие:

— Держи!

Сам разбил бутылку и с «розочкой» прыгнул из вагона. Не оглядываясь. Не сомневаясь, что я последую за ним. Ничего не оставалось, как последовать.

Изумленные бичи откатились.

Был уверен, что на обратном пути придется совсем туго. Ничего подобного. Мой нетрезвый соратник не появлялся. Я даже начал нервничать, но тут он возник вновь. С выношенной изящной комбинацией.

В его вагоне возвращается с лесозаготовок в родное украинское село, как выразился Ванька, «жирный лось». Бригадир заготовительной бригады. Везет хорошие бабки. От меня по стратегической задумке полководца требовалось одно — вызвать «лося» в тамбур. Дальше по плану: Ванька вырубает его, сбрасывает с поезда. Земля в Карелии мерзлая, валунов много... Хорош планчик.

Очень хотелось спросить: не шутит ли он. Спросил бы, если бы не знал точно: не шутит.

С Ванькиных слов, светило нам по паре «штук». Во благородство! Самое сложное — на нем, а деньги — поровну.

— Может, у него и денег-то нет?.. — только и нашелся я.

— Ну да!.. Чего ж он не спит? За бабки трясется. Сидит за столиком, косится, сволота.

— Почему, сволота? Пахал мужик.

— Он пахал?! — возмутился Ванька. — Бригадир он, «бугор», как наш поездной. За него другие горбили.

Растерялся я. Аккуратно послал Ваню подальше.

Аккуратно — потому что догадывался: не уймется. Еще бы!.. Обиделся. Сказал, что и без меня управится. Ушел к себе.

Сижу с паникой в душе. Понимаю, этот кретин сотворит все, что задумал своим воспаленным, пропитым мозгом. Что делать?!. Лобовая помеха — будет предательством, а как предашь его после мурманской ночи?.. Но, похоже, придется.

Не пришлось. Судорожно родил хиленькую идейку и с ней подался к налетчику.

— Слушай меня, жлоб, — попер я, закрывшись в его купе.

Ванька глядел на меня обиженными налитыми глазами.

— Сколько тебе бабок надо? — спросил я.

— Ты что, поехал? Чтоб я у тебя взял...

— Это ты поехал. Откуда у меня тысяча?

— Сделаем? — оживился отходчивый Ванька.

— Сколько бабок надо? — пер я дальше.

— Много.

— Ну?!

— В Одессе — долг семьсот, и дела — никакого.

— Сиди в купе, не высовывайся...

Я пошел к «жирному лосю».

Лось оказался щуплым болезненным мужичишкой. Легкая добыча для Ваньки.

Выложил мужичку все, с чем пришел, а пришел со следующим: ко мне обратились пару головорезов. Попросили вызвать мужичка в тамбур. За это обещали пятьсот. Жертву пасут еще с Мурманска. За то, что сейчас откровенничаю, мне светит составить с мужичком парное выступление. Но такой я хлопец, рисковый. Сам почти хохол, из Одессы. Имею к жертве предложение. Я с риском для жизни (своей, конечно) прячу мужичка у себя в купе. Высаживаю его так, что

80

никто не обнаружит. За спасение желаю получить обещанные семьсот.

Жертва очень испугалась. Но закапризничала: денег таких отродясь не видывала. Это ошибка. Надо передать хлопцам, что они его с кем-то путают.

А деньги, похоже, были. Очень настороженный мужик. Еще до моего прихода настороженный.

Извиняюсь, отбываю к себе, сообщив на всякий случай, в каком я вагоне. «Лось» очень не хочет, чтобы я уходил. Бормочет что-то жалобно по-украински. Кошки меня по душе скребут: перепугал человека. Но ухожу. Чувствую: дрогнет — придет.

Пришел. Божится, что денег нет, что порешат ни за что. Потом, чуть не плача, достает пятьсот.

Спрятал я его, бедного, в нише наверху в служебном купе, матрацами вонючими завалил. Сидел он там почти сутки. В туалет в бутыль ходил. А что было делать?..

Высадил, не доезжая одной станции до его хутора. Высадил не на перрон — с другой стороны. Объяснил: для конспирации. Когда высаживал, мужичок уже не был плаксивым, деловито юркнул во тьму, под соседний товарняк.

Сожалел я после: переиграл. До его станции хоть надо было довезти. Все-таки домой человек возвращался, после нескольких лет разлуки. А я ему такое возвращение: ночью, под товарняк и полем...

Ванька был в восторге от проведенной операции. Деньги все брать отказывался, ну тут уж я настоял.

— У меня в Одессе «волына», — растроганно доверился он. — Такое сотворим!..

Но и после этого не унялся. Перед самой Одессой поведал всю драму своей поездной жизни.

Есть у него в бригаде зазноба, на которую с некоторых пор положил глаз и бригадир. Зазноба не знает, куда податься (Ваньку любит, бригадира боится), бригада, конечно, на стороне бригадира. Ивана стремятся выжить. Тот намерен отлупить бригадира на перроне в Одессе.

— Подстрахуй, — попросил Ванька. — Так не лезь, а кто-то рыпнется — останови.

Тоже неплохой план. В бригаде человек десять здоровенных мужчин. Из них двое — родственники бригадира. Но, слава богу, все обошлось. Бригадир, видно, почуяв неладное, покинул состав до того, как Ванька планировал приступить к осуществлению задумки. Я же преданно ждал у бригадирского вагона. Что еще оставалось делать...

С этого началась наша дружба с Ванькой Холодом. Не слишком, надо сказать, благоприятно началась.

...Прошло всего три месяца. Меня разыскал тренер, выяснилось, что оба мы не правы. Можно возвращаться в команду.

Кончалось лето. На сборах под Одессой приключилась небольшая травма. С инфекцией в области левого колена. Через пару недель, когда нога стала черной, болючей и несгибаемой, меня отправили в Одессу.

Полдня мотались по городу, выискивали заведение, готовое принять. Готовой оказалась только еврейская больница. Доставили в нее к ночи.

Очень неприятно стало, когда, осмотрев ногу в приемной, деликатно намекнули: наверное, отрежут. В двенадцать ночи — особенно неприятно.

Это сейчас с ехидством вспоминаю ту ситуацию. А тогда...

Привозят в гнойное отделение. Тишина, лампочки синие зловеще освещают коридор, палаты. И запах... запах гноя, который никого из бодрствующих не беспокоит. В палате в том же адском тусклом свете на койках лежат обрубки. У кого одна нога не угадывается под одеялом, у кого — две. Некоторые спящие — без рук. Но это уже не так заметно. И ни одного укомплектованного конечностями пациента.

Не спалось в первую ночь, да и в последующие тоже.

Утром соседи смотрели сочувствующе. Взгляды их больше всего и пугали. Пояснили: тут не церемонятся, чуть что — отсекают.

— Ну, мы-то хоть старики... — и дальше тот же взгляд.

Врач, пожилой недовольный жизнью еврей, раздраженный чем-то, больше про родню расспрашивал, выяснив, что не на кого мне рассчитывать, очень огорчился.

Лежащий рядом со мной, высохший, как скелет, несчастный старик-еврей, из бока которого литрами выдавливали гной, пожаловался врачу:

— Доктор, плохо...

— Думаете, мне хорошо, — заоткровенничал доктор сердито. — У меня «Запорожец» угнали. Я, может, нервничаю. Каждые десять минут мочиться хожу. Как вас резать?..

Мы не знали, что посоветовать.

— Надо готовиться, — это он мне, — придется, наверное, резать...

Нет смысла сентиментальничать сейчас, вспоминать и рассказывать о том, что творилось в душе. Как в течение дня, к ночи пришел к мысли, что ничего не остается, как...

Пафосные, красивые мысли о самоубийстве никогда не посещали меня. Ни при неразделенной любви, ни при жутких неудачах, обидах... Может, и посещали, но сразу же становились и смешны, и пошлы. Тут была иная ситуация, иное состояние. Другого выхода не было...

В тот момент усвоил, что самое страшное — это

отчаяние. Испытал я его дважды в жизни, и этот случай был первым.

На следующее утро объявили день операции — четверг.

К вечеру знал, что мне делать. Сбежал, уковылял из больницы. (На мне была моя одежда, не нашлось пижамы по размеру.)

Не думал, что когда-нибудь захочу повидать Холода. А тут первый, кто пришел мне на ум, — он. Не сомневался — поймет.

Он обрадовался мне, полез обниматься. Выслушав, стал серьезен и строг. И задумчив. Я и не представлял его таким. Долго молчал, сидя напротив меня на табуретке в своей общежитской неуютной комнатенке. Почти в позе роденовского мыслителя, опершись локтями о колени, тяжело щурясь от дыма, глядя в пол.

Потом достал из-под матраца ни во что не завернутый «макаров». Молча положил на стол, захламленный недоеденными засохшими харчами.

На пистолет смотреть было страшно.

— Умеешь? — строго спросил Ванька.

Я кивнул. На военной кафедре научили.

— Как ты его получишь? — спросил я.

Холод криво усмехнулся, смолчал.

В больничном матраце сделал гнездо и в него спрятал пистолет. Всю ночь, тренируясь, прикладывал его к сердцу. Именно к сердцу. И плакал. И думал о том, что, если вдруг все обойдется, каким стану хорошим. Никогда не совершу ничего гадкого, подлого! Буду любить людей, любить жизнь! Как буду ценить ее! И знал, что не обойдется. Что времени у меня до утра четверга, когда за мной придут...

Не знаю сейчас, хватило ли бы у меня духа. Тогда не сомневался, что хватит. Сейчас думаю, что нет.

На следующий день к обеду за меня взялись. Облучали, кололи, прикладывали, отсасывали...

Хмельной, ошалевший от внимания к моей, только к моей персоне, видел, что все не будет так страшно и просто, как ожидалось.

Прошел четверг, пятница... Через две недели я сбежал из больницы с высохшей, слабой, но родной ногой...

Вернул Ваньке пистолет. Он был усмешлив и обрадован. Много болтал, но не раздражал этим, как в давние времена...

Еще через год встретил его. Случайно. И он раскололся.

На следующее утро, после того как я уехал от него с пистолетом, Ванька посетил лечащего, часто писающего врача и с глазу на глаз рассказал тому, что ждет и его, и его пятнадцатилетнюю дочь, если с моей ноги упадет хоть один ноготок. Доктор поверил Холоду.

— Где нажил новые шрамы? — поинтересовался я. Шрамов на его физиономии заметно прибавилось.

— Бригадир — сука...

Достал-таки Ванька бригадира.

Со слов Холода, проводники обворовали морячка-пассажира и натравили его на Ваньку, дескать, тот — вор. Морячок — в драку, проводники-гады поджучивают. Ванька пытается объясниться — обворованный не желает слушать.

— Ну, падлюки! — взвивается Ванька. — Смотрите, как поступают мужчины... — и ночью на ходу выпрыгивает в окно вагона. В Карелии. На ту самую мерзлую землю и валуны.

Выжил.

Таким был Ванька Холод.

Недавно встретил его, скромно сидящего на подоконнике поликлиники. Он ждал своей очереди к терапевту. Кротко улыбался мне. Я был очень рад. И смущен. Он ничем не напоминал прежнего, гордого, способного на все Ваньку...

Дружба, партнерство в картах — это сложнее. Тут, к сожалению, недостаточно одного-двух, пусть даже самых безошибочных, самых подтверждающих, поступков.

С Ванькой — случай... по мне, так красноречивей не бывает. Но он — не из повседневной жизни.

Друг в нормальной благополучной жизни — тот, с кем спокойно, легко, может быть, интересно. Кому доверяешь. Подразумевается, что, если выпадет испытание, друг — тот, на кого можно положиться. Если выпадет.

А тут — каждая игра, каждая ситуация, каждый день, и по многу раз на дню, испытания. Если не испытание, то в любой момент возможность его. В фальшивых друзьях долго не проходишь.

Игроки норовят группироваться. Это еще не дружба — партнерство. Но и оно означает высокую степень доверия, надежности.

Удивительно, но далеко не каждый игрок стремится обзавестись другом. Вернее даже не так. Далеко не каждый способен на дружбу. Больше того, практически все профессионалы высшего уровня, из тех, кого я знал, были одиночками. Маэстро, Чуб, Мотя... Все одиночки. Может быть, это признак генетического, прирожденного шулера.

Каждый шулер, аферист, игрок в нормальной своей повседневной жизни обязан видеть, слышать, иметь в виду намного больше, чем простой смертный. Профессионал обязан учитывать невидимые пласты. Не только что человек, к примеру, сказал, а и что имел в виду, и что не сказал, и почему не сказал, и о чем подумал, и о чем забыл подумать. И о чем еще подумает или скажет. Может быть, не сразу, а через день или через год. Профессионал всегда ждет подвоха потому, что сам горазд на подвохи. И похоже, генетические жулики не мыслят себя, да и других без подвоха. Какая тут, к черту, дружба. Друг — тот, с кем можно послать к монахам все пласты. Кого можно не просчитывать и кто не станет просчитывать тебя. К тому же у надежности в этом мире другая шкала, другая планка.

Наверное, я — не игрок от бога. Потому что способен быть другом. И если случалось терять того, кого почитал за друга, терялся смысл, не ощущались прочие сопутствующие потери: деньги, удобства, перспективы...

К тому моменту в той жизни было на кого опереться. Был друг. Не упоминал пока о нем. Может быть, потому, что он не имел отношения к моему тогдашнему, мутному миру. Скорее потому, что, если он прочтет об этом, возникнет неловкость, сопли у нас не приняты. (От того, что ему, возможно, доведется читать этот абзац, — уже не по себе.) Нормальный, флегматичный, законопослушный гражданин по прозвищу Гама, который отдавал мне свои вещи и даже зарплату, когда приходилось совсем туго, который принимал меня таким, каков я есть, со всеми потрохами, который не советовал сойти со скользкого пути. И жена его не советовала. И родители. Знал и знаю: от него не дождешься подвоха...

Но сейчас о другом. О другом друге, в связке с которым прошел я почти всю свою шулерскую карьеру.

По каким показателям определялось: тот человек или не тот?.. Да вот, к примеру, одна, еще одна, уже совершенно иная, определяющая ситуация.

— Нет, ну чего молчат? Пусть скажут... — Я горячился. Стоял, опершись о спинку просторной детской кроватки. В кроватке лежал мой пятимесячный сын, спокойный малыш с вечно изумленными, обалдевшими даже глазами.

Валентина, мать малыша, светловолосая меланхолическая женщина с продольными морщинами на щеках, сидела рядом. Очень прямо и очень горько глядела на меня.

Я нервничал. Понимал, что не прав, но бесило, что родители ее не выскажут в лицо все, что накипело. Что накипело, можно было не сомневаться. Вальку, поди, каждый день точат.

— Чего не сказать, — я мотал головой, боялся нарваться на взгляд. — Понимаю, если бы из презрения... А то ведь боятся. Пугало нашли.

— Им стыдно за тебя, — поправила Валентина.

Это я понимал. Если теща — парторг, тесть — ударник труда, а дочь — молодой перспективный программист, то им должно быть стыдно, что к семье прибился аферист. Впрочем, не совсем прибился: с Валентиной мы не жили.

Конечно, вел я себя сволочно, месяцами не заявлялся к сыну. Причем в период, когда жилось беспечно, прибыльно, приносил гроши. Вроде как для галочки. Все казалось: успею поразить их суммами, которые они, праведники, поди, и в руках не держали.

Доигрался. Теперь игры не стало. И денег тоже. Прищурившись, уставился на Валентину.

— Я — вор? Или — пьяница? Может — спекулянт?

— Чего паясничаешь? Сам все знаешь.

— Хочу, чтобы они сказали. Сами. — Я говорил, глядя на дверь. Обращался к двери. — А то ведь...

Довыпендривался. Вошла мать Валентины, маленькая полноватая женщина с сухим трагическим лицом.

— Сережку испугаете, — кротко заметила она. Подошла к кроватке, склонилась над малышом.

Я вызывающе разглядывал ее спину, молчал.

— Чем ребенок виноват... — бормотала женщина, возясь над внуком.

— А кто? — вызывающе спросил я.

Женщина не ответила.

— Кто виноват?

— Кто-кто... Сами знаете.

— Так, виноват я. Чего ж вы на нее рычите?

— Связалась с тобой, дуралеем... Живете, как... Чего не распишетесь?..

— Это мы сами как-нибудь.

— Восемь лет в институте... Опять академотпуск?

— Повторный курс. — Я улыбнулся, решил сменить тон на иронично-недоуменный.

— Чего ты лыбишься? — поинтересовалась Валентина.

Улыбнулся и ей.

— В карты играешь... — напомнила мать.

— Выигрываю...

— Почему не жить по-людски.. Получить диплом, работать... Инженером, а не бог знает кем. Сын — вон какой...

Пришлось улыбнуться и малышу. Тот радостно рассматривал люстру.

— Вы много счастья видели? С дипломом? — полюбопытствовал я.

— А с тобой она его много видела?

— Много, — легко ответил я. — Вальк, много?

— Нет. — И после паузы. — Сколько ты принес за последний месяц?

Я молчал.

— Сколько? — повторила вопрос Валентина.

— Нисколько, — подсказала деликатная теща.

Я долго молчал. Ожесточенно. Глядел на сына.

— Сколько вам надо? — едко так спросил, зло.

— Да не в этом дело...

— Сколько?! — Цепко держался за спинку кроватки. Цепко глядел в нее.

— Сколько обещал, двести, но каждый месяц, — тоже едко напомнила Валентина.

— Так. — Я оттолкнулся от спинки. — Тыщи хватит?

— Дурак, — сказала Валентина.

— Тогда — две.

— Ох... — сказала мать.

— До свидания, — я склонился над кроваткой, потрепал сына за ручонку с видом, мол, ты-то меня понимаешь. Подмигнул ему. — Пока. — И вышел. Они, конечно, думали, что хлопну дверью, но я тихо прикрыл ее...

Понятия не имел, где достану денег. Жирные клиенты — большая редкость. Погорячился малость с обещанием.

Пошел на пляж к приятелям-картежникам. Пляжники мне были должны, как раз две тысячи. Когда там, в детской, нес эту гонорную ахинею, этим себя и успокаивал. Хотя знал: денег не отдадут.

И точно, не дали. Поразводили руками, попросили не отвлекать от игры, внимательно всматривались в карты. Это были не те долги, которые я был вправе жестко потребовать. Во-первых, жулики — свои, родные. Во-вторых, играли в долг, с невнятным сроком отдачи.

Попытался, конечно, и сам влезть в игру. Увернулись, мерзавцы.

Потом один из молодых, настолько молодых, что и кличкой не успел обзавестись, Шурой звали, рискнул. Под лукавые взгляды окружающих вяло сыграли пару партий. Ну выудил я у него полтинник. И все... Что с него возьмешь?

Этот Шурик и раньше был мне неприятен. Вечно торчал здесь, вечно проигрывал. Есть такая категория членов пляжного клуба: кормильцы, вечные жертвы.

Он был из этих. Весь какой-то поникший, грузный, ограниченный картами.

В этот день я ушел ни с чем.

Через пару дней снова забрел на пляж скорее отдохнуть, чем в расчете на наживу. Плана обогащения все еще не было. Да и какие планы могут быть у игрока, особенно у такого молодого недотепы, как я. Благосостояние жулика, даже матерого, в первую очередь зависит от случая: будет клиент — не будет. Но опытные, конечно, страхуются от неприятных случайностей.

На пляже сразу обрадовали: мною интересовался Куцый. С Куцым, сорокалетним пройдой-предпринимателем, мы были в уважительных отношениях. Он меня уважал за руки, я его — за то, что он уважал меня. И за пронырливость. Вечно он что-то комбинировал, суетился. И со всеми был в чудесных отношениях.

Он появился к обеду. Тощий, в свободно болтающихся выцветших плавках спускался по лестнице, держа одежду в руках. До конца лета незагорающая кожа, куцый, блеклый чуб, расстегнутые огромные сандалии на босу ногу. Натуральный алкаш, решивший отоспаться на пляже.

Устроились на свободном топчане, за спинами играющих.

— Значит, так, — начал Куцый. — Выезд завтра.

Я осторожно промолчал.

— Едем работать в колхоз.

— Со студентами. — Понимал, что послать его всегда успею.

Куцый снисходительно кивнул.

— Пашем месяц. Зарплату получаем яблоками.

— Лучше сеном, — предложил я.

Он снова снисходительно кивнул, продолжил:

— Яблоки отправляем в Россию, в Сибирь. Сдаем по «петушку».

Значит, по пять рублей. Я насторожился:

— Сколько яблок?

— Где-то по две тонны. Как заработаем. Пахать световой день. Без выходных.

Что-то в этом было. Это «что-то» мне явно нравилось.

— Едем втроем. Все — в общий котел, потом делим.

— Кто третий?

— Шурик.

— Этот? — Я растерялся.

— Этот. А что?

— Я знаю?.. — Что мог ответить? — Какой-то он рыхлый.

— Наш хлопец. Тихий, правда, но порядочный.

— Он что, «попал»? — Имелось в виду — проиграл.

— Да... Его справки. Бабуля его нянчилась с нами в детстве. Возьмем его, бабуле — радость. Завтра в шесть утра — у меня.

Я подошел к компании, в которой играл Шурик. С полчаса постоял за его спиной, понаблюдал за игрой, Шурик немного выигрывал, но все равно нижняя губа его отвисала.

Он был молод, но уже начинал лысеть. Широкие волосатые бедра и загоревший полосами складчатый живот делали его мешковатым. Глаза у него были широко посаженные, чуть выпуклые. Еврейские глаза. И глядели на все чувственно и как будто огорченно.

Нет, он был неприятен мне.

Усмехнулся про себя. «Порядочный». Ну ничего, пусть будет. Представил, как брошу на диван в детской упакованные тыщи. И, не глядя на Валентину с матерью, надменно посюсюкаю с сыном.

...Колхозный быт вспоминать неохота... Бараки, в которые загонялись наемники на ночь, завтраки, обеды и ужины из помидоров. Не совсем тот быт, к которому привык преуспевающий шулер. Впрочем, какой, к черту, преуспевающий.

Что с человеком делают обстоятельства?!. Я даже возгордился тем, что сделал карьеру: попал в грузчики, колхозную элиту.

Куцый с Шурой собирали помидоры. Невесело им приходилось: изо дня в день ползать между рядами в жухлом неурожайном поле и зелеными, задубевшими пальцами нащупывать мелкие, часто гнилые овощи.

В перерывах между погрузками-разгрузками занимался преимущественно тем, что умножал две тонны то на пять, то на семь. Цена на яблоки в этом году в Сибири должна была подрасти. Так объяснил бригадир Сеня.

Куцый время от времени устраивал с Сеней-прохвостом пикники, в стратегических целях. Тот приписывал нашей троице показатели.

Так мы работали три недели, а потом...

Была в бригаде скромная, говорящая с акцентом украинская девушка Наталия. И Куцый, кто бы мог подумать, вздумал ухаживать за ней. И она, тем более кто бы мог подумать, приняла ухаживания. Служебный роман. На виду у всех, как положено, со слухами. Сеня, прохвост, воодушевленный успешными похождениями Куцего, попытался использовать служебное положение.

Как она ревела, бедная, возле перекошенного ветхого туалета. Уткнувшись Куцему в грудь. Бригадир предупредил, что, если будет отвергнут, Наталия останется без заработка. А у той, видно, любовь.

Ночью в бараке спросил Куцего, что он себе думает.

— Та, сколько там осталось. Недельку потерпим — потом разберемся.

— Потерпишь, значит... — Никогда не обольщался на его счет.

На следующий день случилось невероятное. Заехал на обед и был ошарашен известием: Шурик хватал Сеню, уважаемого мужчину, за грудки. При всех хватал. Как уверяли, почти молча. Так, кряхтел при этом слегка. Шуру чуток отлупили, сам бригадир и его молодчики из местных.

Растерянно метнулся в барак.

Шурик уныло сидел на кровати, сортировал-упаковывал вещи в сумку.

— Что за фокусы? — постарался спросить сурово.

— А... — сказал Шурик неопределенно. И стал рыться в вещах.

— Яблоки снимут, — сузив глаза, я пристально глядел на него.

— Только мои... снимут, — сказал Шурик.

Тогда я пошел, побежал в бригадирскую.

Побили и меня. Несмотря на то что Куцый изо всех сил пытался использовать налаженный контакт с бригадиром.

К вечеру мы с Шурой вернулись в Одессу. Получив по сто пятьдесят рублей зарплаты. По закону, как положено. С учетом вычетов за питание, за жилье, за услуги... Куцый остался в бригаде.

В Одессу добирались дизелем, молчали. Мне не давал покоя вопрос: спал ли этот драчун вчера ночью, когда я разговаривал с Куцым?..

Сухо простились. Шурик понуро побрел к остановке трамвая. Вид его, уходящего, разозлил меня...

Через год Шурик уже был на пляже всеобщим любимцем. Он играл с непозволительной честностью.

Год я угробил на то, чтобы сделать из него хоть

какое-то подобие профессионала. Это не удалось. Это не могло удаться, потому что он упирался изо всех сил. Редкий тип генетического непрофессионала. И я махнул рукой.

Вот такой странный дуэт мы организовали.

Конечно, редкие зачаточные признаки шулерского мастерства он умудрялся демонстрировать, но только в том случае, когда мы с ним оказывались в одной игре, и я принуждал его действовать по уставу. Но стоило чуть замешкаться, и он тут же норовил скатиться в нормальную азартную кустарщину. Впрочем, и в честных играх он большей частью выигрывал, потому как те самые пресловутые жертвы клуба с удовольствием садились с ним.

Характер его за этот год заметно преобразился.

Когда вспоминаю его, в первую очередь рисуются почему-то три картинки.

Первая. Спускаемся к пляжу по аллее в Аркадии. После дождя. Вся аллея в дождевых червях. И Шурик на всем пути тщательно убирает их. С асфальта на землю. Так было не единожды.

Второе. В его коммуне кошка родила. В спальне... Бабуля перенесла котят на кухню. Кошке это не понравилось; она детенышей перетаскала по одному назад, в спальню. И пошло: бабуля — туда, кошка — обратно. В прихожей Шурик случайно наступил на котенка, кошка не донесла. Какую рожу он скорчил, разглядывая маленький, покалеченный комочек. Потом двумя пальцами за шкирку вынес на улицу и со всего маху, с гримасой боли, шмякнул его о дерево.

Третье. Драка — дуэль с тем самым Пиратом-тяжеловесом, чемпионом по боксу. В ресторане «Театральном». Недоразумение возникло по какому-то религиозному вопросу. Бандиты и официанты предварительно дружненько расчистили середину зала. Наблюдая упрямо лезущего под удары Шурика, вновь и вновь встающего, вредного, я ясно отдавал себе отчет, что, пожалуй, меня бы на столько не хватило. Не здоровья бы не хватило — вредности. Но все было честно — один на один. Хотя один Пират стоил как минимум пятерых. Шурик, конечно, проиграл. Но — по очкам.

Да, он не очень походил на того увальня, которого я знал во времена совместной сельскохозяйственной карьеры.

На следующий вечер мы с ним умышленно ужинали в «Театральном». Пират с бригадой, недовольные дуэлью, подошли к нам.

— Ты должен, — поведал Пират Шурику.

— Сколько? — спросил серьезный Шурик.

Бандит, чуть подумав, выдал какую-то цифру.

— Записывай, — Шурик продиктовал свой настоящий адрес. — Приходи — получай. Все, что получишь, — твое.

Никто не пришел.

Если приглядеться, можно разглядеть в памяти и другие картинки...

День рождения Шуры. Гости собрались, нервно ждут. Тем временем именинник под свет время от времени зажигаемых спичек проигрывает последние деньги, те, что были оставлены на спиртное. Выпивку он взял на себя, обязался доставить к застолью. Вот такой получился день рождения — очень поздний и совершенно безалкогольный.

Компания ублюдков на пляже устроила состязание между бродячими стариками, собирателями бутылок. Устанавливали бутылки по одной на некотором расстоянии от соревнующихся. Давали старт: кто первый поспевал к посуде, тому она и доставалась.

Я бросил залетного клиента, полез к ним. Те — то ли обкуренные, то ли пьяные — бутылки побили и — с «розочками» — ко мне. Шурик как-то неожиданно возник рядом. Даже не попытался развести. Попер в оборотку. Я, конечно, за ним. Вялая публика оказалась, не бойцы. Отлупили мы их. Шурику только руку порезали.

Кстати, старики весьма огорчены были тем, что бутылки побиты.

Гастрольные поездки. Черновцы, Москва, Ленинград... Играю только я, но Шурик — рядом. Каждый раз, когда ведут на новую хату, нервничаем. Ведь знают, что мы при деньгах: ежедневно по две-три тысячи выигрываем. Иногда с такими рожами играть приходилось! И выигрывать, и получать. Те — мало того, что сами, не приведи боже встретиться в тупике, так еще и с прикрытием, совсем уже глаз не радующим.

Как-то обходилось. Не потому, что клиенты — из порядочных. Я давно уже понял, что с ангелом-хранителем мне повезло. Все эти банальные споры о том, существует ли он, мне неинтересны. Поживите жизнью, в которой без него — никуда, тоже спорить не захочется.

И еще... Шурик такое спокойствие, уверенность излучал... Знали бы противники, что прикрывает нас только ангел да уверенная манера держаться. Конечно, в Одессе была своя гвардия, так сказать, агентство, оказывающее услуги по получению, но в гастрольных выездных турнирах она не являлась аргументом.

Круиз на «Дмитрии Шостаковиче». Тут мы с Шурой влезли в чужую вотчину. Возникли проблемы. На судне грузины какие-то работали. Разве справедливо: порт приписки — Одесса, а судовые шулера — грузины?

Трудный разговор был. На палубе. Их трое. Сбитых таких, носатых, с бычьими шеями. Побросают, думаю, за борт. Шурик тоже об этом, наверное, подумал, говорит:

— Вплавь на родину возвращаться придется. — Это он грузинам. И смотрит так проникновенно, не мигая.

Договорились с ними. Проверили они меня, игрой проверили. По моим понятиям, чистые фраера. Предложили долю. Мы, подумав для вида, согласились. Не стоило наглеть.

Потом они нас и в очередные круизы приглашали, причем на условиях полного довольствия.

Было в Шуре нечто... Я бы это назвал обостренным чувством чести.

Один из моих давних, предавших меня приятелей, в целях реабилитации пригласил нас как-то к себе. Раздобыл «жирного гуся» — клиента с серьезными деньгами. А у нас с Шурой пустота, и игровая, и денежная. Я дрогнул было уже, утешил себя тем, что совсем не обязательно реабилитировать предателя.

Шурик не дрогнул. И ведь предали когда-то не его — меня. Но он грустно высказался:

— Нельзя...

И сразу стало тошно за себя.

Еще одна показательная история.

Двоюродный брат Шуры, талантливый художник, зарезал у себя в мастерской любовника жены (незадолго перед этим я снимал у него квартиру, потом мы рассорились). В «Огоньке» эта история описывалась. Было напечатано, что труп он пытался сжечь в камине. Ничего подобного — он просто замуровал его в гипс. Тумба трехсоткилограммовая пару месяцев пролежала в углу мастерской. Милиция в этот период несколько раз на короткие сроки закрывала художника, часто бывала в мастерской. Все по поводу пропажи человека.

Так вот, поди эту тумбу вывези. Кому брат мог довериться? Брату. Шурик не помог. Точно знаю: не струсил. Не вписывалась такая помощь в его понятия. Помню его в тот период. Тяжелая ноша была на нем. Потяжелее трехсот килограммов.

(Надо, наверное, дорассказать историю. Художник сумел вытащить тумбу на парадную, там она простояла еще четыре месяца, пока однажды не отвалился кусок и не обнаружилась в тумбе человеческая рука. Художнику дали двенадцать лет, потом сократили до семи. Освободившись, какое-то время он преподавал в художественном училище. Сейчас время от времени заходит ко мне...)

Много чего было.

Еще бы, столько лет совместной карточной деятельности. Правда, на разных полюсах ее.

Но что касается партнерства, дружбы... Можно творить все, что угодно: пропадать на года, жить непутево, ошибаться, даже спиваться можно или еще чего похуже, можно оказаться на дне... В дружбе нельзя только одного — оступаться.

Если уж поведал долгую, нединамичную историю о том, как она могла зачаться, рискну рассказать и о том, какой конец ей был уготован.

...К этой курсисточке меня привел Игорь, маленький светловолосый красавчик, смешливый и юный.

Когда-то лежали с ним в одной больнице, выписались, потерялись. И вдруг — звонит, просит приехать. К черту на кулички, в самый конец поселка Котовского.

Поперся. Как оказалось, только для того, чтобы

познакомиться с этой его соседкой. Рослые мужики, оказывается, ее слабость. Со слов Игоря.

Не верилось. Сидел в ее квартире и ничего не понимал. Маменькина дочка: губки — бантиком, щечки пухлые, очень круглые глазки, наивно глядящие из-за очков. Натуральная курсисточка. На всякий случай я сидел и помалкивал.

А Игорь себе веселился. Нес всякую чушь и сам очень радовался. Соня-курсисточка застенчиво ему подхихикивала и совсем не глядела на меня.

Ближе к ночи Игорь засобирался. И я было встал, но она положила руку мне на плечо и, как бы между прочим, заметила:

— Останься.

Проводила приятеля, вернулась и вполне фамильярно устроилась у меня на коленях. Я ошалело ткнулся носом в пахнущую ребенком шею. И подумал при этом:

«Ну, курсисточка...»

Она вдруг спохватилась:

— Ну, все... все. — И пересела на диван.

Я подался было за ней, но она очень удивилась:

— Ты что?! Мама же дома.

И дальше заговорила как с давним любовником. О том, где мы могли бы встречаться. Оказалось, есть у нее подруга. Старая дева двадцати восьми лет. Здесь же, на поселке. Договорились встретиться на следующий день в квартире этой самой старой девы.

К подруге приехала мать погостить из Сибири. Мы дружно посокрушались, причем Соня — больше. Я, конечно, тоже, но по-мужски сдержанно.

Потом мать задержалась на недельку, потом подруга заболела, отлеживалась дома.

Пока все это тянулось, я потихоньку перегорал. И перегорел. Стало неинтересно. Как будто лет пять знал эту женщину, жил с ней под одной крышей и теперь предстояло жениться на ней.

К тому моменту, когда болезненная дева намеревалась выздороветь, шел на свидание с печальным для Сони известием. Задумал сообщить, что больше не приду. Но не успел сообщить.

Оказалось, что завтра у хворающей именины и та хотела бы, чтобы мы ее посетили. Якобы от себя Соня добавила:

— Можешь взять кого-нибудь. Из своих спортсменов. Для компании.

И я ничего не сказал. Потому что завтра мы должны будем поздравлять эту нескладную двадцативосьмилетнюю подругу.

Собирался взять с собой Шурика. Гама для этой цели не годился, Гаму подруга восприняла бы как подарок. Для женщины должно быть оскорбительно — принимать мужчину в подарок. Шурик был в самый раз.

Шурик согласился. Собственно, я его и не спрашивал. Сообщил, что завтра, часа в четыре заберу его. Вкратце объяснил зачем.

На следующий день с утра мы с Соней зашли к имениннице. Мудро поступили, что зашли. Мероприятие отменялось.

Подруга болела в растрепанной постели.

Вся квартира была растрепанна. На кухне — немытая посуда, у ведра ссыпавшийся мусор. Из распахнутого шкафа свисали с полок лямки дешевых лифчиков. На журнальном столике открытые липкие банки с вареньем, таблетки в рваных упаковках, пара полузасохших лужиц. Ковер на полу сморщен, весь в белых нитках. Тяжелая картина.

Похоже, подруга махнула рукой на все. И сама она была какая-то... махнувшая на себя, сдавшаяся. Ох, уж эта природа... Одним — все, а другим... И фигура, как из медицинского атласа, и лицо... Бывает, о лице говорят: вырублено топором, а бывает — выточено, отшлифовано. По этим меркам лицо подруги было

101

высечено стамеской и, может быть, обработано наждачкой. Но не очень мелкой.

Хозяйка не обрадовалась. Вяло так вернулась от двери к постели, плюхнулась в халате, натянула одеяло, оставив на виду полноса и растрепанные редкие волосы. Буркнула:

— Пьянка отменяется.

— Хорошо, что зашли, — высказался я, — а то выдернули бы парня... — Без умысла высказался.

Но что тут началось... Через минуту подруга, умывшись, причесавшись, *улыбавшись*... улыбаясь, орудовала на кухне.

— Да ты погоди, — испуганно пытался остановить я. — Может, его еще дома не окажется.

— Ничего, — ожесточенно наваливаясь на тесто (когда успела!?), бодро отвечала подруга.

Дверь мне открыла бабушка.

— Шурика нету... Ох... — Она всегда выглядела нездоровой. — Вы знаете, где он? Так пусть он придет... Ох.

Шурик мог быть только у Студента, играть. Когда-то я прилично обыграл и самого Студента, и всю его компашку. С тех пор компашка бойкотировала меня. Начхать.

Шурик был у Студента, писал «пулю».

— Сдуревши? — спросил я. Взгляды его партнеров мне были неинтересны.

Шурик тяжело встал.

— Допишем... вечером.

Зашли к Шурику, чтобы тот переоделся. Я ждал в прихожей.

— Бабуле плохо, — выйдя ко мне, сообщил Шурик.

— Ну?..

— Боится одна... дома.

— Мы — на часик, — заговаривал я. — Возьмем машину. Там очень ждут, нельзя не приехать... Ну?..

102

— Боится...

Я не осуждал Шуру, на его месте поступил бы точно так же.

Поехал к подруге сам. На Пересыпи попросил таксиста остановить, накупил на пятьдесят рублей цветов, апельсинов, конфет...

Подруга, молодец, глазом не моргнула, когда увидела, что я один.

Как я надрывался, острил, комплиментничал, ухаживал за дамами!.. Часа полтора.

Через час тридцать уже ехал в город.

Дверь открыла бабушка, и я никак не мог понять, почему она не впускает меня. Потом она спросила:

— А где Шурик?

— Как?.. — У меня в животе похолодело.

— Вы же вместе ушли... А то, что мне плохо...

Я не дослушал.

Шурик был у Студента, играл. Долго не открывали. Впустили наконец. Студент и остальные изо всех сил не обращали на меня внимания. И Шурик не глядел на меня. Печально разглядывал карты, как-то сжавшись. Зато я внимательно смотрел на друга. Заговорил:

— Бабуле, значит, плохо... — и осекся. Противно стало говорить.

С минуту понаблюдал, как играющие шлепали картами, не удержался, сказал:

— Гад. — И пошел к двери.

...Хотел привести пример того, что значит оступиться. Это не тот пример.

Мы не разговаривали год. Потом случайно оказались в одной игре.

У Гоги Ришельевского случился эпилептический припадок, и меня попросили его подменить. Так вот, мы с Шурой, не разговаривая в жизни, начали общаться во время игры с помощью «маяков». Давних только наших. Так необычно простилась, отошла та ситуация.

Не простилась другая.

Во время одной из гастролей Шуре-упрямцу «попала под хвост вожжа». По-моему, нас «развели» умышленно, но Шурик все сделал, чтобы соперникам это удалось. В квартиру, где предстояло играть, в силу конспирации пришлось подниматься по два человека. Ну, и пошли... Сначала Шурик с клиентом, через десять минут — я с хозяином, приятелем клиента.

Вхожу в квартиру — Шурик уже играет. Влез-таки, воспользовался случаем. Нехорошее предчувствие охватило. Да уж, хорошего мало оказалось. Шурик проиграл первую партию, но места не уступил. Набычился, попер дальше.

Клиент-хитрюга подначивает его, дескать, полные — люди добрые, легче с деньгами расстаются.

Стою за спиной... И вижу, чем тот моего дуралея «кормит», а сказать не могу. Права не имею. На такой случай у нас с Шурой был заготовлен звуковой «маяк». Если один из нас обнаруживает, что другому что-то «проталкивают», должен кашлянуть... Куда там... я и закашливался по-туберкулезному, так что хозяин откачивал, и сморкался бессовестно, и чихал...

И Шурик чихал. На все мои «предупреждения». Проиграл он. Почти все наши деньги.

Что имел выслушать от меня потом, разговор особый... Это не могло быть поводом для... К таким его выкрутасам давно привык.

В Одессе один из моих давних недругов, прознав про эту игру, высказал предположение, что я был в доле у клиента. «Маячил» врагу из-за спины друга. Не при мне высказал, поосторожничал. Но — при Шуре. И люди выслушали. И не услышали возражения Шуры...

...Так мы закончились. Потому что это, без сомнения, называлось: оступиться.

Мы виделись еще несколько лет — в одном мире вращались.

Окружающие не могли понять, что происходит, но точно знали: тот негодяй не может быть правым. Деликатно не лезли с расспросами.

Когда-то мы восстановились благодаря «маякам».

Теперь это повториться не могло; я не дал бы ответ, да и он не рискнул бы обратиться с вопросом.

Шурик — в Сан-Франциско. Когда мне говорят, что он стал благополучным, угомонился, обзавелся новой женой, — не верю. Тут у него остались жена Лида с двумя взрослыми уже детьми.

Как бы меня ни уговаривали, и сама Лидия, и все остальные, что Шурик потерялся, точно знаю: он заберет их.

Я его знаю лучше...

Глава 6

О ТИПАХ ИГРОКОВ

Как ни странно, всех полноправных обитателей мира карт я поделил бы на четыре типа. Всего на четыре. Сначала на две группы: шулеров и жертв, а потом уже каждую группу — на две подгруппы. Подгруппы определил бы так: толковая и бестолковая. С иронией, конечно.

Итак, шулера. Профессионалы. Подгруппа — толковая.

В ней — необязательно игроки высшего исполнительского класса, но они наверху, в авторитете. Потому что так умудряются устраивать свои дела, что всегда при деньгах, всегда отлично выглядят, имеют воз-

105

можность играть крупно. Могут позволить себе играть и на пляже, и в поезде, но в любой ситуации держатся со свойственными им уверенностью, размахом. И везде знают себе цену. В денежном выражении.

Конечно, и у них могут быть проблемы.

Например, Мотя, не признающий никаких авторитетов, играющий только на себя (до сих пор не знаю, кто был его «крышей», при мне ни разу ни к кому он не обращался, да и нужды в этом не случалось)... Делился ощущениями после «залета». Уравновешенный, обаятельный, ироничный... А сто двадцать тысяч проиграл — и ноги стали отниматься. Отыгрался, к счастью.

Я уверен — не мог не отыграться. А не отыгрался бы — так все равно остался бы наверху. Не знаю как, но удержался бы. Потому что там — его место.

Помню, на пляж после неприятностей зачастил Вовка Чуб. Ходили слухи, что попал под совсем уже фантастическую, японскую новинку — изотопные карты. На четыреста тысяч устроился. Из них двести — в долг.

А ведь именно Чуб своей трудовой биографией долгое время развенчивал мою теорию о том, что каким ты ни был профессионалом, рано или поздно нарвешься.

Когда-то Вовка выиграл в Сочах миллион и взял за расчет только двести пятьдесят тысяч — облагодетельствовал клиентов. С тех пор в Сочах его боготворили, и если возникали конфликты по игре, он норовил заманить соперника на третейский суд туда. Там-то уж скажут то, что нужно Вовке.

Ничего, выкарабкался: и долг отдал, и наверху в авторитете остался.

Грустно об этом говорить, но Маэстро навряд ли можно было отнести к этой подгруппе. Хотя и ловкости, и таланта у него было в переизбытке, и суммами располагал более чем достаточными... Чего-то не хватало. Чего-то в облике, несмотря на его способности к перевоплощению. Может быть, отпечаток наложило тюремное прошлое. В высший круг его впускали скорее как почетного мастера, как авторитет по исполнительскому мастерству, чем как равноправного члена. Но и в другой подгруппе шулеров Маэстро не был своим. Там на него взирали слишком задирая голову.

Скорее всего под конец карьеры Маэстро вообще остался в стороне. Не обособился — его обособили. Еще бы... Кто ж его к себе подпустит?..

Шулера бестолковые.

Основная масса «катал». Эти могут все уметь, все оттенки профессии освоить, владеть ими в совершенстве... Но проблемы их схожи с проблемами рядового инженера. У того: от получки — до получки, у этих: от фраера — до фраера. Деньги не держатся. Вызывающе не держатся. Ведь и многие тысячи выигрываются, и от кутежей любопытства ради воздержаться пробуют — не помогает. Вот такая загадка природы.

И рыщут они, бедные, в поисках клиента по вокзалам, пляжам... Прохожим с надеждой в глаза заглядывают. И все подпирает опасность остаться без куска хлеба. Впрочем, только подпирает. Но и это неприятно. Вот такая она, пресловутая сладкая жизнь рядового шулера...

Признаюсь, что хоть и доводилось взлетать, осваивать высшие сферы, обольщаться не следует. Моя подгруппа — именно эта.

Возьмемся за жертвы...
Подгруппа толковая.
Этих сколько ни обыгрывай — как с гуся вода. Тоже так умудряются устраивать дела, что до истоще-

ния их не обыграешь. Хотя вроде и такое случалось: оберешь до нитки, еще и с поправкой на будущее при долге оставишь. Глядишь, через короткое время — как огурчик, «катает» себе. Правда, с тобой уже не садится.

Причем по жизни, по бизнесу — хваткие, далеко не простаки (такие состояния наживают!..), а в картах вечные фраера. И учиться катастрофически не желают. Просто удивительная наивность, уверенность, что ничего для себя нового не откроют. При этом шулеров боятся.

В те времена чаще всего это были цеховики, директора, везунчики — дети состоятельных родителей, всякие лауреаты, генералы, ответственные работники. Они мудро норовили формировать свои закрытые сборища. К чужакам относились настороженно, подпускали по рекомендациям.

Профессионалы на эти сборища облизывались, многоходовые комбинации выстраивали, легендами изощренными маскировались, чтоб затесаться. (Случалось, женились, дело свое открывали. Один даже церковной служкой устроился.)

Но и сюрпризы, бывало, эта публика устраивала. Нет-нет да и забредал кто-нибудь из них на пляж, например, расслабиться. Проверить себя на других партнерах. Форсил при этом ужасно. Дескать, мне ваши ставки — смешны. И проигрыш, вас радующий, — песчинка из этого подножного песка. С деньгами в таких ситуациях расставались легко, радостно даже. Приятные партнеры.

Тут если правильно себя повести, с достоинством и обаятельно, то и на будущее клиента сохранить можно. Если такого в отпуск в Одессу заносило, то жулики попроще норовили поскорее да побезбожнее обобрать. «Каталы» поопытнее отношения налаживали, в будущем в гости наведывались. Хоть в Новосибирск, хоть в Хабаровск. Сколько таким образом источников в Москве, Питере, других городах заполучили.

Ну, и последняя подгруппа. Фраера бестолковые. Что о них сказать? Все ясно из названия: мало того, что фраера, так еще и бестолковые.

Обреченные люди. Жизнь положившие на карты... Лишившиеся всего: работы, благосостояния, любви, счастья... Карточные наркоманы... Нет, не так... Все картежники — наркоманы. Эти — наркоманы конченые. Рыскающие в поисках доз, готовые на все ради... Ради малейшей искры азарта...

У этих ни денег, ни таланта к игре... Одна голая, ничем не подкрепленная, ничем не обеспеченная страсть... Непреходящая.

Не знал ни одного из таких, кто сумел бы взять себя в руки, сумел бы завязать. Многие из них были мне симпатичны, но единственное, что я мог сделать для них, не обыгрывать... И что?.. Обыгрывали другие. Учить их было бессмысленно. Не раз пытался. Они не способны контролировать игру, они — добровольные рабы азарта...

Конечно, можно выделить еще две незначительные группы...

Одна — сильные любители. Игроки, которых нелегко провести, которые много знают, но сами играют принципиально в «лобовую» игру.

Другая — «каталы» приблатненные, чаще всего получившие тюремное карточное образование. Эти чуть что — хватаются за нож, норовят нагнать жути. Для них карты — всего лишь дополнительная атрибутика крутизны. В мире карт они случайные люди. (Прошу не путать с «каталами», прошедшими тюремную школу, ставшими профессионалами.)

Конечно, сколько игроков — столько характеров. И примеров персонажей, разных, сочных, самобытных, можно приводить множество. Можно выделить более узкие группы... Жадных, осторожных, романтичных, нервных...

Все эти примеры еще встретятся.

Сейчас просится другой пример, в котором пересеклись представители трех групп. Двух — основных и одной — несущественной, но неприятной...

...Случилось мне выступать в недалеком от Одессы городе N. Много чего напроисходило в ходе выступлений, но, пожалуй, одно из самых ярких пятен в воспоминаниях об этом городе — Кригмонт.

У Чехова в записных книжках есть такое: «Мне противны расточительный немец, радикальный хохол и игривый еврей».

Борька Кригмонт был игривым евреем. Большой, рыжий, плешивый, веселый человек. Меня с ним познакомила женщина, которую я навестил. У Кригмонта мы с ней и жили какое-то время. Потом женщина незаметно потерялась. Я остался у Борьки.

Почти сразу мне были выданы ключи от квартиры и право относиться к ней, как к своей.

Перед тем, как познакомить нас, дамочка, обнаружив, что и ее давний друг Кригмонт балуется преферансом, сочла нужным его, как друга, предупредить:

— Учти, он — мастер. — Это обо мне.

На что друг весело ответил:

— А я — мастер международного класса.

Международник за первую неделю нашего общения проиграл столько, что если бы я решил-таки получить выигрыш, то ключи от квартиры доверял бы уже не он мне, а я ему.

Но я не решил. Очень скоро понял, что у Борьки, кроме этих двух комнат, скудной обстановки и кучи прожектов, за душой ничего нет. У него было еще кое-что. Долги.

Он тыкался в любую подвернувшуюся игру с непосредственностью щенка-несмышленыша, который беззаботно лезет ко всем проходящим взрослым псам. Но в отличие от щенка с Борькой не церемонились. Проиграть Борьке мог только шулер, все свое мастерство вложивший именно в то, чтобы проиграть. Обладая способностями к анализу, Кригмонт был настолько беспечен, и доверчив, что многим его партнерам-циникам, должно быть, становилось не по себе. При этом считал себя ужасно прожженным и хитрым.

Я не стал открывать ему секретов профессии. Просто, когда он с трудом понял, что все его проигрыши мне не случайность, было решено, что Борька поставляет мне своих партнеров. Партнеров у него, слава богу, хватало.

Начался возврат денег в дом. Хотя иногда он, уловив момент моего отсутствия, норовил ввязаться в игру сам и стравливал поступающие средства. Конечно, я «пхал» ему, но, в общем-то, слабости эти прощались, за что Кригмонт относился ко мне с нежной благодарностью.

Время от времени случались ситуации, в которых я чувствовал: терпения не хватит.

В самом начале, в период погашения его долгов, удалось отыграть его — уже проигранную, но еще не вынесенную — уникальную шахматную библиотеку. Причем отыгрывать пришлось долго, нудно: играли по мелочи.

Выхожу на десять минут позвонить, оставив без присмотра счастливого Борьку и расстроенного соперника. За десять минут счастливчик успевает опять избавиться от библиотеки. И хоть бы глаза отвел, смотрит с виноватой улыбкой.

Психанул я.

— Выноси книги, — говорю.

Вынести, конечно, не дал. Еще полдня угробил на то, чтобы вновь отыграть.

Борька познакомил меня со своей бывшей женой, ныне женой популярного N-ского диссидента. За это знакомство я благодарен ему больше всего.

Дочь и внучка известных писателей (читали в детстве книжку «Жил-был дом»? Автор — ее мать), Вика учила меня писать. Правильнее сказать, учила тому, как не надо писать. Еще шире раскрыла мне глаза на Борьку. Ласково называла своего бывшего супруга «позором еврейской нации».

Оказывается, за два месяца после их свадьбы тот проиграл все, включая обручальное кольцо и фату. Чтобы отмазать главу семьи, она, интеллигентная еврейская девушка, где-то по блатхатам читала уголовникам стихи, рассказы. Слушатели поражались, что она, умничка, красавица, нашла в этом придурке?!

Несмотря на всю свою набожность и свойственную еврейским женщинам терпимость, через полгода они развелись, оставшись друзьями. И до сих пор она относилась к Борьке с нежностью и сочувствием. Тот же продолжал жить непутево и беспечно.

Когда через несколько недель нашего общения Кригмонт надумал ввязаться в следующую брачную авантюру (на этот раз со славянской меланхоличной девушкой, покоренной его веселым уверенным нравом), накануне посещения загса случился весьма свойственный ему казус.

— Костюм хоть у тебя есть? — незадолго до этого полюбопытствовал я.

— Обижаешь, — широко улыбаясь, ответствовал Борька.

В костюм, не одеванный последние года два, он пошел выряжаться за полчаса до выхода. Ушел во вторую комнату и... как-то притих.

Через пять минут, обеспокоенный тишиной, я пошел глянуть, что там опять. Это надо было видеть!.. Костюмчик сидел на нем с иголочки. Но очень походил на маскировочную сетку. Весь в дырочках: моль постаралась. И Борька... Нет, чтоб сразу же снять его — недоуменно разглядывает себя в зеркале. При этом пошлым жестом стряхивает пушок с лацкана пиджака...

Вот так, беззаботно, бестолково жил-поживал Кригмонт. А потом...

Началось с того, что этот балбес взялся зубрить колоды. Пытался запомнить рубашку, обратную сторону карты.

Действительно, карты с полосатой рубашкой читаются. Но есть система. Точнее, их несколько. Нормальному шулеру достаточно сразу определить, с какой системой он имеет дело, и дальше — семечки.

Этот же обнаружил, что линии на картах прочерчены по-разному, и давай усидчиво зубрить каждый рисунок. Секрет не открываю, пусть, думаю, упражняет мозги.

Как-то прихожу вечером, вставляю ключ в замок: заперто изнутри на защелку. Звоню. В квартире слышны голоса, много мужских, жлобских голосов. Неприятно веселых. С той стороны к двери подходит Борька и... не впускает меня.

— Погуляй часок, — просит.

— Ты что, сдурел? — спрашиваю.

— Игра крупная, — голос радостный, уверенный, даже некоторая снисходительность прослушивается. Борьку явно пока только разрабатывают. Все так же снисходительно, но уже шепотом, чтобы не дай бог не услышали, не расстроились раньше времени разработчики, сообщает:

— Пять штук разыгрывается. К вечеру при деньгах будем.

Всегда знал, что этот дуралей — не жлоб, что если бы он выигрывал, делился бы.

— Пусти, зараза, — прошусь. — Дай хоть за спиной постою: гляну, на чем тебя «хлопнут».

— Что ты?! В серьезной игре это не принято, — отвечает важный Борька и убывает из прихожей, потому как его настойчиво зовут из глубины квартиры.

— Бора! Играть будэм, да?..

Только Борька мог умудриться в игре, в которой разыгрывалось пять тысяч, проиграть семь.

Через час он впустил меня. Потерянный, ошалело озирающийся по сторонам, жалко улыбался мне. Лицо его пошло пятнами, глаза были широко раскрыты. Борька явно не мог сообразить, где он находится и как себя вести.

Зато очень хорошо это сообразили гости. Атмосфера квартиры напоминала атмосферу клубного бардачного салона, в котором все чувствуют себя непринужденно, каждый занят собой и своими собеседниками и где не очень рады пришлым людям, но, если уж таковые обнаруживаются, их стараются не замечать.

Пришлым оказался я.

Борьке же перепала роль «гарсона». В руке поднос с бокалами шампанского, безвольное выражение лица. Салфетки, перекинутой через руку, правда, недоставало.

В салоне пребывало четверо мужчин: один — азиатской внешности, щуплый и морщинистый, другой — широкоплечий коротышка с кривыми ногами и изъеденным оспой лицом. Еще один — красавец бугай, излучающий силу, благополучие и презрительность. Четвертый, как оказалось, Борькин приятель, наводчик, боров с красной, все время улыбающейся физиономией. Еще в клубе обнаружились две девицы угадываемой профессии. Гости разбрелись по квартире, милыми междусобойчиками поддерживая атмосферу уютной вечеринки. Борька с подносом умело вписывался в эту атмосферу.

Я ошалело созерцал «гарсона»-зомби, кинувшегося на зов сморщенного, но важного азиата.

— Ну что, Бора, когда мы закончим наши дэла? — Азиат с засунутыми в карманы брюк руками вальяжно направился вглубь, в полумрак комнаты.

— Отец родной, — засуетился Борька, с легким наклоном туловища засеменив следом.

Я подался на кухню...

Еще через час компания шумно покинула заведение.

Итак, Борька проиграл семь «штук». Для начала он лишился всех книг и чудом уцелевшего до этого времени персидского ковра. И теперь уже совершенно точно он лишился, не моего покровительства, терпеливого отношения к себе.

Я сдался. Не сказал ему об этом, но знал: завтра уйду. Слабак. Ведь к тому времени уже пришел к правилу: если считаешь, что пора уходить — уходи немедленно, не задумываясь о том, есть ли куда и к кому идти. Не тяни и не ищи отговорки. Отговорка, к сожалению, подвернулась: это был вечер моего двадцатипятилетия... Решил не проводить его на заснеженной улице. Выбрал Борькино общество. Кретин.

...Который был час — не знаю. Глубокая ночь. Ударил по мозгам дверной звонок. Нахально так, уверенно ударил. Думаю, так звонили в тридцатых, когда приходили по ночам. Оттуда, наверное, наш генетический страх перед долгими ночными звонками в дверь.

Но это были восьмидесятые, и те, кто звонил, пришли по другому поводу. Тоже, впрочем, неприятному.

Наскоро стряхивая остатки сна и ощущения трусоватости, влез в спортивные штаны, направился к дверям. В коридоре наткнулся на взъерошенного, таинственного Борьку.

— Тсс...— Он втолкнул меня обратно в мою комнату. — Это они.

— Ну и что? — тоже унизительным шепотом не понял я.

— Это банда Хачика.

Вечером не дал Бориске втянуть себя в обсуждение происшедшего. Теперь все стало яснее и неприятнее. Бригада Хачика — известная в городе, серьезным злом известная, убийствами, изнасилованиями, нахальством. И мне известная, правда, понаслышке. До сегодняшнего вечера. Борька сам не знал, с кем связался, пока ему не представились по окончании турнира. И еще одну новость я узнал только сейчас, под непрерывный звонок: Бориска в виде залога отдал бандитам ключи от квартиры.

С площадки доносились бодрые уверенные голоса: мужские — низкие злобные и женские — кокетливые, визгливые. Борьку раздраженно звали из-за двери. И одновременно ворочали ключом в замке, блокированном защелкой. И все звонили, звонили.

— Открывай, — сказал я.

Теперь их было пятеро; добавился еще один, земляк Хачика. Сорокалетний, пузатый, усатый. Дамы, кажется, были те же — мне не дали разглядеть.

Кривоногий коротышка сразу же потребовал:

— Посторонние — на воздух!

Это — мне.

Сколько ни возвращаюсь к этому моменту, ни окунаюсь в него, не могу решить даже сейчас, какое продолжение следовало избрать. Уйдешь — потом не простишь себе. Останешься — тоже будет что не прощать.

Нормальный шулер удивится: как — какое продолжение? «Разводить» надо. А если хлопцы — обкуренные, взведенные собственным трезвоном, если их дамы воодушевляют, а ты — спросонья, разбуженный звонком тридцать седьмого года...

Я остался. Глупо так уперся:

— Пока хозяин не скажет, не уйду...

Дальше от меня требовали одного: чтобы правильно угадал, кто хозяин. Угадать никак не удавалось. Ответ: «Борька» — пришедшими явно не брался в зачет.

Меня долго били. Не то чтобы долго — монотонно. Чередуя удары с вопросами:

— Кто у нас хозяин?

При этом один нож держали у подбородка, так, что он задирал голову вверх-назад, а второй, нервно дергаясь, подносили к животу. Сам Хачик и подносил. Он же и бил в основном.

Оттесненный, прижатый к мойке на кухне, по пояс голый, я чувствовал себя беспомощно. И мерзко. Это ничтожество бьет меня, двухметрового, двадцатипятилетнего уже мужика, в дармовую рожу, а я... Как с этим жить?.. Нет, то продолжение, которое выбрал, не было лучшим.

И удивительно, Борька, этот перепуганный непутевый щенок, все норовит всунуться между мной и Хачиком и уговаривает того:

— Отец родной, не отсюда он, откуда ж ему знать... Конечно, ты хозяин.

Я его за хозяина не признал. Замолчал. Но это уже как-то было оправданно — лицо разбито, весь в крови, зуб сломан, еще пяток покрошено.

Борькиным уговорам вняли, оставили в покое. Переместились в комнату. Меня на кухне бросили. Забыли вроде.

Но без продолжения не обошлось.

Борька, добрейшая душа, поведал жаждущей веселья публике, что зря публика так со мной, потому как день рождения — только раз в году. К сожалению.

Взялись опять за меня. Дескать, как так, брезгую выпить с ними. А я с пятнадцати лет до сих пор ни глотка спиртного, даже на свадьбах друзей, даже за упокой близких. А тут с этими... Уперся опять. Опять ножи достали, полезли из-за стола ко мне. Коротышка пистолетом размахивал. Все грозился почему-то задницу прострелить. И сучки их крашеные что-то весело орали, скалили в улыбках зубы.

Придумал ход. Устранился из всей этой мерзости. Уступил им, согласился выпить. Борька тост произнес. Все дружно выпили, вежливый народец. Выпустили меня из внимания. На это и рассчитывал. Делая вид, что пью, вылил рюмку за воротник в сторону рукава... Джемпер к этому времени уже натянул, неудобно как-то: застолье, а я — полуголый. Джемпер шерстяной, темно-серый. Поступок бесследным остался. И сразу же стал изображать из себя вдрызг пьяного.

Все очень удивились. Борька, умничка, сам поверил, взялся убеждать, что это все от того, что не пьющий я совершенно. Так что плохо быть совершенно непьющим.

Оттранспортировали меня на место, на кухню. Презрительный красавчик помог Борьке. При этом вякнул сквозь зубы:

— Животное.

До утра просидел за кухонным столом. Положив голову на руки. И, кроме всего прочего, анализировал трюк с водкой. Трюк, конечно. Вроде как «развел». Но ведь заставили — и выпил...

Больше всего зацепил за живое Бугай-красавчик. (Кличка такой и оказалась — Бугай). Не тем, что сквозь зубы процедил, когда на кухню волочил. (Я-то трезвый, только усмехался про себя.) Казался он осо-

бенно мерзким. Именно своей красотой, благополуч-
ностью. Те — хоть драные, убогие, а этот вроде как
маскируется. И явно презирает весь род людской,
включая своих дружков.

(Я бы тогда не имел к нему особенных претензий,
если бы знал, что до этого, на зоне, он считался вполне умеренным жуликом и место свое знал.)

Под утро компания разбрелась. Остались двое:
Бугай и кривоногий. И их девочки. Коротышка со
своей завалились в Борькиной комнате. Красавчик с
барышней почивали на моей кровати.

Борька, как сомнамбула, слонялся по квартире. То
на балконе постоит, то в ванной обнаружится.

Я заглянул в свою комнату, увидел спящих молодых и понял, что нужно сделать. Знал, каким должно
быть продолжение, чтобы хоть как-то уцелеть после
этой ночи.

Взглядом подозвал к себе Борьку. Всучил ему бутылку из-под шампанского. Борька взирал на меня с
удивлением и с ужасом. Он понял. Я на всякий случай пояснил:

— Твой — Малый. Начнешь первым. Услышу —
сделаю Бугая.

— Ты что, — заканючил Борька. — А потом как?..

— По макушке, — зачем-то сказал еще я, хотя
понял уже: духу у него не хватит.

Ну нельзя, нельзя было из этой ночи выходить
безмятежно!.. Все сделаю сам. Сначала — Бугай,
потом — коротышка. Начхать на его пистолет. Не успеет.

И тут запричитал Бориска:

— Ты уйдешь, а я — как?.. Милиция. И от блатных
куда денешься? Тебе хорошо, ты в розыске...

Слушал его и понимал, что он прав: мне легче.

И я ушел от него. Тихо вышел из квартиры и спус-
тился на лифте в режущее глаза снежное утро.

Впервые после этого я увидел Борьку через двенадцать лет.

Но до этого... Много чего было до этого. В том числе имела продолжение и история после дня рождения.

Я не уехал из города. Днем умудрился снять квартиру, через пару дней привел в нее хозяйку.

События той ночи из памяти выветривались туго. В те времена я был менее качественным христианином, чем сейчас. Жаждал мести. Как могло быть иначе? Именно этому учили с детства литература, позже учителя, позже сама жизнь, особенно та ее часть, с которой приходилось иметь дело.

Не знал, где их искать, не знал, что буду делать, если даже найду, но точно знал, так оставлять нельзя.

И плана-то никакого не было, но я, убогий романтик, этому несуществующему плану даже название дал: план «Зорро».

Случай все сделал за меня. Почти все.

Как-то пересекаю на такси центральную площадь города. У этой площади — центральная интуристовская гостиница и ресторан. Гляжу скучающим взглядом в окно, и — нá тебе: стоят голубчики в полном составе. Четверо моих незабываемых и еще человек пять, все в кожаных куртках, опершись задницами о перила-ограждения у дороги.

Чуть проехали мы, прошу таксиста остановить. Жду. Чего жду, пока не знаю. Дождался.

Коротышка прощается — все при этом о чем-то гогочут, — ловит машину. Поймал, обогнал нас.

Прошу таксиста ехать за ними. Таксисту — что, пообещал переплатить вдвое. Конечно, лучше бы Бугай или на худой конец Хачик. Ну ничего, начнем с этого. Оставшимся больше нервничать придется.

Машина, за которой мы едем, въезжает в спальный район, тормозит возле остановки транспорта.

Мы проезжаем еще метров пятьдесят, я рассчитываюсь с таксистом.

Кривоногий, выйдя из машины, собирается перейти улицу, но тут его окликает крашеная (помешались они на этих крашеных) блондинка, и он радостно возвращается на тротуар.

Смотрю, куда он собирался идти. Напротив — только дом со сквозными подъездами. Напротив того места, где кривоногий высадился, — как раз подъезд. Пересекаю улицу, прохожу через соседний во двор и со двора вхожу в нужный подъезд. Похоже, тот, в который он направлялся. Подъезд извилист, не просматривается на свет. Выглядываю на улицу. Вот — остановка напротив.

Коротышка уговаривает крашенку. Та, кокетливо смеясь, отказывается, разводит плечами, показывает на часы. Кривоногий в настроении, хохочет, игриво тянет к себе подружку, подружка игриво пытается высвободиться.

Я понимаю, что с ней мне будет даже интересней. По их правилам — особый позор, если тебе перепало при твоей женщине.

Не уговорил-таки. Целует на прощание, что-то наказывает, грозя пальцем, и быстро направляется прямо к подъезду, ко мне.

Со света он не увидел меня, к тому же я стоял в глубине, у входа в зигзаг. Ткнувшись носом мне в живот, отпрянул:

— Кто это?! — Голос испуган, еще как испуган.

Он пятится, пытается перестроить глаза на темноту.

— Догавкался, — говорю совсем не то, что собирался. В тоне моем больше ехидства, чем зла.

Он узнает меня. Продолжает пятиться.

— Будем говорить?.. — Испуг не проходит.

— Ага, будем... — Два шага — и я возле него. Не останавливаясь, двумя руками придерживаю его за макушку и со всей дури бью коленом в лицо. И удивляюсь, что в теле его, коренастом широкоплечем теле, не обнаруживается ни капли жесткости, сопротивления. Что-то хрустит, чавкает, мнется... Голосом он не издает ни звука. Тихо, как неодушевленный предмет, валится на бетонный пол. Я зачем-то придерживаю его при падении, словно боюсь, что он ударится головой.

И больше не хочется мстить. Странным, чуждым кажется план «Зорро». И становится все равно, будут ли нервничать оставшиеся. И ночь, юбилейная ночь, становится далекой, становится воспоминанием.

Через две недели взяли всю банду Хачика.

В местных газетах печаталась с продолжениями их эпопея, включая процесс. Участникам были присвоены сроки от девяти до четырнадцати лет.

Тихо греет надежда, может быть, и напрасная, что к развязке и я приложил руку. Из тех же газет узнал, что первым взяли Серого (коротышку). Он, оказывается, был во всесоюзном розыске (совершил побег, нахалюга, хоть бы оглядывался: не следят ли), и когда его взяли, начал сдавать всех. И еще, в том самом доме с проходными подъездами расположен опорный пункт милиции...

Вот и вся надежда.

И напоследок — о Борьке.

Он объявился неожиданно двенадцать лет спустя. Если скажу, что появился на днях — тоже будет правдой. Я как раз работал над записками, причем именно над ситуацией, связанной с ним. Позвонил в дверь моей квартиры и на вопрос: «Кто?» скромно ответил:

«Бориска».

Я очень обрадовался ему. Потому что давно уже признался себе: скучаю. Да, он — балбес, да, непутевый. Но все, что натворил он в своей жизни, натворил от души. Немногих сумею вспомнить, позволивших себе ни разу в жизни не пойти против души. Гораздо меньше, чем толковых и путевых.

Последние шесть лет Борька жил на нелегальном положении в Москве.

В родном городе, теперь уже в другой стране, он числился в розыске. За экономическое преступление. Дело заурядное: Борьку взяли в дело, оформили на него в банке приличный кредит и сообщили, что дело не выгорело. Компаньона Борькиного я знал, когда-то обыгрывал и его. В N-ске навряд ли кто-то еще рискнул бы иметь с ним дело. Борькины неприятности не удивили.

Поразило другое: Борька завязал. С того момента он не сыграл ни одной игры. Правильнее сказать, карточной игры. Потому как выяснилось, Борька идет в ногу со временем — заработки проигрывает в компьютерные игры.

Кстати, с тем долгом в семь тысяч (хлопцы хоть и сели, претензии предъявить нашлось кому) разобрались Борькины родители. Большую часть выплатили. Но квартиру и все прочее Борька все же потерял благодаря своим экономическим импровизациям.

У меня Бориска объявился на предмет полулегального пересечения границы. Родители его жили уже в Израиле. Борька хотел к ним. По сомнительному российскому паспорту с некоторыми проблемами ему удалось-таки улететь.

Я провожал его в аэропорту.

Перед тем, как сгинуть в накопителе, он отдал мне тяжеленный потертый кожаный плащ.

Я смотрел на него, никчемного, совсем лысого сорокалетнего ребенка, понимал, что теперь уже наверняка не увижу его, и чувствовал тесноту в горле. Это была потеря: терял еще одного доброго человека.

Борька никогда не держал меня за сентименталь-ного. И сейчас он мелко суетился, осторожно погля-дывал на меня, переживая из-за того, что своим отъ-ездом он причиняет кучу хлопот. Похоже, то, что он теряет все, казалось ему сущим пустяком в сравнении с тем, что мне пришлось встать в пять утра, чтобы проводить его.

Последнее, что он сказал, было:

— Там у тебя написано, что я проиграл фату через два месяца... Не через два, а через четыре. И еще. Я тогда не хотел тебя подставить... Ну, когда сказал этим про день рождения... Хотел как лучше...

— Не нуди...

Я подтолкнул его в спину. Борька никогда не дер-жал меня за сентиментального.

Глава 7

ОБ ОБРАЗЕ ЖИЗНИ

Эту тему в отдельную главу можно было и не вы-делять. И так все ясно. Решил выделить как пред-остережение тем, кто вздумает попробовать, прель-щенный именно образом жизни. Подвижным и не-скучным.

Впрочем, навряд ли проба только из этих сообра-жений может привести к успеху.

Ну да, внешне жизнь шулера — образец здорово-го, даже спортивного стиля жизни. Жизни, насыщен-ной впечатлениями, встречами с необычными, инте-ресными людьми. Еще бы!.. Постоянные перемеще-ния, участия в соревнованиях, каждое из которых — с призовым фондом, радость побед, горечь пораже-ний... Бред.

Приверженцы этого «здорового» образа жизни, как правило, имеют данные лица (что, впрочем, интригует окружающих), до времени подорванное здоровье и нервы — ни к черту.

Ведь вся эта жизнь — не ради себя самой, ради единой маниакальной цели. Найти фраера. Обыграть. Получить выигрыш. Все, что сопутствует достижению этой цели... Впрочем, это действительно не скучно...

...Ботик с Коровой выловили на пляже фраера. В декабре. Из тех самых, состоятельных. Фраер оказался большим чином из УВД, но и не скрывал этого. В Одессу приехал в командировку. Вышел к морю воздухом подышать; наши его и хапнули. То да се... Зовет к себе в номер играть. В гостиницу. Кто ж пойдет?.. Если уже признался, что чин. И к себе вести боязно — «светить» точку.

Командировочный к переживаниям с пониманием отнесся, согласился играть прямо тут, на пляже. У костров. Симпатичная ситуация: как минимум полковник управления играет в карты на пляже. Хоть и солнечным, но морозным днем.

К вечеру день перестал быть солнечным. Скаткостер помаленьку выгорел, другой запалить — руки не доходят. Только-только игра настоящая, стоящая заладилась.

Приезжий — клиент из приятных, в игре не искушенный. С деньгами расстается безмятежно, с достоинством. И к тому же явно — не крыса штабная, мороз стойко переносит. Корова с Ботиком весьма довольны. Такой фраер... на пляже... зимой?.. Большая удача.

Нагрузить-то они его нагрузили. И получили все... Но руки отморозили. Оба. Непонятно, как ими, отмороженными, доигрывали. Вот оно, здоровое общение на свежем воздухе с интересными людьми...

А командировочному — хоть бы что... Действительно не штабная крыса. Предлагал на следующий

125

день встретиться. Они-то согласились, конечно, да не пришли.

В поликлинике выяснилось, что пострадали серьезно. Позже по инвалидности получили. Так и считают себя инвалидами труда...

Аркаша был шулером-везунчиком. За клиентами ему бегать не приходилось — сами приходили. Вернее, их приводили. Фраеров поставляли сообщники. У Аркаши и играли.

Хозяин имел имидж добропорядочного семьянина. Семья, правда, была неполной: он да жена, но какое это имеет значение, если все — солидно, прилично, под уютным абажуром. Ему громко разговаривать нежелательно, потому как жене-бухгалтеру с утра на работу, отдыхает уже. Да и самому вставать ни свет ни заря, на производстве план горит, а с него, начальника сектора отгрузки, спрос особый. Все на нем, бедном.

Не был Аркадий начальником сектора, и жена его не была бухгалтером. Она была нормальной, неброской, меланхоличной женщиной, домохозяйкой, которой эта «добропорядочная» жизнь осточертела.

Когда-то она вышла замуж за моряка-рыбака, но моряк вскоре незаметно сошел на берег (все не было и не было рейса, потом оказалось, что он и не предвидится) и занялся другим, как он утверждал, не менее романтичным промыслом.

Романтика ее не захватила. Ежедневно, еженощно приходили и уходили разные, часто неприятные люди, временами вспыхивали ссоры. Случалось, приходилось прятаться, по нескольку дней никому не открывать дверь, вести себя тихо, даже ходить — и то на цыпочках. Дружки мужа были вежливы, обходительны, но какие-то... неискренние.

Еще до загса планировалось, что она, дочь сельских учителей, работать не будет, планировалась судьба тихой, верной морячки. Воспитывающей детей, ожидающей мужа. Это ее устраивало, за этим она и пошла. Так все и осталось, за исключением некоторого изменения. Стала тихой верной женой шулера. И с детьми все откладывалось, все переносилось на потом. Какие уж тут дети?.. Ребенку не прикажешь молчать, когда в очередной раз придется, прячась, ходить на цыпочках...

И однажды под утро обыгранный клиент, отлучившись в туалет, нарвался в ванной на жену-бухгалтершу. Которой утром — на работу. Она повесилась еще вечером, когда муж призывал гостей к тишине. Боясь нарушить покой супруги...

Такая романтика...

А гастроли Левы Штейна...

Разжился он молодыми ребятами студенческого вида. Обыграл немного, но, главное, выяснил, что родители их — люди состоятельные, в министерстве работают. В Москве. И очень преферанс жалуют. У себя дома клуб организовали из своих же сослуживцев.

Не стал Лева, седовласый, похожий, кстати, на Эйнштейна, мужчина, обыгрывать юнцов. Процацкался с ними недели две, пока те отдыхали. Одессу показывал, преферансными задачами изумлял. На дачу возил, медом угощал. С отцом, профессором (настоящим), за пасекой наблюдающим, познакомил. И конечно, получил приглашение в Москву. Ну и что, что от детей? Сам слышал, как о нем по телефону родителям рассказывали, и понимал, что приглашение родичами завизировано.

Завидовали мы Штейну. Партнеры его, дружки, в долю просились. Уговаривали, чтобы взял с собой. Не взял. Сослался на то, что общество — слишком изысканное. Что следует быть особо осторожным.

127

Изысканное общество... И осторожность — особая...

Тело Штейна родственникам выдали в закрытом гробу. Посоветовали не задавать вопросов. Это все — в милиции. Единственное, что сообщили: разбился, выпав из окна высотного здания...

Вот такая, связанная с путешествиями жизнь...

Но можно отбросить эти страсти. Жизнь шулера полна и мягких, не таких ужасающих оттенков...

Если вспомнить свою — понятно, разное было. Было то изо дня в день. Но слова «образ жизни» навевают совершенно разные картинки...

Одна — квартира, в которой пришлось обитать больше года. Будучи в розыске. Занятно, что располагалась она в центре Одессы. Комната с фанерными стенами размером шесть квадратных метров. Окна — нет, отопления — тоже. Нет и туалета. Ближайший — на расстоянии одной остановки троллейбуса. (Радовался, если угадывал с транспортом.) И самое экзотичное — в комнате росло дерево. Из стены выступал широченный забеленный ствол огромного клена. По всем признакам — бесхозное убежище бомжей. Как бы не так... За эти хоромы приходилось платить приличные по тем временам деньги. Что оставалось делать? Тех, кто в розыске, квартиросдатчики не слишком жалуют...

Шик свободной жизни «каталы»...

Иная картинка...

Та, давняя, самая первая студенческая история, в которой Гришка подставил и Юрка спас, оказалась с продолжением.

Проходит шесть лет. Я уже не подарок. Живу с игры. Все знаю. Не все — многое. Удивляюсь своей тогдашней наивности.

Встречаю однажды Седого. Вернее, он меня на

улице остановил. Разговариваем ни о чем: о жизни молодого специалиста, и ловлю себя на том, что относусь к нему снисходительно, что такие, как он, нынче для меня — клиенты.

Но он-то всего не знает и вдруг предлагает игру. Крупную, с теми же партнерами, на другой, правда, хате.

Интересно становится, соглашаюсь, конечно. Не только из интереса, а и с вполне конкретной целью: нажить. Договариваемся.

На следующий день встречаемся и едем на хату. На поселок.

Там складывается не очень симпатичная ситуация.

Квартира обшарпанная с засаленными обоями, с линолеумом на полу, который местами отсутствует.

Хозяйка квартиры — сухая, нестарая еще женщина, задуманная как красавица, но весьма потасканная и какая-то опустошенная. Пристально и печально посмотрела на меня, открыв дверь. Взгляд без искры, хотя и почувствовалось сразу: воздержание — стиль не ее жизни.

Партнеры — не совсем те.

Один — из бывшей троицы, тот, который ни рыба ни мясо. Встретил меня равнодушно. Как будто я за сигаретами на десять минут отлучился. А он не курит.

Другой — сморщенный, маленький, почти старик, в очках с толстенными линзами. Болезненный и хитрый.

Обстановка, атмосфера очень неприятная, нездоровая. Из такой квартиры хочется поскорее уйти. Но куда уж денешься. Да и привык к тому времени в разных атмосферах осваиваться.

Резину не тянем — знакомимся, садимся играть. И сразу же начинает эта компания незатейливо, оскорбительно примитивно шельмовать.

Ну, думаю, разочарую я вас, ребята. Занятно так

стало, радостно. Нравилось всегда растерянные лица наблюдать.

Рано обрадовался...

С «маяками» проблем не было. Они пользовались той же системой сигналов, которую облюбовали аркадийские жулики еще лет двадцать назад и с удовольствием применяют по сей день. «Маячит» троица друг другу. Помалкиваю, пеленгую, расшифровываю информацию. Мне она даже нужнее. До них долго не доходит, нервничают. Сыгранности у них не получается. Вернее, выходит, что сыграны не только они между собой, но и я с ними.

Седой первый сообразил, что я читаю их «маяки», прекратил сигналить. Очкарик с тихоней понять ничего не могут, сердятся на Седого за отсутствие информации. Психовать начали, поругиваться.

Дошло и до этих, когда я взялся за ними колоды перетасовывать. Поначалу не мешал, но больно крупные игры начали заряжать, чувствую, не угонюсь.

Когда первый раз за очкариком перетасовал, они поперхнулись, замерли от неожиданности. Понемногу пришли в себя. После третьего вмешательства старикашка нервно заметил:

— Вы, молодой человек, тасуйте, когда придет ваша очередь.

— На фарт, — попытался не обострять я.

— Правила нельзя нарушать, — наставительно сообщил очкарик.

— Ну? — удивился я. Все еще добродушно, не ведая всей степени их наглости.

Они уперлись: не имею права тасовать — и все тут. Совсем оборзели.

Я добродушие сбросил, предложил:

— Пойдем на люди?

Они снова как споткнулись. Но поперли дальше:

— А мы не люди?

В общем, легкая перепалка. По их хамским правилам играть отказываюсь. Они требуют доиграть «пулю». Ожесточаюсь, но с оглядкой: понимаю, что перспективы у меня не радужные.

— Играем, — вдруг уступает Седой. — Пусть тасует.

Его сообщники недовольны, но послушны.

Играем вяло. Понятно, что им эта игра уже не нужна. Нужна мне, потому что знаю — теперь обыграю. Пусть ненамного. Но лишние деньги не помешают. Если их заплатят.

Хозяйка квартиры то пропадает на кухне, то сидит на инвалиде-диване, старые «Огоньки» листает. Замечаю, пристально поглядывает на меня.

Вдруг подходит, становится у меня за спиной, какое-то время наблюдает за игрой. Потом нежно, вкрадчиво, но решительно кладет руки мне на плечи. Ну, штучка! У меня озноб по спине.

Седой серьезно взирает на нас, предлагает:

— Прервемся. — И к женщине:

— Надюха, сделай чего-нибудь перекусить.

Надюха неожиданно гордо отбывает на кухню.

— Как тебе? — при всех интересуется Седой.

Пожимаю плечами, хотя женщина за живое взяла.

— Хочешь быть с ней? — не отстает сват. — Вторая комната ваша.

Сказать честно, не отказался бы в другой ситуации, несмотря на потасканность этой Нади. Но все эти рожи... Подумал вдруг, что любой из них мог бы... И этот, с линзами. И еще: я-то выигрываю. Наверняка, какой-то ход. Может, жлобскую причину ищут для примитивного наезда.

— Я не по этому делу, — говорю.

— Да ладно...

Стук в дверь не дает Седому договорить.

Прибыли еще люди. Два бычка, молодые, наглые.

Один— крупный, шумный, как будто открытый. Эдакий бесшабашный рубаха-парень. Другой — помельче, но тоже здоровый. С запавшими глазами и угрюмым взглядом.

Стало понятно, не видать выигрыша. И вообще, еще неуютнее сделалось.

— Шакал, как тебе такое казино? — Это бычок — корешу.

Кореш промолчал.

— Лепа, ну-ка скажи: имеет право игрок тасовать колоду, когда захочет?... — выскочил хитрый старикашка с вопросом к «рубахе».

— Конечно, не имеет, — встреваю я.

— Как это — не имеет?.. — Бычок смотрит на меня как на полного идиота. — Тасует, когда хочет!.. Ну, клиенты пошли.

Я с любовью посмотрел на очкарика. Седой улыбнулся. Давний, невнятный знакомый вперил в меня недобрый взгляд.

Лепа почувствовал подвох, оглядел всех, ожидая разъяснений. Не дождался. Возвращая первоначальную уверенность, загудел:

— Дался вам этот преферанс! Два часа маешься, копейки проигрываешь. И мозги пухнут. То ли дело — деберц. — Он взял колоду, исполнил пару любительских эффектных трюков. — С кем сразиться?

— С ним, — старикашка мотнул головой в мою сторону.

Лепа скептически оглядел меня, спросил:

— Почем?

Играть, конечно, не стоило. Но как удержаться, не воспитать такого жлоба.

— Деберц — не моя игра, — поведал я.

— Твоя, твоя, — это спокойный вдруг вставился. И спокойно так сообщил:

— Лепа, он — не фраер.

— Да ладно, фраер — не фраер!.. Поиграть охота, — пошел вперед уверенный Лепа. И уверенно тяжело сел к столу на место Седого. Прокомментировал: — Сдаю, — действительно раздал карты и потом только сообщил: — По двести.

Я поднял карты...

Часа за два обыграл его на тысячу шестьсот.

Он уже не был беззаботно снисходителен. Понемногу наливался злобой. Явно был из новой плеяды бандитов, не владеющих собой.

— Сдавай, — потребовал он после очередного залета.

— Надо рассчитаться, — интеллигентно заметил я.

— Да ладно, тут серьезные люди. Меня весь город знает.

Я не притронулся к картам. Очень равнодушно смотрел на пол.

Лепа подождал, понял, что я кончил игру, взвился:

— Ну, б... люди!.. Какие-то поганые полторы штуки и — столько вони!...

— Надо бы рассчитаться, — я смотрел в пол.

— Шакал, у тебя бабки при себе?

Шакал не отозвался.

— Мы поехали за бабками — ты ждешь здесь, — очень жестко, свирепо даже выдал Лепа. — Хмурый, не выпускай его. — Это он спокойному. — Мы скоро. — И он прошагал в прихожую. Равнодушный Шакал вышел вслед за ним.

Ну дела! Осмотрелся и вспомнил, что давно не видел Седого. Похоже, тот ушел, пока мы с Лепой играли. Он был единственным человеком во всем этом гадюшнике, с которым хоть как-то можно было общаться.

Очкарик — явно не любитель острых ситуаций, засуетился, посетил туалет и, не возвращаясь в комнату, ушел.

В квартире остались мы с Хмурым и Надежда.

Решил ждать. Прикинул, что, используя фактор внезапности, с охранником управлюсь без труда, но выбрал другое развитие.

Сопляк... Какие деньги?!. Люди же все про себя уже рассказали!... Точно: полный идиот.

Если порыться в себе, еще одно задержало: Надежда. Глянулась она мне. Такая дурацкая натура. Знал ведь: не буду с ней, а нервы пощекотать хотелось. Как поведет себя? Помнил ее руки на своих плечах. И озноб на спине помнил. Хотелось еще чего-то. Пусть не близости, но чего-то... Что говорить — хотел я ее, и она была рядом... И быть с ней — нельзя. Нечастая, приятная сердцу ситуация.

Дело шло к ночи. Я стоял у незашторенного окна, прикинул, что в случае чего можно будет выпрыгнуть. Второй этаж, внизу палисадничек, куцые зимние кусты, махонькие деревья. Конечно, бред, но так, на всякий случай, надо иметь в виду.

Лепа задерживался.

— Ляжешь на кухне, — сказал Хмурый.

На кухне была расставлена раскладушка, постелены вполне чистые простыни. Вероятно, каждому из нас предназначалось по помещению.

Уже думал о том, что хорошо бы Бугаю не появиться до утра. Чтобы Надежда могла себя проявить.

Разделся до футболки, выключил свет, лег.

Минут через десять вошла женщина, присела рядом на табурет, закурила.

— Кто они тебе? — спросил я.

Она не ответила, курила в темноте.

В памяти перед глазами было ее лицо. Невероятно потасканное, невероятно сексуальное.

— Кто из них твой?

Она вдруг положила руку на мои волосы, провела

по ним... Молча. И гладила, гладила, пока я не заснул...

Проснулся от прикосновения своей физиономии к цементному закрытому линолеумом полу кухни. Раскладушку перевернули, отшвырнули в сторону. Потом меня долго терли ряхой об этот самый пол. И слышал, как жутким визгом кричала, голосила Надя. Потом Шакал и еще какой-то тип (не особо разглядел его спросонья, но морда была совсем уже уголовная) держали меня за руки, а Лепа оттягивал нижний край футболки и полосовал ее опасной бритвой. И приговаривал:

— Так кто кому, говоришь, должен?

— Конечно, ты мне, — наученный, что уступающим совсем хана, отвечал я.

Лепа продолжал нарезать футболку. И повторять вопрос. Вот уже и по животу полоснул. Так слегка-слегка.

Я попытался вывернуть руки. И вывернул правую. Толку?.. Порезал он ее, да и уголовничек тут же вернул руку в тиски.

Надежда продолжала кричать.

— Угомони ее! — зло бросил кому-то, должно быть, Хмурому Лепа. — Кто кому должен? — Он еще несколько раз полоснул по животу.

Я деликатно молчал. Было еще не больно, но очень жутко.

— Ведь кастрирую же, — пообещал Лепа.

Я сдался:

— Я должен.

— Кому?

— Всем.

— Правильно. Всем по «штуке» шестьсот. А почему, знаешь?

— Потому, что полный идиот. — Я был омерзителен сам себе.

—.Отпустите его.

Меня отпустили. Неохотно.

— Брюхо протри, — посоветовал Лепа.

Я обмылся, обвязал живот полотенцем, надел брюки, свитер. Куртка осталась в прихожей на вешалке. Вернулся в комнату. Держаться старался достойно. Надежда взирала на меня с ужасом, с жалостью. И вроде с мольбой. Как она мне нравилась!

— А теперь все обсудим, — сказал Лепа.

Что мне было с ними обсуждать?.. Три шага до окна. Не останавливаясь, боком ломанулся в стекло. Приземлился криво, подвернув ногу. Слышал, как снова завизжала понравившаяся женщина. Побежал, прихрамывая, к перекрестку, где должно быть полюднее. Какое, к черту, полюднее в два часа ночи.

Дальше — все на рефлексах, на автопилоте. Остановил такси. Сев в него, оглянулся. Погони не было. Автопилот выдал таксисту адрес: Радостная, общежитие.

Адрес Ваньки Холода.

Попросил таксиста подождать. Тот был весьма удивлен моему легкому для январской ночи одеянию, а главное, окровавленной, потертой в прямом смысле роже. Но деньги, которые были при мне, произвели впечатление.

Холод, зараза, оказался при даме. Бабник известный.

Очень не обрадовался моему приходу. Но когда открыл дверь, увидел физиономию... Я еще для пущей убедительности полотенце на животе размотал.

Дал мне мятый, ветхий, плащ, сам в куртку облачился. Молча. Только девушке своей, которую я так и не увидел, сказал:

— Я скоро, — и собрался закрыть дверь.

— «Волыну» возьми, — напомнил я.

Он, как ни в чем не бывало, вернулся за пистолетом в квартиру. Буркнул, правда:

— Возвращаться не на фарт...

По пути обо всем поведал Ваньке.

Настроен он был весьма решительно. В подъезде передернул затвор. Совсем как в детективах. Дело становилось совсем неприятным. Я знал, что Холод способен на многое. Уже не рад был, что поставил на него.

— Держи планку, — напоминал ему. Остановить его совсем было уже невозможно.

Дверь открыла Надежда. Сразу же, по виду ее, стало ясно: в квартире никого нет.

Ванька рычал на женщину, излучал дух и ненависть, а я как-то сразу опустел. Ни злобы не было, ни жажды мести. Радовался только, что в квартире никого не оказалось, что все обошлось. И приятно было от того, что Надя осталась одна...

...Видел Надежду еще только раз. Года через три.

Дай, думаю, зайду, проведаю.

Она тихо обрадовалась мне.

Оказывается, муж у нее тогда сидел. Дружки, которым он что-то остался должен, использовали хату для своих дел. После того случая потерялись. Навели справки, выяснили, что я — игровой, и решили, что хата засвечена. С мужем она развелась.

В этот раз она не показалась мне ни сексуальной, ни желанной. Нормальная, теплая, прожившая жизнь женщина...

Картина следующая. (Хронологически была раньше.) Она памятна... Ощущением отчаяния. То первое, связанное с еврейской больницей, — понятно. Куда было деваться? Но посетило ощущение безысходности и несколько иного вида...

Вступительный отрезок профессиональной карьеры. Чужой город. Я несколько загнан.

В Одессе игры нет: знают как облупленного. Летом можно хоть фраера залетного на пляже «хлопнуть». А тут — зима на носу, противный мокрый снежок выпал. За курткой зимней зайти не имею права. (Была нелепая история с фиктивным браком, некрасиво поступила барышня, без вещей оставила, без возможности хотя бы зайти обогреться.) Парочка других квартир имелась, где можно было бы отсидеться. Например, хата Рыжего. Но посещать ее можно было, жить — не получалось. К тому же — на учете. Обе.

И что самое тошное: денег — ноль. Резонный вопрос: что за профессионал-игрок без денег? Хорош шулерок! Шулерок, надо признать, оказался чистым фраером. Потому как вел себя по-фраерски. Выигрывал направо-налево, форсил. Прощал долги, благотворительностью занимался, совершенно не заботясь о репутации. Руки обогнали в развитии мозги.

Настоящий игрок следит за тем, чтобы окружающие знали — у этого выиграть можно. Десятилетиями люди с игры жили и — ничего, числились в середнячках. Конечно, чтобы такой срок продержаться, большую мудрость надо иметь. Да и законы есть неписаные у этой мудрости. Например, один из них — прибедняйся. Выиграл — не шуми. Разок в неделю проиграй рубль и всю неделю жалуйся дружкам, хотя бы и тем, которым проиграл, как тебе давеча не везло.

Я же в другую крайность кинулся. Сбережений не делал, привык, деньги кончаются — надо идти выигрывать. Лохов ограниченное количество. Выигрывал у своих. Свои терпели до поры, до времени. Трюки и те отрабатывал при дружках... Пижон!

Очень растерялся, когда жила иссякла. А иссякла к зиме. Зимой-то — основная игра на квартирах, а меня вежливо так не пригласили. В общем, этот урок шулерского мастерства дался мне болезненно.

Надумал освоить новый заповедник, подался в соседний столичный городок. Одна из женщин очень в гости звала.

В легкой искусственной курточке, в туфлях вельветовых, без копейки за душой отправился в романтическое путешествие.

Пару недель живу у радушной милой под недушевными взглядами ее озлобленной на жизнь тихони-матушки.

И сам помаленьку озлобляюсь. Игрой и не пахнет. Ведь и тут — зима. И тут — все по хатам, как хомяки по норам. Поди их сыщи. Любимая моя поинтересовалась у приятелей, подруг: может, кто знает, где играют. Все удивляются, далекие от этих дел люди.

Чем дальше, тем тошнее. Последние деньги кончаются. Еще чуть-чуть — и в Одессу не на что вернуться будет.

Конечно, это еще не отчаяние. Это пока раздражение. На свою бестолковость, на зиму, на хмурую тещу, на сытых утепленных благополучных людей, беззаботно спешащих по своим делам, возвращающихся по вечерам в свои дома-крепости. И мысли гадкие все чаще наведываются. Чем они лучше меня? Тем, что живут в стойле, в стаде, тем, что прикидываются порядочными. Ведь большинство же и не догадывается, на какие подлости способно. Просто ситуации не подворачиваются, в которых эти способности обнаруживаются...

Как-то не вспоминался я себе тот, который пистолет к сердцу примерял. Тот, который грозился любить жизнь и людей...

Кончились деньги. Копеек семьдесят в кармане. И туфли с отлетевшей от снежной сырости подошвой. И люди вокруг — те же: в шубах, в драгоценностях, в улыбках... Понятно — к чему я? Это еще не отчаяние. Ведь выход вижу. Подлый, но вижу. Правда, пытаюсь разглядеть какой-нибудь еще.

Я на улице. Вечереет. Женщина моя должна вот-вот вернуться с работы. Днем в квартире старался не находиться — тет-а-тет с матушкой...

Звоню выяснить, не вернулась ли моя. А моя со сдержанной горечью сообщает, что мама ее, жизнью огорченная, в настоящий момент где-то на полдороге до отделения милиции. С заявлением о том, что дочь попала под влияние особо опасного преступника.

На оставшиеся копейки покупаю в ближайшем «Хозяйственном» кухонный нож. Располагаю его во внутреннем кармане куртки. Нож все норовит проткнуть тонкую ткань подкладки.

Весь вечер катаюсь на троллейбусах. Высматриваю. Пытаюсь культивировать злобу на людей. Это как назло почти не получается. Точнее, как-то волнами. Как увидишь благополучное лицо с гонором и в лице этом уверенность, что все эти сережки и лисьи шубы — заслуженные, что только так и должно быть, — решительности прибавляется. Такая же шуба и похожие серьги, но в лице приветливость, ранимость — и все, за себя противно.

К ночи присмотрел жертву. Нахальную самоуверенную дамочку. Само собой — шуба. Бриллианты в ушах и на пальцах. Много бриллиантов. В кошельке, когда талон доставала, несколько сторублевок виднелось. И лицо. Самое то. Высокомерное, презрительное ко всему миру. Даже косметика на нем наведена была так, чтобы подчеркнуть надменность. При всем этом — одна, и не на такси.

Не знал, запомнила ли она меня в троллейбусе. Сидел за ней, серьги разглядывал. Троллейбус пустой почти, но эта штучка делала вид, что никого вокруг себя в упор не замечает. Выслеживать ее было несложно. Ни разу, зараза, не оглянулась. Несмотря на почти полночь и спальный район.

Вошла в подъезд, я — следом. Но она меня пока не видит. Когда открылась дверь в лифт, я ускорился.

Она сразу все поняла. Дверь закрылась, мы поплыли наверх. Она все знала. И взгляд ее не был высокомерным. Был испуганным и молящим.

Я сунул руку во внутренний карман куртки. За ножом. Может, не стоило смотреть на нее?..

Не достал нож. И не произнес ни слова. Прокатился до ее этажа и вернулся на землю. И долго сидел на заснеженной скамейке возле игрушечного домика в детском городке. Среди многоэтажек с незаслуженно уютными окнами. Плакал. Это было отчаяние.

Вот они, неувязочки здорового образа жизни...

В пять сорок первым дизелем отбыл в Одессу. «Зайцем». В Одессе Гама дал мне свои теплые вещи, деньги не в долг.

Я позвонил милой, узнать, не сильно ли огорчена ее законопослушная маман. Любимая обрадовалась. Она договорилась с друзьями. Мы сможем жить у них.

Вернулся к ней, потому что в Одессе пока ловить нечего было. В этот мой экипированный приезд дела сложились удивительно везуче, но это тема другого рассказа.

Что еще добавить?.. Там на детской скамеечке я был противен сам себе. Позже самонадеянно решил, что в тот вечер была ситуация из тех, которые определяют, что мы из себя представляем. Самонадеянно, потому что такое решить приятно. Но в одном уверен, да по многим другим примерам: для того чтобы понять, что из себя представляет человек, не важно знать, на что он способен, — важно знать, на что он не способен.

Не скучна жизнь «каталы»...

Помнится, и один из врагов рода человеческого хвастал: «Нас можно винить в чем угодно, но только не в том, что мы скучали».

Глава 8

О РЕПУТАЦИИ

В нормальной вялотекущей жизни репутация гражданина чаще всего определяется его манерой себя подать, имиджем, принадлежностью к какому-либо кругу. Реже — хотя последнее время все чаще, — деловыми качествами. Милый человек, и — ладно, почему бы не числить его в приятелях, не иметь с ним дел?..

У игроков этот номер с манерами, с имиджем не проходит. Параметры, конечно, не лишние, но это все — бусы для фраеров. Что касается круга... Так все в пределах одного! Если желаешь быть уважаемым, приходится предъявлять нечто посущественней.

Что создает репутацию «катале»? Умение выигрывать, мастерство?..

Мастерство, конечно, тоже.

Не менее существенны — скорее более — два других таланта: умение платить и умение получать. Отдавать проигранное и получать выигранное. Если эти свойства при тебе, ты уважаем. Причем свойство платить, думаю, котируется выше.

Все это — смелость, решительность, хладнокровие, артистизм, обаяние — довески к свойствам основным.

Как и в других сферах жизни: работай на репутацию — и она будет работать на тебя.

Потому и не жалеет «катала» ни времени, ни денег, ни нервов на то, чтобы приучить: если проигрываю — плачу, выигрываю — получаю, за лоха не прохожу. Это непросто дается... И оступаться — нельзя, потом можно не подняться.

Люди в картах случайные, наблюдая при Маэстро неизменные сорок, пятьдесят тысяч, недоумевали. К чему уже играть: купи машину, квартиру, обставься, приоденься и живи безбедно. Обеспеченный же человек!..

Не понять им было, что деньги эти — не признак обеспеченности, признак платежеспособности. Это не одно и то же. Второе для репутации игрока существеннее.

Леня Ришелье. Кто из «катал» может сказать, что Ленька неуважаем?.. Да, не профессионал, да, ни разу в долг не давал, на принцип странный ссылался. Да, несмотря на то что не жулик, клиент — тяжелый. Внимательный, вредный, дотошный. Но платил всегда. Что бы там ни было, сколько бы ни проигрывал. Даже тем, кто перед этим не спешил рассчитаться с ним.

Однажды к моменту рассчета пляжный милицейский патруль нагрянул. Лист, на котором все записи, скомкал, с собой унес. И что же?.. Ленька пошел за милиционерами, вежливо попросил разрешения на лист взглянуть. Вернувшись к топчанам, рассчитался.

Потому и играли с ним с постоянной готовностью, с удовольствием. Выигрывали не всегда. Но и в этом случае даже непутевые, презираемые за вечно висящие долги, старались рассчитаться. (Есть такая, действительно непутевая категория карточных должников. Изо всех сил стараются подольше не платить. Оттягивают до последнего. Уже и деньги есть, и понятно, что не забудут, не спишут... Не отдают и — все... Словно получают удовольствие от такой забавы на чужих и своих нервах. При этом еще сердятся, глумятся над теми, кому должны. Конечно, такое проходит только в своем, клубном, кругу.)

Так что Ленька, хоть и непрофессионал, был при репутации. Даже за глаза о нем говорили с уважением.

А Вовка Чуб...

Объявился на пляже с виду лоховитый любитель

143

деберца из Архангельска. Наши грифами спланировали, каждый в свою сторону добычу тянет, кусок пожирнее оторвать норовит.

Приезжий, блеклый, слегка заторможенный «тюфяк» по имени Вася, оказался добычей нелакомой. Сам хищников поскубал.

Те, взъерошенные, растерянные, — в стороны. Сидят вокруг на топчанах, обалдело оглядываются. И приблизиться уже боятся, и жаба давит: не упускать же залетного, кровные прикарманившего!

Залетный разлегся на топчане как ни в чем не бывало, солнышку веснушчатое пузо подставил, жмурится сладко. Архангельск небось без тоски вспоминает. Рядом на соседнем топчане вещи выигранные покоятся. Василий не побрезговал: магнитофон автомобильный (без головки, конечно), фотоаппарат «Смена-8М» и палатку двухместную (протекающую) в качестве недостачи к сумме принял. Ждет, наверное, может, еще что перепадет..

Вовку я встретил по дороге к пляжу. Спускаемся, болтаем. Один из наших — навстречу, делится происшедшим, соображениями по поводу происшедшего. Соображения резонные: фраера отпускать нежелательно. Мало того что наживу увезет, так еще станет на родине форсить: одесских пляжников «хлопнул». Как людям в глаза глядеть? В том, что хвастать будет, можно не сомневаться. Не каждый день архангельские одесских обирают...

— Хочешь, бери его, — предлагаю Вовке.

Достает колоду, оговаривает условия:

— Красная — твой, черная — мой.

Вытягиваю красную. Вовка щурится, уточняет:

— Я — в доле.

Что значит аферист. Чего ж мы разыгрывали, если навар пополам? Но не спорю: Чуб все-таки.

На пляже располагаюсь неподалеку от залетного, принимаюсь за пасьянс.

Тот с наивностью истинного фраера непринужденно подошел, подсел на соседний топчан, сам игру предложил.

Сослуживцы обыгранные настороженно за развитием следят. Понимаю, что любое развитие им по душе придется. Выиграю — очень хорошо. Сопли утереть северянину не помешает. Проиграю — тоже неплохо. Я хоть и свой, но тоже сопляк, много о себе воображающий. На нервы скороспелостью действующий.

Во всей этой неприметной, вроде бы обыденной истории, проявились целых три многозначительных нюанса. Многозначительных для репутации.

То, что я его обыграл, — момент немногозначительный. Репутации это не подсобило. (Проиграл бы — навредило.)

Дурануть меня он таки исхитрился.

Впрочем, по порядку...

Обыграл его, уже не млеющего от солнца, тут же на топчане. На четыре тысячи. Вернул и вещевые трофеи. Больше денег у Василия при себе не оказалось. Попросил поверить в долг. Я-то понимал, что он — еще тот «фрукт»... Далеко не съедобный. Но, думаю, маленько поднагружу в долг — не помешает.

Поднагрузил на пятьсот и решил: в самый раз. Пускай сперва рассчитается.

Васек совершенно со мной согласен.

— О чем речь? — говорит. — Ты мне и так доверие оказал.

Уходим с пляжа, направляемся к нему, на снятую квартиру. Дом дачного вида, одноэтажный, в конце длинного двора-проулка.

— Я сейчас, — сообщает Вася и, оставив меня у ворот, исчезает в конце двора.

Нервничаю, что «кинет», но не очень. Деньги — не бог весть какие.

Долго его нет. Решаю, что «кинул»-таки. Посмеиваясь над собой, иду во двор глянуть, каким макаром он вышел.

Вдруг навстречу Васек. С деньгами.

— Я же попросил обождать, — обижается. — Хозяйка чужими недовольна.

— Хотел закурить, у кого-нибудь из пансионных стрельнуть, — оправдываюсь.

— Наверное, ты мне не поверил, — излагает искреннее предположение фраер Вася.

— Что ты?! — смущаюсь (на самом деле). — Действительно курить охота...

— Все равно, если я так подумал, лучше вслух сказать, правда? — Василий смотрит на меня белесо-голубыми глазами. Смотрит чисто-чисто.

Этим он меня, хитрюга, и купил...

Под утро, проиграв еще пять тысяч (уже у себя в комнате), Василий предъявил мне аккредитив на свое имя. На девять тысяч. Извинился, что сразу не предупредил о том, что деньги аккредитивные. Предложил встретиться у ближайшей сберкассы в восемь утра, к открытию.

Предложение такого вызывающе порядочного туриста-игрока, не могло быть не принято.

Смотавшись домой, приведя себя в порядок, побрившись, без пяти восемь я занял очередь в сберкассу. Первым и единственным. Потому как было воскресенье — выходной день.

Гадливо посмеиваясь, в четверть девятого побрел в знакомый узкий частный пансионат.

— Вы Васю не обидели? — пристально, подозрительно присматриваясь ко мне, спросила хозяйка.

— Я?!.

— Почему же он через полчаса после вашего ухода съехал?..

— По родине соскучился, мы всю ночь ее вспоминали... — предположил я и направился восвояси.

Вася «кинул» меня. Подмочив и мою, и свою репутацию. Но я упоминал о трех характерных моментах. Остался еще один.

С нашими о том, как меня дуранули, откровенничать не стал. Шмотки получили, лицо города сохранено — пусть радуются. Предстояло выдать долю, две тысячи двести пятьдесят рублей Вовке.

И такое зло взяло. Не спишь всю ночь, мордуешься... И днем на пляже — нет, чтобы позагорать, расслабившись, женщинам глазки построить, — горбишь... Теперь возьми и половину отдай. Ну-ка, я его прощупаю...

— «Закатал», — сокрушенно поведал Чубу при встрече. — Днем на пляже четыре пятьсот выиграл, а потом ночью на хате — десять пятьсот «закатал».

— Бывает, — только и сказал Чуб. И стал отсчитывать положенные мне три тысячи.

Это и был третий характерный нюанс.

Конечно, долю свою он получил. Признался я, что проверял.

Чуб на признание только пожал плечами. Спрятал полученные деньги и пошел по текущим игровым делам. Должно быть, проверку посчитал чудачеством.

...Конечно, и это не последнее дело — укреплять собственную репутацию, отстаивая репутацию города. С такими состязаниями важно не частить. Может, потому и не довелось облажаться ни разу, что нечасто турниры затевались. (Имеется в виду — исполнитель против исполнителя.)

Харьковского всесоюзника приятно вспомнить — долгое время за нос водил. И пусть и не поимел много, потому как делили на троих, но ведь затем орава — человек двенадцать, возила его, как идола, а тут у идола — лицо с изумленно задранными бровями.

Приучить к тому, что тебе платить обязательно, тоже не последнее дело. К этому, главное, именно приучить.

В самом начале деятельности, случалось, взрослые, повидавшие всякого, клиенты вызывающе интересовались, проиграв:

— Что будет, если не заплачу?

— Такого быть не может, — вежливо (на этом этапе вежливость обязательна) разъяснял я. — Чтобы не заплатить?.. — даже как-то удивлялся. — Скорее заплатите больше. Это еще могу понять.

Если клиент продолжал ерничать, обычно оскаливался:

— Может быть, мне это будет стоить дороже, но вы заплатите все.

И если доходило до дела, так и следовало поступать. Даже если ты с этого уже не имел ничего, прощать, махнуть рукой — ни в коем случае. Этак совсем платить перестали бы.

Помню, обыграл, еще совсем зеленым, одного прораба. Полублатного, прикрытого бандитами. Тысячу остался мне должен. Приезжаю на встречу, за деньгами.

Прораб, толстенный, с волосатой складчатой шеей, с вечным брезгливым взглядом мужик, задал именно этот контрольный вопрос.

— Не заплачу — что будет?

— Почему не заплатишь? Заплатишь.

— Не хами, обломаю, — предупредил прораб и протянул заранее приготовленную тысячу.

Потом передали, что в разных местах уточнял он: обязательно ли мне, ссыкуну, платить. Сказали, что обязательно.

Или вот — стоящий пример...

Однажды поздно вечером, скорее ночью, уходил с одной игровой хаты. На Молдаванке. Крутая точка, из тех, куда лохи не забредают. Из тех, куда идут «на люди». Кстати, та самая, где когда-то минчанину чего-то психотропного подсыпали.

Внизу, на выходе из парадного, столкнулся с одним из своих, вернувшимся недавно из круиза. Стоим, свистим, выслушиваю ироничный отчет об экспедиции.

Вдруг к подъезду еще какой-то тип направляется, вроде незнакомый. Прежде чем исчезнуть в черной дыре парадного, останавливается подле нас. Приглядывается. Вполне нахально всматривается в лица.

Мы от наглости «напихать» ему как следует не успели. Все, что хотел он, похоже, уже увидел и тихо нырнул в подъезд. Переглянулись, съехидничали на его счет, продолжили беседу.

Возвращаясь домой, все вспоминал я странное лицо, бесцеремонно разглядывавшее нас. Дерзкий тип. В таком месте следует быть поделикатнее. И все остальное — странно. Чужак... На точку шел один... Да еще с этим своим дурным воспитанием... Что себе думал?.. Или шибко крутой, или недоумок. По лицу — скорее второе.

Не знал я тогда, что этого типа вело, но уважение почувствовал. Нравились мне всегда такие, бездумно дерзкие, наивно не признающие авторитетов. Нравились, несмотря на типично упрощенные лица. Этот явно был из них.

На следующий день на пляже лицо это мне довелось разглядеть поближе.

Играем. Скорее дурачимся. Потому что между собой. Общаемся в ожидании фраера шального.

Гляжу, приближается... Вчерашний наглец, да не один — с барышней. Признал его сразу. Хотя видел накануне непроглядной «молдаванской» ночью. Узнал по такому же нахальному взгляду. Но тут же понял: взгляд только кажется нахальным. Нормальный, уверенный, устойчивый взгляд. Не отскакивающий при малейшем отпоре.

Не доходя, оставляет барышню на топчане. Приближается. В упор внимательно рассматривает компанию. Каждого из нас отдельно. Неожиданно вежливо здоровается:

— Здравствуйте всем. — И интересуется: — Барона еще не было?

Это он — зря. Сразу стало ясно: «косит» под многознающего. Потому что Барон — не из пляжников, и искать его тут, да еще с такими понтами, может только несведущий.

— Еще нет, — на всякий случай ответил кто-то.

— Во сколько обещал быть? — лезет дальше пришлый. И вдруг — ко мне: — Мы ведь с вами знакомы. Вчера, помните?

— Чего ж нет, — говорю. — Не один пуд соли...

Он не дает доехидничать, просит:

— Можно вас на минутку. — И отводит в сторону.

Выдал мне свою историю. Первому попавшемуся. Как Киса — Остапу. Кому-то все равно надо было открыться...

Две недели назад у них в Челябинске проездом гостил Барон. Как гостил... Работал. Прибыл один, по рекомендации. Первым делом к Малышу (моему новому знакомому). С просьбой помочь, ввести в местный мир. Слепили они на пару простенькую интригу. Барон играл, Малыш помогал. «Маячил», подстраховывал, к сомневающимся в долю входил.

За недельку без особых нервов нажили «десятку» денег, десять тысяч, значит. Барон домой в Одессу спешил.

После последней игры перед отъездом должен был к Малышу зайти, долю выдать. Билет на самолет

Малыш заранее купил, на вечерний рейс. Барон вовремя не явился. С опозданием в час прислал посыльного мальчонку с запиской. Малыш дал мне ее прочесть.

«Малый, меня пасут. Срочно съезжаю. В Челябинске буду еще раз через месяц, дождись. Все будет в порядке».

Малыш поспешил к рейсу. Успел, но Барона на вылете не оказалось. Месяц решил не ждать, мотнул в Одессу. Не потому, что деньги для него огромные, а потому, что:

— Так поступать нельзя... С ним, как с человеком...

Глянулся мне этот пацан. Но понимал: ни хрена он не получит. Барон, конечно, человек уважаемый. В Одессе бы себе такого не позволил, да и так странно, что из-за пяти «кусков»... Но если уж начал конфликт, навряд ли уступит...

— Зинку свою взял, пусть море посмотрит... Где же его искать?

Не знал, как быть. И Барона подставлять негоже, и пацана жаль. С другой стороны, узнает, где искать, наверняка нарвется. Как вчера уверенно на хату пер... Уверенность до добра не доведет.

Дал ему пару адресов. По которым точно Барона не сыскать. Потычется, потычется, да и угомонится. И Барону передадут, что в розыске он — может, еще куда подастся. На время.

Да, странно... Малыш ведь не только мне историю поведает. Слух пойдет... Зачем это Барону? Ради пяти «штук»?

— Давай тебя со своей познакомлю. Одесситов первый раз видит.

Зина, продавец челябинского комиссионного магазина, была совершенно не похожа на наших продавщиц. В ней начисто отсутствовал присущий камуфляжный лоск. Вернее, он был, но настолько провинциально откровенный, что всерьез не воспринимался. Женщины такого типа, как мне казалось, работают укладчицами пути. Сбитые, щекастые, терпеливо тянущие пьяниц-мужей. Для меня всегда было загадкой: кто с такими женщинами спит. Оказывается — Малыш.

Он не походил на пьяницу-мужа, но каким-то странным образом соответствовал ей. Несмотря на то что выглядел рядом с ней, как племянник при тете. Коротко стриженный парень — пацан. До смешного лопоухий, с глазами-щелками, с короткими ногами и пролетарски крепкой фигурой. Выряженный, как и его Зина, в яркие немодные вещи. Парочка вполне гармоничная.

Челябинский шулер. Облапошенный шулер местного значения. Но что-то в Малыше было. Что-то, что заставляло думать: Барону от него не отмахнуться.

Зина-укладчица, знакомясь, смущалась. Что-то и в ней было. Спать, конечно, ни в коем случае, но дружить, наверное, можно. Точно. Когда говорят о дружбе между мужчиной и женщиной, наверняка имеют в виду такую женщину.

Так неожиданным образом я стал доверенным лицом Малыша.

Этот факт не показался бы мне обременительным, если бы пацан не полез в игру. Причем нарвался как раз на моих компаньонов. Как я мог ему запретить?.. Как мог запретить своим?.. Второе — попытался, успеха не принесло. Да и сам понимал: чего ради. Фраера нынче — считанные, к каждому с трепетом относиться следует, не то что разбазаривать.

У Малыша было с собой тысячи две, он их помаленьку и стравливал.

Зинаида его и тут не по-нашенски себя вела, всю игру преданно из-за плеча милого наблюдала. Даже завидно стало: ни одна из моих женщин такого соучастия не проявляла.

Они остановились где-то на турбазе, и Малыш, хоть и появлялся на пляже, цель помнил. По городу рыскал, расспрашивал. Его уже знали, и Барон наверняка был в курсе. Но не объявлялся. Значит, и он по недолгому знакомству с Малышом понял: не отмахнешься...

О результатах поисков пацан регулярно докладывал мне. Ему почему-то казалось, что он идет по следу. И к моменту, когда стали исчерпываться привезенные деньги, начал намекать на то, что это его не смущает, скоро подкинут тысяч пять. Натуральный пацан...

Как-то является парочка к обеду.

Мне с утра клиент случился, руководитель гастролирующего цыганского ансамбля. Типичный цыган-артист. С кучерявой шевелюрой, с усами, с огромной серьгой в ухе. Ансамбль к обеду съезжал, шеф и поспешил на пляж урвать маленько отдыха. От этих своих песен да плясок. Проиграл мне две с лишним, по просьбе — рассчитался. Еще партию начали, на середине игры — приспичило ему. По нужде. Ушел, оставив подстилочку на топчане, и не вернулся. Я не удивился, такое не раз бывало. Ничего, пусть человек считает, что это он меня обманул. Пусть ему за себя неприятно будет.

В тот самый момент, когда худрук проигрыш мне передавал, Малыш с Зинаидой и подошли. Не мешая, досмотрели выступление артиста до конца.

— Как можно?.. — только и заметил Малыш, когда занавес опустился.

— Тебе не объяснили еще как? — съязвил я.

Малыш неодобрительно качнул головой. Он вообще испытывал проблемы с чувством юмора. Но странно — это его не портило.

— Хотел с тобой поговорить... — Малыш заговор-
щицки подсел ко мне. — Как думаешь, если я переве-
ду долг на Барона, они согласятся? — Он мотнул головой в сторону моих дружков. (Я уже знал, что привезенные парочкой две тысячи на исходе, и
догадывался, что нечто вроде подобного предложения
последует.)

— Ты же сам понимаешь, — сокрушенно сказал я.

— Понимаю... — тоже сокрушенно согласился и
он. — Кто теперь с ним захочет дело иметь?..

Мы помолчали. Я уже предвидел, к чему приведет
эта пауза. Так и есть...

— Может, одолжишь... Пару «штук». — Ему было
очень неловко. — Эти же мне не поверят, — он опять
мотнул головой на моих. — Получу с Барона — сразу
отдам.

Я молчал. Чувствовал себя скверно.

— Не веришь, что отдам? — по-ребячески встре-
пенулся Малыш.

— Что ты?!. — дернулся я. Ему в голову не могло
прийти, что можно не верить в возвращение долга Ба-
роном. — Понимаешь... — замямлил я, — завтра
предстоит игра... Нужны бабки.

— Хоть полторы...

Ну не мог я видеть Малыша просящим. Особенно
когда напротив с топчана на меня, как на их лучшего
друга, взирала его баба.

— «Штука», — сказал я. — Больше не могу. И рад
бы... — Я отсчитал тысячу. Отсчитывая, оглянулся.
На нас пристально глазели мои приятели, те, которые
разрабатывали этого ловца Барона. Надо было видеть
их физиономии!..

Вечером, перед дележом добычи за столиком
пляжного бара, сообщник-кандидат резонно поинтересовался:

— Как у тебя с мозгами?

— Спасибо, никак...

— Завтра будет проситься играть в долг... Под деньги Барона, — сказал вдруг второй. Шахматист. — Могу «помазать» (поспорить, значит).

— Бабки с Барона, конечно, не получит. Но долг, думаю, отдаст, — ответил я.

— С чего?

— Я знаю?!. Вышлет с Урала.

— Ты мало их таких видел? Порядочных. До поры до времени. Смешно слушать, в самом деле...

— Мужики, а я вас ищу! — услышали мы знакомый голос. Обернулись: к столику направлялся рубаха-парень — Малыш. — Айда к нам, отметим!..

— Что отмечать будем?.. — спросил деловой кандидат.

— Ну как... — Малыш явно не до конца продумал повод. — Знакомство еще не отмечали. Зинка одесситов никогда не видела.

Он был в настроении. Выпил, что ли?..

Кандидат от визита уклонился. Мы с Шахматистом пошли. Зачем — не знаю. Не хотелось этих уральских недотеп лишать хоть какой-то радости. То, что общение с нами им почему-то в радость, было заметно.

Именно такими и представлял в выпивке уральцев.

Шахматист давно сдался. Пустив паутинку-слюну, почему-то кивал. Мутными зрачками следил за происходящим. Ребята держались. Зинаида раскраснелась. Утверждала, что у них талантливый люд, ссылалась на исполнителя песен Митяева. Пробовала петь. Такой склонности к поэзии я в ней и не предполагал. Малыш набычился. Внимательно смотрел на вдохновенную свою женщину, казалось, слушал. Но почему-то время от времени поворачивал голову ко мне, сообщал:

— Завтра я его достану... И ты первым получишь «штуку»... Веришь?..

Я не верил, но молчал. Малыш, не дожидаясь ответа, вновь направлял взор на милую.

Потом Шахматист уговаривал его сыграть партийку. Причем лез настырно, грозясь обидеться. Малыш миролюбиво водворял его на место, в кресло, приговаривая:

— Ну как можно, с выпившим человеком?.. Что я, совсем уже...

На следующий день на пляж они пришли поздно, ближе к вечеру.

Мы общались своей троицей. Шахматист не вполне оклемался, но на работу вышел.

Расположившись неподалеку, оставив у вещей подругу, подошел Малыш.

— Играть будем? — спросил как ни в чем не бывало.

— На что?.. — риторически спросил кандидат.

— Завтра будут деньги. Это точно.

Ну как можно быть таким наивным? Кого Барон брал в помощники? Или у них все такие...

— Ты будешь играть? — попробовал сделать коварный ход Малыш. Спросил у Шахматиста.

Тот неопределенно пожал плечами. После вчерашнего ему действительно не сильно хотелось. Особенно задаром...

Неопределенности со стороны давешнего собутыльника пацан явно не ожидал. Растерялся. Может быть, от растерянности обратился ко мне:

— Поручись за меня. Только до завтра. Завтра — отдам. А?..

Опять эти просящие глаза... На дерзком пролетарском лице.

— Играйте, — твердо сказал я. — Отвечаю.

Шахматист послушно потянулся к колоде. Кандидат уперся:

— Не хочу.

— Ты чо?.. — очень изумился Малыш. — Выиграл и свалил?.. За меня поручились!..

— Отвечаете? — почему-то на «вы» зло спросил у меня сообщник-кандидат.

— А вы не слышали? — тоже зло огрызнулся я.

— Когда расчет? — кандидат был педантичен и строг.

— Сказал же завтра, — встрял Малыш.

— Завтра? — вопрос был ко мне.

— Завтра.

...Конечно, Малыш проиграл и эти четыре тысячи. Только четыре. Проиграв, сам закончил.

— Больше не имею права, — пояснил он. — С Барона получу пять.

— Когда — завтра? — открыто усмехнувшись, спросил кандидат.

— В десять утра. Здесь.

И уже только мне:

— Спасибо. Я не подведу.

Я не поднял головы. Кивнул.

...В десять утра Малыш не пришел.

То, что денег не окажется, я понимал. Но не верил, что он просто потеряется. Не представлял его прячущимся. Но он не пришел.

— Будешь платить, ответчик? — беззлобно язвил кандидат.

Конечно, ничего бы я не платил — не те в корпорации отношения. Но противно...

— Могу «помазать», что уехал, — предложил шахматист. — Сто процентов...

— Двести, — добавил кандидат.

— «Мажем!» — психанул я. Не верил, что Малыш сбежал. Не верил — и все!

157

Поспорили на кабак, и тут же пошли проверять. На турбазу.

Малыш не сбежал. Он лежал на тахте, странный, неподвижный, внимательно следящий за нами, вошедшими. Подошла, села рядом с ним в кресло впустившая нас Зина. Малыш попытался, наверное, улыбнуться, но только страшно дернулось, скривилось лицо. Часть лица.

Он таки достал Барона. Где, Зинаида объяснить не смогла. Малыш ей сам толком не объяснил. Он вернулся вчера поздно ночью возбужденный, довольный. Сказал, что наказал гада. Смеясь, поведал, что, когда возвращался, получил бутылкой по голове. Разбилась бутылка. Того, кто бил (не Барона), отметелил, тоже хотел бутылку на голове разбить — да под рукой не оказалось. Пришел домой, на турбазу, выпили, отметили завершение дела... К утру его парализовало. Вроде частично, но как-то оно разливается... И на вторую половину перекинулось.

Зинаида явно не паниковала. Не выказывала ни испуга, ни суеты. Странный, незнакомый тип женщины. Похоже, ко всему в жизни готовой.

«Скорая» уже приезжала, сказали, пришлют других... Вот ждут.

— Да, — спохватилась она, — совсем забыла.

Как хозяйка, забывшая подать самое важное блюдо, метнулась к тумбочке. Достала деньги. Протянула нам. Мне — тысячу. Четыре тысячи — кандидату. Пояснила:

— Он вчера все боялся, как бы не проспать...

Мы смотрели на Малыша. Молчали.

Лицо его снова страшно дернулось. Должно быть, он попытался улыбнуться...

Малыш с Зинаидой приехали в Одессу еще раз. Через три года. Летом.

Много чего навертелось за это время. Полинял, притих Барон. Не все сменили отношение к нему, дружки, из самых близких, остались. Пляжники порой вспоминали историю с Малышом. С грустью. Но время шло, и вспоминали все реже.

Они появились к концу дня. В таких же ярких немодных одеждах. Возникли вверху, в самом начале лестницы. Зинаида смущенно сияла пухлыми щеками. Малыш, такой же стриженый, лопоухий, сдержанно по-пролетарски щурил в усмешке глаза.

...Много чего наслучалось за эти три года, много чего насмотрелись...

Но когда эта парочка, улыбчивая, довольная, спускалась по лестнице, приближалась... Надо было видеть наши физиономии!..

Глава 9

О МАФИОЗНОСТИ

Очень не хочется разочаровывать читателя, но придется. О мафии в мире карт того времени можно говорить с большой натяжкой. Не было ее, почти не было. Как, впрочем, и мафии вообще.

Нормальная профессиональная взаимовыручка, конечно, имела место. Но взаимопомощь, поддержка — общечеловеческие понятия. При чем тут мафия?

Если собираешься на гастроли в другой город, разумеется, запасаешься рекомендациями для тамошних «катал». Встретят, подсобят в игру войти, в случае чего — подстрахуют, то ли от своих, то ли от милиции отмажут.

Если к тебе от своих людей обратятся, разве ж не поможешь? И необязательно — за плату. Хотя те, кому гостеприимство оказал, наверняка долю выделят. И человечностью отплатят.

Негласные законы взаимовыручки существовали.

Как-то в Ч. присосался к игровой точке — часовой мастерской.

Хозяин — часовщик, невзрачный старикашка — клиентов имел немного, но пристроил к мастерской флигелек. Игра шла круглосуточно. Публика разная забредала, не бог весть какого уровня, но среднеденежная. И неискушенная.

Щипал ее помаленьку. Не шибко заботясь о том, как бы меня до времени не опознали.

Позаботиться не помешало бы. Опознать не опознали, но обеспокоились. Это заметил я поздно, в очередной игре. Трое азиатов-мандаринщиков, завсегдатаев мастерской, спустив наличные, вышли из игры. Но остались за спинами среди других многочисленных болельщиков.

Чувствую спиной, затылком: не та атмосфера. Флюиды опасности улавливаю. Кошусь, даже не кошусь — периферическим зрением замечаю, азиаты — то шепчутся, то выразительно зыркают друг на друга глазами — явно замышляют гадость. Понимаю, здесь — воздержатся, но когда выйду...

И обратиться не к кому. Каждый — и играющий, и болельщик — обиду на меня затаил. Справедливую обиду.

Играю. С оттенком паники в душе. Судорожно ищу выход. И использую явно бессмысленный шанс...

Когда-то Маэстро для общего развития преподал мне несколько международных «маяков». Универсальных сигналов, понятных всемирному братству аферистов.

К уроку я отнесся с иронией. Любопытно, конечно, было, но понимал: мне это ни к чему. Да и наверняка те, кто о «маяках» знает, перевелись. Уцелевшие экспонаты можно не учитывать.

Тут вдруг вспомнил урок. Не потому, что верил в шанс, а больше ничего не оставалось. Послал «маяк»,

Дело «великих» аферистов и шулеров живо!
Вот и сейчас не успеет еще нога лоха ступить
на песок, а его уже кличут:
«Товарищ, вы в преферанс играете?»
На снимке: Паниковский и Шура Балаганов
на фоне знаменитого одесского пляжа в Аркадии.

Бывшая «малина» — хата Валеры Рыжего.
Так она выглядит сегодня.

Дом без окон, без дверей, в котором жил автор,
когда был в розыске.

А.Барбакару до пластической операции (в в е р х у)
и после нее (в н и з у).

Леня Ришелье (с л е в а) и Терапевт (с п р а в а)
за игрой в преферанс.

Маэстро: с л е в а — в юношестве,
с п р а в а — в зрелые годы.

означающий: «Помоги». И по сторонам взглядом. Никакой реакции.

И вдруг... Поначалу решил — это случайность, что хозяин-часовщик случайно ответный жест выдал. Обалдело смотрю — повторяет. «Маяк», означающий: «Отвали, я — сам». И, чуть погодя, в игру просится. Пустили, уважили старика. Я ему весь выигрыш и сплавил.

Азиаты шушукаться перестали, растерянно наблюдали за тем, как их денежки к хозяину перекочевывают. Кому я уже без денег был нужен?..

Вот тебе и экспонат.

Добычу со стариком поделили, конечно. Он выговор сделал: попадая в новую точку, воспитанный «катала» представляется хозяину. Неприятно ему было меня, никого ни во что не ставящего, наблюдать. Посчитал выскочкой. Но когда мой «маяк» увидел, оттаял. Мало кто теперь их знает. Времена не те. Люди друг дружке помогать перестали.

С этим я согласился лишь отчасти.

Случалось, помогали и те, от кого поддержки ждать не следовало. Например, в прошлом обыгранные начальники, милиционеры. Странно, но если расставался с жертвами по-людски, без хамства, то те считали тебя своим — представителем единого клана одержимых картежников. И при случае помогали.

Но правильнее было рассчитывать на своих. Профессионалов.

Своих, к кому можно было в случае чего обратиться, слава богу, по всему Союзу хватало. Только надо было, чтобы тебя знали или знали, кто за тобой.

С теми, кто за мной, мне повезло. Как-то сразу, почти с начала карьеры.

Первым обратил внимание мастер Шахматист. Он был уже немолод, известен, уважаем. В юности корешевал с отцом Шурика.

— Сколько раз ты мне на колени напруживал, — поминал бугаю Шурику.

Шурик нас и познакомил. За знакомством ничего не последовало: Шахматист и к Шурику, и ко мне, его приятелю, относился как к ссыкунам.

Пока мы с ним не встретились у Рыжего, и последний привычно пожелал «приколоться» над уважаемым каталой.

— А, шпиливой! — это он случайно забредшему Шахматисту, своему давнему дружку. — Мы детеныша подобрали. Такое с колодой творит! Хочешь глянуть?

Шахматист без энтузиазма согласился глянуть...

В это же время в Одессе объявился Витька Барин, только освободившийся, отмотавший «восьмерик» «катала». До этого жил где-то в Донецке, у нас его и не знали. Объявился фамильярно: прибился к пляжникам, вечером со всеми забрел в ресторан.

Там его, как новенького, приняв за фраера, и выдернули Стрелочник с Глухим. На ночную игру договорились. Многие в долю просились — не взяли. Сослались на финансовые сложности.

Наутро оснований для ссылки имели значительно больше. Барин обыграл тандем. Чем ввел остальную игровую братию в замешательство.

Вот на Барина мне Шахматист и указал, когда в ближайшее время мы вместе оказались в том же ресторане:

— Цепляй его.

— Какой смысл? Не подарок же. Стрелочника с Глухим...

— Цепляй, говорю. Слушай старших.

Я и цепанул. И обыграл. Ненамного — на тыщонку за ночь. Но по тем временам и в связи с репутацией новенького...

После экзамена Шахматист и представил меня человеку, которого можно считать Крестным отцом одесских «катал».

Это было в парке, в том самом, где Маэстро обыграл когда-то азера.

Голосом тихим, нежным почти, манерами мягкими, авторитетом Крестный отец очень походил на своего прототипа из одноименного фильма. Внешность совершенно неприметная: скользнешь взглядом и не споткнешься. Если, конечно, не блеснет, не ослепит огромным бриллиантом перстень.

Только с теплом вспоминаю Крестного.

Все это байки для холеных, что мафия пьет кровь из своих же, что пожизненно держит в лапах. От человека этого я имел только хорошее.

При представлении он не полез с расспросами. Вежливо, интеллигентно и при этом как-то по-свойски стал сетовать на нынешние нравы. Делился проблемами с вырождением фраеров, с утерей традиций.

— Люди пошли... Не хотят деньги отдавать, что ты скажешь! — сокрушался. — Вчера один... «Волгу» купил, второй этаж строит. А говорит — пустой. Как так можно? Ну, набили его, — кому это нужно? Эх, люди, люди...

Я сочувствующе молчал.

— Мотя тоже... Мотю знаешь?

Я кивнул.

— Не хочет никого в долю брать. А я ему в свое время помог. Сильный игрок — кто спорит, но как не стыдно... Маэстро тоже знаешь?

— Мой учитель, — может быть и преждевременно, признался я.

Он без удивления, понимающе покивал головой, продолжил:

— Руки — золотые, теперь таких нет. Но связался с уголовниками. Дружки освобождаются, он и пригревает. Хорошее, конечно, дело. Но дружки — все воры да наркоманы... А кто нас греть будет? — Он тяжело вздохнул. Спросил:

— Поиграешь?

Я растерялся отсутствию перехода, глянул на Шахматиста. Тот кивнул. Но и я сам не собирался отказываться.

— Можно.

— А вот и Яша. Не ахти какой игрок. Но пойдем, может, не забоится.

Я был уверен, что забоится. Вид у Яши — весьма немужественный. Пожилой благообразный мужчина, нечто среднее между рекламным агентом и ответственным партийным работником. В плаще, из которого выглядывали белая рубашка и галстук, в шляпе, с портфелем.

Несколько прямолинейное, на мой взгляд, предложение Крестного сыграть со мной не вызвало у Яши никаких эмоций. Устроил портфель у столика, одного из многих. За таким же вокруг кучковались играющие. Молча, аккуратно выложил на столик колоду, карандаш, вынул из папки лист бумаги.

— Почем? — спросил я.

— По соточке, — сообщил Крестный. И мне: — Яша меньше не играет. — Потом Шахматисту: — Пойдем, Игорек. Не будем мешать. Посмотрим, как у людей дела. — Они отошли, направились в обход между столиками.

Я бы рекомендовал Яше играть рубля по три. В счастливые дни — по пятерке, не больше. Первое впечатление оказалось верным: рекламный агент ничего из себя не представлял. При этом норовил дурить. Настырно пробовал повторять одни и те же обезвреживаемые мной трюки.

— Ну хватит, хватит, — услышал добродушно ворчащий голос Крестного, после того как я выиграл

пять партий. — Надо иметь уважение к пожилым людям. — И к сердитому Яше: — Как молодежь?

— Ты привел? — спросил тот у Шахматиста.

Шахматист не ответил.

— Кто его растил? — спросил Яша тогда у Крестного.

— Маэстро.

— И ты мне его подсунул?

— Деньги надо вернуть, — вежливо сообщил мне
Крестный.

Сообщение мне не понравилось, но я не спорил.
Протянул Яше выигранные пятьсот.

— Это Маэстро тебя учил выигрывать по пять партий кряду? Совсем стыд потеряли... — пробурчал
Яша, пряча деньги.

— Ну что ж, будем трудиться, — заговорил Крестный, когда мы отошли от расстроенного Яши. — Есть
у меня одна точка...

Точек у него оказалось множество. Во всех бес-
крайних просторах нашей Родины. Разных и по гео-
графическому положению, и по содержанию. От сто-
янок дальнобойщиков до подпольных столичных казино.

Крестный обеспечивал своих сотрудников не
только игрой, но и деньгами, и прикрытием. Он был
гарантией того, что к тебе отнесутся с уважением, что
любая сумма будет получена. У кого бы она ни была
выиграна. И весь этот сервис с его стороны осущест-
влялся за вполне разумную долю.

Не могу сказать, что регулярно работал от него.
Но он не обижался — относился ко мне, как к лю-
бимчику. Уж не знаю за что.

Опека Крестного дала больше веса, значимости,
чем денег.

Старались обходиться силами и возможностями

своей корпорации. Шахматист стал ее четвертым со-учредителем. И все же долго еще припоминал Шурику, а заодно почему-то и мне свои замоченные брюки.

Глава 10

ОБ УЧЕНИКАХ

Когда-то Маэстро, представляя меня, раннего, одному из дружков-авторитетов, произнес не без гордости:

— Мой ученик. Через полгода в Москву можно брать.

Что такого в этой Москве, что взять меня можно будет только через полгода? К тому же в столице пару раз я уже побывал, никаких излишних трудностей в облапошивании москвичей не обнаружил. Но «мой ученик» было высшей похвалой. Я-то с надеждой давно считал себя им, но Маэстро впервые сделал официальное заявление.

Авторитет, правда, усомнился:

— Не рановато? И слишком он здоровый... для «каталы». Спортсмен, что ли?

— С прикрытием — меньше хлопот. Между прочим, Яшку Головастика обыграл.

— Пьяного?

— Как стеклышко.

— Да ладно... Трезвый Головастик ему сто пятьдесят форы даст... И глаза себе полотенцем завяжет.

Они говорили обо мне так, как будто я не сидел на этом же топчане. Но в присутствии Маэстро это не задевало. Только непонятно было, чем так замечателен их Яшка. Когда его обыгрывал, я даже не знал, что он важный гусь, и не заметил никаких дополнительных сложностей. Потом уже Маэстро поздравил с серьезным крещением.

— Можешь «скатать» пару партий, — предложил Маэстро авторитету. — Я плачу.

— За него или за меня?

Маэстро оскалил в улыбке разделенные щелками зубы. Ожидающе смотрел на дружка, не ответил.

— Мне это надо?.. — резонно высказался тот. — Ты бы его прятал до поры до времени.

Прятать меня уже было поздно, наследил где только мог. Как невоспитанный щенок, впущенный в богато обставленную квартиру.

Если бы я попал в ученики к Маэстро вовремя, таких глупостей не наделал бы.

Уже упоминал вскользь, что учитель в картах — не тот, кто поучает, показывает. Тот, кто позволяет учиться. А уж твое дело присматриваться, прислушиваться, до многого доходить в одиночку...

Это не совсем так. Думаю, желание взрастить хоть одного, но своего, фирменного, преданного наследника, присуще каждому «катале». И взращивают.

Это тоже одна из самых недоступных для анализа тем. Процесс передачи навыков профессии происходит не при открытых дверях.

Из просочившихся сведений знаком только один случай.

Корифей-пляжник взял в подмастерья начинающего жулика. Взаимоотношения не были обусловленны духовным единством. Ученик внес разовый гонорар — четыре тысячи — и обязался выплачивать пожизненную пенсию: десять процентов с каждой прибыльной игры. К убыточным играм учитель отношения не имел, так как проигрывать не обучал.

Соблюлись ли оба условия — не знаю. Довелось пронаблюдать только момент сотрудничества. Учитель и ученик обыгрывали фраеров на пару. Что там было, когда пути их разошлись, и разошлись ли, — не в курсе.

Приходится анализировать тему на своих примерах.

Мне за обучение у Маэстро платить не приходилось. И если вдвоем обыгрывали клиентов, долю я получал половинную. С другой стороны, в ученики и не просился. И начинал натаскиваться далеко не с нуля.

Маэстро поначалу относился к постоянно оказывающемуся рядом, все чего-то высматривающему сопляку настороженно. Потом понял, что это всего лишь усердие.

Как-то, когда я, уединившись на отдаленном топчане, отрабатывал «вольт», он возник рядом, чуток понаблюдал из-за спины, бросил реплику:

— Старайся без щелчка. И «отвод» — плавнее.

И отошел. Я понял: прилежность приятна.

Позже он рассказывал, как учился сам. Странно было слышать о том, как пацаном он преданно околачивался за спинами играющих, заглядывал в рот старшим, жадно ловил каждое слово, каждый жест. От него отмахивались, часто грубо, унижающе. По малолетству отгоняли. Он возвращался. И никогда не держал обиды. Они были «каталы». Для него в то время — боги.

Много лет спустя, когда Маэстро стал Маэстро, к нему, случалось, прибивалась жуликоватая молодь, но все как-то суетливо, походя, без искры одержимости...

Он не то чтобы отчаялся (не сильно они и нужны, как всякий талантливый человек, он был одиночкой), но все чаще по-стариковски (в сорок лет) брюзжал, дескать, молодежь скурвилась.

Ко мне долгое время относился скептически, да и потом, когда признал наследником, не особо церемонился. Был единственным (ну разве что еще Рыжий да когда-то Юрка Огаров), чье снисходительное небрежное отношение не задевало. И это Маэстро нравилось, потому что напоминало ему самого себя в молодости.

Пришло время, и мне захотелось учеников. Грустно становилось оттого, что выношена (и оставлена в наследство предшественниками, и доработана самим) целая школа, а передать ее некому. Желающие-то проникнуть в сокровищницу всегда были под рукой, да только все не те.

Когда еще сам был молодым да ранним, понаделал ошибок. Иногда брал в ученики за плату. На коммерческой основе.

Вроде бы верно: забесплатно никого учить не следует. От бесплатного образования столько же толку, сколько от бесплатного лечения. Но...

Как-то довелось лепить шулера из эстонца. До этого он добропорядочно лепил из гипса очень симпатичных свинок и кошек. И — нá тебе! Вздумал вложить деньги в карты. Вложил их в мой карман и за три месяца практически с нуля продвинулся поразительно далеко.

Работать было приятно. Эстонцы за вложенные деньги очень переживают.

Но прибалтийская, вежливая холодность, подчеркнутая деловитость. А я ему — сокровенное... Неужели только ради денег?..

Недоучил.

Да и он посчитал, что знает уже достаточно, вздумал наводить экономию. Насколько знаю, потом бережливость вышла ему боком. Пришлось вернуться к своим кошечкам, причем плодить их значительно усердней.

Высшая комсомольская школа в Москве.

Как-то пришлось остановиться в ее общежитии. И совершенно уж неожиданно прибился, полез в ученики швед. Хорошенькое дельце: швед, приехавший учиться на комсорга. Но швед, хоть и странный, а истинный. Уразумел, что обучение у меня открывает ему лучшие перспективы. Долларами заплатил.

Но опять же... Никакого психического взаимодействия. Учился, словно по учебнику: прилежно, усидчиво, но безэмоционально. С таким отношением к игре надо подаваться в казино, где бездушные автоматы да такие же крупье. Где игрок со своими переживаниями один на один.

У наших картежников менталитет иной. И обыграют, а душевное участие выкажут. И проигравший понимает: своим проигрышем кому-то радость принес. Что ни говори, а какая-никакая осмысленность потери.

Швед еще отмороженнее эстонца оказался: лыбится при встрече, руку с готовностью жмет, а глаза — как лампочки перегоревшие.

Бог с ней, с экономией электроэнергии, за хорошие деньги можно и впотьмах пообщаться. Но одна сценка проявила совершеннейшую славянско-скандинавскую несовместимость. Сделала невозможным дальнейший познавательный процесс.

Поднимаюсь как-то к шведу (он этажом выше обитал), в комнате такая мизансцена.

Две тахты сдвинуты.

На одной — парочка молодых соплеменников моего ученика, лежа дружненько читают книгу. Одну на двоих. Очкастые, похожие, как двойняшки, кучеряво-белобрысые парень и девушка.

На второй — сам ученик. Тоже — лежа читающий.

У стола, опять же с книгой, — наша советская девушка-брюнетка, насколько уже был осведомлен, подружка моего подопечного. Симпатичная, почему-то вечно виновато глядящая.

Швед-одиночка кивнул мне, вошедшему, пролопотал чего-то по-своему. Как я догадался, вроде того, что — одну минутку, вот-вот закончу. И чтение продолжил.

Подружка его, виноватая, комсомольская вожачка из Петропавловска беседой меня заняла. Кинулась объяснять, что с милым общается исключительно ради языковой практики. Разоткровенничалась, что ни разу в Одессе не была, что хорошо было бы в море Черном выкупаться.

Я отвечал в том смысле, что милости про... ˙

И тут швед во всеуслышание пукнул. Мощно так, от души, ка-а-ак дал и как ни в чем не бывало продолжил чтение. Собственно он и не прерывался. Изящно так пальчиком перелистнул страничку.

А из меня — все мысли как воробьи перепуганные. Ну, думаю, дела, расслабился ученичок.

Непринужденность ученичка, кроме как на меня, ни на кого впечатления не произвела. Парочка тоже ни на миг не отвлеклась от книги. Чего ж они там такого захватывающего вычитали?.. И собеседница моя, подружка громогласного, улыбнулась опять виновато и напомнила, на чем я остановился.

Попробуй тут продолжи, когда стыдно, словно не он, а я оконфузился. И все присутствующие, как воспитанные люди, делают вид, что не расслышали.

Продолжил с горем пополам.

Только-только в себя пришел, а этот опять ка-ак даст. И опять промежду прочим. Перелистывая страницу.

«Э-э, — думаю. — Плохи дела. До каких же пор, — думаю, — это будет продолжаться?»

Собеседница моя про море Черное желает дослушать. Я бы и дорассказал. Всегда имею, что за Одессу поведать. Но тут совершенно ничего в голову не лезет. Ничего романтично-возвышенного. И приглашать ее выкупаться уже неохота. Чувствую, сколько ни купай, ни отвлекай яркими впечатлениями, эта раскованность шведского комсорга между нами висеть будет.

Вот такая показательная ситуация... Какое тут, к черту, душевное единство?..

Детей-малолеток тоже учить не следует. Никогда нельзя предугадать, к чему это приведет.

Когда-то к пляжному карточному клубу прибился пацан лет тринадцати. Днями простаивал за спинами. Бегал за картами, за бутербродами. Любимчиком был. Со временем поигрывать начал. Все были уверены — далеко пойдет.

Не пошел.

Пропал на время, уже став совершеннолетним.

Вновь объявился, вальяжный, сытый, самодовольный. И среднего уровня не достигший, но не понимающий этого. Жалкое, грустное зрелище. Все кинулись расспрашивать любимчика: где он? как он? И тут же разочарованные откатывались. Не то, совсем не то ожидалось.

Другой случай... Один из давних приятелей взял на воспитание пацана. Как взял?

Подруга матери попросила оказать влияние на сына. Сынок, двенадцатилетний босяк, король уличных сверстников, совсем из-под контроля вышел, уверенно, с романтическим настроем, готовил себя к карьере уголовника.

Выдернули его из Днепродзержинска, поселили у друга в Одессе.

Щенок поначалу и здесь — за свое. Банду сопляков сформировал.

Приятель под ванной портфель со слесарным инструментом обнаружил. В портфеле, кроме всего прочего, перчатки кожаные и связка ключей автомобильных. Детвора машины шмонала.

Друг — в панике. Педсовет со мной организовал. Но что тут посоветуешь.

Случилось так, что подвернулся клиент, тот самый прораб, который уточнял, обязательно ли мне долг отдавать. Но это он позже уточнял — до того его еще обыграть предстояло.

В квартире опекуна-приятеля и обыгрывал.

Щенок — гроза автолюбителей, завороженно наблюдал за игрой из угла комнаты. Квартира — однокомнатная; находиться рядом с нами, играющими, ему запретили. До утра глаз не сомкнул и слова не проронил.

Утром прораб выложил все, что при себе имел и сообщил, когда внесет остальное. Все это при воспитаннике. Скажете, непедагогично?..

Обыгранный — за порог, пацан — ко мне. Смотрит с мольбой:

— Дядя Толя, возьмите меня в ученики.

Приятель не знает: то ли за голову хвататься, то ли радоваться.

— Не встречал, — говорю, — ни одного шулера, который бы магнитофоны из машин воровал.

— Если вы меня возьмете, слово даю — завяжу, — вполне матеро выразился.

Но действительно завязал. Весь отдался картам.

Банда в растерянности, в школе успехи появились. Точно как у спортсменов, которым, как уверяли, спорт помогал в учебе.

Заметно было, что знатным «каталой» не станет, но, с другой стороны, и задача такая не ставилась. Главное, чтобы не стал знатным взломщиком.

Кем стал?

Отслужил в армии. Десантником. Вернулся в Одессу, с виду возмужавший, но такой же бестолковый. Женился на девушке из приличной еврейской семьи. И бросил ее. Подло. Одолжил денег у тещи, у приятеля взял взаймы якобы на бизнес. И сгинул в Польше.

По просочившимся сведениям, связался с нашими бандитами, грабившими челноков, был принят в бригаду. Карточные навыки при приеме позволили набрать проходной бал.

Время от времени и три карты на польских базарах бросал, прикрываемый своими.

Вот такой итог воспитания.

Очень хочется вспомнить и что-то незряшное из педагогической практики.

Заявился однажды ко мне хороший знакомый из города Д. Директор винзавода. Выдал проблему.

Внизу под моим домом — в машине семейка. Отец — уважаемый человек, директор крупного предприятия, жена его — завгороно, и сын — четырнадцатилетний картежник. Сына местные «каталы» обыграли на большие деньги. Но проблема не в долге. Отец с ним смирился. Проблема в том, что обыграли не в первый раз и, судя по всему, не в последний. До сих пор сын приворовывал у родителей, расплачивался. Последний долг такой, что столько не украдешь. К тому же «каталы», и сами понимая, что долг не подростковый, наехали на отца. Семья в панике. Деньги... Бог с ними. Сын пропадает. Приехали за советом.

— Зови их, — говорю. — Неудобно людей на улице держать.

Нормальные люди, не зажравшиеся, тактичные.

Глава семейства, несмотря на профессиональную крутизну, подавлен происходящим.

Успокоил как мог, совет дал, как правильнее с уже имеющимся долгом разобраться.

(Совет был прост: кого обыграли — с того пусть и

получают. Такое правило. При чем здесь отец? Они
для него — пустое место. Но пусть учитывают, что он,
отец, их знает... P.S. Помогло. Озадаченные жулики
отстали.)

От меня ждали главного — консультации-совета
на будущее: как уберечь чадо от порока.

Все молчат, ждут заключения консультанта.

Смотрю на насупившегося подростка-крепыша и
понимаю: парень на крючке. Не на крючке у провинциальных «катал», на крючке страсти. Редкий случай
раннего рецидива.

Родители взирают с надеждой. Даже неловко как-
то: знахаря нашли...

— Он, конечно, дал слово, что больше не повто-
рится, — доверительно сообщает мама.

— Я тебя прошу, — урезонивает ее отец. — Не от-
нимай у человека время.

И снова все замолкают.

— Во что играли? — спрашиваю мальца.

— В деберц.

— Хоть одну партию дали выиграть?

— Почему дали?.. Я — сам.

— Можно нам тет-а-тет поговорить? — обращаюсь
к родителям, внимательно слушающим диалог.

— Конечно, — с готовностью подхватывается отец
и выводит всех на кухню.

— Хочешь, научу «катать» как следует? — спрашиваю пацана.

— Я и так умею.

— Сдавай, — бросаю ему карты. — Играли до
пятьсот одного?

— Да.

— Считай, что пятьсот очков у тебя уже есть. Выиграешь партию, никогда больше не сяду играть, выиграю я — не сядешь ты. Идет?

Он хмыкнул, взял карты.

Проиграв две партии, стал пунцовый, как внутренняя сторона калоши. Но я понимал: слово не сдержит, играть будет. Сдал карты еще раз, в открытую: у меня — все восемь козырей и туз.

— Играть с теми еще будешь?

Он молчал. Потом выдавил:

— Они так не умеют.

— А ты хочешь научиться?

Он метнул на меня недоверчивый, но блеснувший взгляд. На всякий случай ответил:

— Я так никогда не сумею...

— У меня сумеешь. Только учти: у меня репутация, ученик-лох мне ни к чему. Подведешь...

— Не подведу, — он весь проникся надеждой.

— На игре ставим пока крест. Начинаешь нарабатывать приемы.

Продемонстрировал пару общеразвивающих манипуляций.

— С отцом договорюсь. Привезет тебя на урок через неделю. За это время должен освоить то, что я показал. — Медленно в деталях повторил манипуляции. — Договорились?

— Через сколько я смогу играть, как вы?

— Через три месяца. Если будешь стараться.

— Буду! — Это был уже другой юноша: оживший, обнадеженный, увидевший в жизни смысл.

Его отец до сих пор через друга — директора винзавода — передает мне приветы. Тогда порывался заплатить за неоценимую услугу. Я от гонорара отказался. Нечасто удается ощутить нужность для людей своей профессии.

А что — пацан? Ничего. Месяц отец возил его на уроки, сын потом увлекся компьютером. Передали, недавно поехал в Америку. На какой-то молодежный конгресс...

Так что же с настоящими учениками, с передачей школы игры?

Были в моей жизни три подходящие кандидатуры. Странно, но все трое — старше меня и родом из провинциального молдавского городка — станции Бессарабская.

Из года в год летом мы встречались в приодесской курортной зоне. На отдыхе.

Один из них — Доктор. Пузатый, добрый, веселый человек, очень напоминающий Санчо Пансу. Он не был доктором, он работал рефрижераторщиком на своей железнодорожной станции. (Вся троица работала там.) Но когда-то в четвертом классе явился на утренник в костюме доктора Айболита и с тех пор стал Доктором. У него было четверо детей и жена, которой он никогда не изменял.

Второй — его брат — Василич. Рослый, лысоватый, здоровяк, весьма ироничный и терпимый к людям. Убежденный холостяк.

Третий — Юрич. Вроде бы флегматичный, а на самом деле взрывной, циник-эрудит. Тоже усмешливый, но едко, обидно для окружающих.

Странно проявлялась наша сезонная дружба. Они относились ко мне, как к прожженному неподарку-одесситу, но без опаски. Подначивали, но уважали. И мне нравилось, что они, зная обо мне многое (каждое лето в начале сезона — обязательно отчет за год), доверяли. И еще, поймал себя на том, что учусь у них... Невольно беру уроки нормальной, безобидной для ближних жизни. Не знаю зачем. Из интереса, что ли?..

И может быть, за эти уроки захотелось рассчитаться... Я взялся учить их.

Вроде бы бессмысленное, бесперспективное занятие — натаскивать в карты провинциальных добропорядочных тружеников.

Впрочем, они уже были заядлыми преферансистами и навыки схватывали с лета. С удовольствием, без напряга, играючи.

К концу первого же учебного сезона их можно было допускать к жестким профессиональным играм.

Не знал, какой мне толк от их учебы. Но понимал, они — те, кого учить стоит. Все трое.

На одной из ближайших баз отдыха проводил летние месяцы их земляк. Григорич. Пожилой, с вечно взъерошенным ободком вокруг лысины, толстяк. Волосатый на плечах и спине. Работал кочегаром. Тоже заядлый, больной игрой преферансист, он изо дня в день слонялся за троицей, уговаривая сыграть. Играть он готов был круглосуточно. Там у себя, в городке, они систематически обыгрывали его, да и здесь не особо упирались от прибавки к официальным заработкам.

На Григориче и было решено устроить обкатку свежеприобретенных навыков.

Организовать игру проблемы не составило. Для этого надо было всего лишь дать преследователю-кочегару обнаружить себя.

Дабы произвести впечатление на стажеров, сделал все, чтобы в первой же игре обобрать толстяка по максимуму. В такой переплет тот еще не попадал.

Пот стекал с его лысины по носу и капал на сложенные взятки, которые он то и дело недоверчиво пересчитывал. Расклады его потрясали, глаза бегали, иногда застывая, становясь невидящими.

На то, чтобы рассчитаться до конца, денег у него не хватило.

— Это... Я это... к вечеру одолжу. Вы приходите... еще сыграем...

Троица тоже была потрясена происшедшим, подавлена возможностями профессиональной игры.

— Вечером пойдете сами, — наставительно решил

я. — Должны управиться не хуже. — Я был важен и доверчив. И горд произведенным впечатлением.

Управились они не хуже.

Под утро пришли ко мне в домик, разбудили. Смущенные, непривычно не ироничные. Отводящие глаза.

Деньги, которые были выиграны под моим руководством, они проиграли. Все до копейки. Кажется, еще остались должны.

— Мы это... Надюха, жена, должна подъехать, привезет... — успокоил меня Доктор.

— Что привезет?

— Деньги. Там же твоя доля... Мы рассчитаемся...

Смотрел на них с тоской. Думал о том, что шулера из них не получатся. И еще о том, что именно о таких наследниках-учениках всегда мечтал. О том, что в этом несбыточность моих надежд. Те, кому я хотел бы передать все нажитое, не способны быть жуликами.

Глава 11

О ЖЕНЩИНАХ

Какой роман — без женщин. Конечно, если картежник собирается писать о женщинах, имеющих отношение к его профессии, стоит ожидать рассказов о проститутках...

Ничего подобного. О проститутках — в другой главе, скорее всего — «О смежниках».

Есть у меня давняя мечта: создать женщину-шулера. Согласитесь — красиво. Тонкое, аристократичное создание, раскованное и неприступное одновременно. Такая женщина — сама по себе приманка. Отпадает самая хлопотливая проблема профессии: поиск фраера. Если учесть врожденные черты женщины —

противостояние мужчине, коварство в этом противо-
стоянии... Заманчиво.

Утопия.

Первый эксперимент такого рода затеял, когда отсутствие клиентов сделало меня почти безработным.
Одна из попыток застраховаться от неприятных случайностей. От главной случайности: будет клиент —
не будет.

Взял ученика. Ученицу. Не совсем идеальной фак-
туры, с личиком, несколько простецким, провинци-
альным. Но познакомился с ней когда-то на пляже и
знал: как пляжный вариант — лучше не придумаешь.
Стройная, с отведенными назад плечами, задранным
подбородком. Искусственно отведенными и искусственно задранным. Но ведь и то сказать, не тонких це-
нителей ловим. Тех, кто попроще да поконкретней; у
таких обычно и деньги водятся. Грудь четвертого размера — это им понятно. А все эти тонкости: манерно — не манерно... Манерно — между прочим, им
даже лучше. И купальник чтобы не слишком мешал.
Эта вообще к верхней части относилась с неприяз-
нью.

Представляете: играть в карты в такой обстановке?... Какие шансы у нашего брата?..

Готовил специально для пляжной игры.

Ловеласишки имеют манеру клеиться на пляже,
предлагая сыграть в карты.

Какой мужчина посмеет отказаться от предложения понравившейся женщины разыграть порцию мо-
роженого?.. (Для затравки.) Какой мужчина посмеет
принять проигрыш у понравившейся женщины или
посмеет уклониться от проигрыша своего?.. (Конечно, втолковывал, что «карточный долг — долг чести»,
но не забывал напоминать, что у.женщины «честь» —
понятие более тонкое, эфемерное.)

Зима ушла на обучение.

Усвоение материала давалось нелегко, пришлось ограничиться одним-двумя простейшими трюками. Причем основные силы уходили на усвоение самой игры, правил, раскладов, техники разыгрывания. (Изучали деберц и факультативно «дурака» — популярные игры пляжных ухажеров.)

Пол-лета все шло по плану.

Я загорал поодаль, систематически получая долю и вселяя в сообщницу уверенность своим присутствием.

Потом случился пробой.

Сначала на подмастерье наскочил гастролер из Грузии. Момент его попадания в силки я пропустил. Когда обнаружил добычу, поспешил раскрыть капкан. Хорошо, гастролер знакомым оказался. Выговор ученице пришлось сделать, чтобы не хапала, кого ни попадя, без спросу.

И все же эксперимент провалился.

Прибрал дамочку к рукам очередной клиент, бритозатылочный и пошлый. Сытыми, киношными манерами с толку сбил. Влюбилась, мерзавка, предала интересы корпорации.

Лет через пять вернулся к идее, не давала она покоя.

Целую группу набрал. Сами напросились, через знакомых. Все эффектные, не провинциальные. Возраст — от девятнадцати до двадцати восьми. Предупредил: с «шурами-мурами» не лезть, способствовать не будет. И еще — церемониться не стану. И не церемонился, жестко воспитывал.

Ну и что?.. Понемногу скатились их занятия в обыкновенные бабские посиделки. Эдакий женский клуб образовался. Не совсем то, что я замышлял.

Совсем недавно предпринял еще одну попытку. Без особой уже веры в успех. Две женщины, подруги. По всем параметрам подходящие: аристократичные, эффектные, раскованные и неприступные одновременно.

Я — уже опытный, сообщил, что не только цацкаться не буду, но и требовать чего-либо не собираюсь. И предупредил, что не верю в успех. Докажут обратное — хорошо, не докажут — ни хорошо ни плохо.

Умнички, цепко взялись. И шли ровненько, не давали одна другой далеко вперед вырваться. Колодой уже орудовали вовсю. На пляже, где они всего лишь тренировались, загорая, у окружающих дух захватывало.

Разрешил им играть помаленьку.

Все умение как кошка слизала. Одно дело — исполнять трюк в безмятежной обстановке... Другое — под взглядом противника, который, хоть и смотрит на твои руки в последнюю очередь, очень удивится и скорее всего неприятно, если обнаружит, что его держат за... Не за того, за кого он хотел бы. Психологический барьер. И ведь все делают чисто, кое-что даже чище, чем некоторые знакомые мне жулики...

Расчет на противостояние и коварство не оправдал себя. Так думаю, что у женщин не только «честь» — понятие другого свойства, но и коварство это самое — неуловимое, обтекаемое.

А может, надо, чтобы не от прихоти, чтобы обстоятельства заставили, нужда?

Это — о женщинах-шулершах.

Вообще же женщины-игроки встречаются. Правда, нечасто. Выступают с разным успехом в классе любителей. Всем желающим я бы порекомендовал именно этот класс.

Хотя и тут есть опасность. Стоит играть до тех пор, пока в вас видят женщину. Совет вроде простой, но какая женщина сумеет им воспользоваться. Это же означает, что в какой-то момент придется сказать себе: «Стоп! Уже не видят...» Женщины на это не способны.

Одно время дурачился. Дурачил. Трех молодых еврейских женщин, живших в одной коммуне. Именно дурачил: сдавал по очереди то одной, то другой хорошую карту. Развлекался.

Доразвлекался: оказалось, с ними в коммуне жил пожилой сочный одессит Нолик, из пляжников. Соседки с ним и поделились чудесами. Лишняя популярность, которая не способствовала благосостоянию.

Вот еще пример. Мы с Шуриком вступили в затяжные карточные отношения с молодой еще, привлекательной женщиной, кандидатом наук. Тоже скорее развлекалась. Хоть и играла вполне прилично, и вся в бриллиантах на игры являлась. Не шельмовал я. Женщина все же.

Пока однажды при расчете не обнаружили: дурит. Недосчитывает свои проигрыши. Незатейливо так, наивно. Держит за лохов.

Все, с этого момента перестала быть женщиной. И бриллианты ей припомнились. Впрочем, мудрости у нее хватило потерять нас вовремя. Почти вовремя.

Сейчас иногда вижу ее. Играет, дурит помаленьку пожилых галантных преферансистов. И вижу, за это время не прибавила она, ничуть не прибавила.

Как не вспомнить Эллу Александровну, адмиральшу?.. Колоритная женщина.

Пляж долгое время «кормился» ею. Мне не перепадало почти ничего. Кто-то слишком рано просветил ее на мой счет. Другие «кормились». Не знаю, какая квартира была у нее прежде... Новая — в лучшем районе, огромная, с телефоном. (Доводилось в ней бывать, обыгрывать хозяйку.) Прежнюю Элле пришлось обменять на эту, взяв двадцать тысяч доплаты. Где та доплата?..

Эллу я любил.

Этакая бандерша в глубоко советском нижнем белье вместо купальника, с хриплым голосом и «беломориной» в ярких губах. На топчане рядом — неизменная закручивающаяся бутылка водки, «с винтом». Впрочем, не берусь утверждать, может, в бутылке была вода.

За право играть с Эллой ссорились. Преданно дожидались ее. Нервничали, если задерживалась.

И все же женщина-шулер — это возможно...

Но это утверждение я уже проиллюстрировал. В «Одессе-Маме». Не хочется повторяться.

Глава 12

О СМЕЖНИКАХ

Что объединяет картежников с проститутками, кидалами, бандитами? По правде сказать, общих затей — почти никаких. Дай шулерам волю, они бы обособились. И клиентам спокойней, и сами, среди одних фраеров — как рыбы в воде.

Не получается. Что же такого общего?..

Конечно, места обитания...

Ресторан в Приморском районе. В течение нескольких лет мы чувствовали себя в нем как дома во время нескончаемой вечеринки. Особенно летом.

Наработаешься за день, вечером с пляжа — прямиком сюда, расслабиться.

Как собственный дом, он был всегда открыт для нас. Даже когда проходил крупный семинар кагэбистов и в зал не впускали никого, кроме участников. Нам отвели отдельный кабинет. По отдельному кабинету выделили проституткам, кидалам и бандитам. Азиатские торговцы остались с носом. Жалостливо глазели из-за стеклянной двери. Вместе с компанией, вздумавшей отмечать здесь свадьбу, командировочными из соседней гостиницы, коллективом артистов-танцоров, только что прибывшим из аэропорта.

Конечно, со специалистами соседствующих профессий мы были в доверительных отношениях. Трудились и отдыхали поблизости не один год, имели уважение к профессионализму друг друга, случалось, взаимовыручали.

Некоторые из нас водили дружбу. Что некоторые? Все водили! Некоторые — близкую. Как-то, с юморком, девоньки нас распределили. Бывало, в начале вечера, когда в зале пусто, и первыми прибывают свои, подначивали:

— Не будет клиентов — берегитесь!

Береглись не все. Нет-нет да и прихватывали кого-нибудь из невостребованных — иногда двух-трех — на хату, где предстояла ночная игра.

Оказавшиеся при нас по безработице, девчонки всегда вели себя корректно. Не мешали. Понимали, что «монастырь» чужой. Обычно воспитанно дожидались на кухне или в другой комнате, когда пригласивший выкроит мгновение для любви. В ожидании обычно разгадывали кроссворды. (Это у них здорово получалось — наловчились.)

Помню, один из наших, пожилой, весьма далекий от секса сапожник Эдик развеселил всех. Вернувшись с кухни, куда отлучился на удивительно долгое время, возмущался:

— Захожу, а она — голая... Как так можно?.. И мне говорит: раздевайся. Понасмотрелись этих кино... Тьфу!..

— А как ты хотел? — не поняли мы.

— Я знаю?.. Хотя бы — в майке.

Долго мы ему эту майку поминали.

Но близко якшались с проститутками только некоторые из нас. Немногие. Те, кто постарше да побеспомощнее. Кто смирился с тем, что стоят чего-то только в картах.

Меня в кабаке вообще долгое время не могли осмыслить, признать за своего. И официантки поначалу не могли успокоиться, все допытывались у моих, прожженных уже, сообщников:

— Что за мальчик? Почему не пьет? Почему уворачивается от проституток? Неужели — наш?

Наркомана подсылали, тот угостить хотел, пару «кубов» предлагал.

От профессионалок таки не без хлопот уворачивался. Одна из них, Ольга (вполне интересная, между прочим, девушка, секс-символичная блондинка, в другой бы обстановке не упустил), грозилась в конце концов уплатить. Мне... Из любопытства. И мне было любопытно: во сколько оценит. Как-то не случалось до этого прирабатывать... Оказалось — пустые разговоры. Конкретных финансовых предложений не поступило.

Через пару лет, уже вполне поставившая на будущем крест, опустившаяся Ольга во время дебоша разорвала футболку на непонравившейся ей экстравагантной дамочке (острые груди той брызнули, выпорхнули в разные стороны) и тупым ресторанным ножом вспорола живот ее спутнику-иностранцу. Так, что кишки вывалились на стол.

Ее не забрали, вернее забрали, но выпустили через пару дней. Может, и впрямь, как говаривали ее коллеги, работала на органы?.. Правда, после этого случая работать она могла только в смену другого администратора.

Среди ресторанных кланов наш отличался интеллигентностью. Ужинали чинно, без эксцессов. Вполне могли сойти за благочестивых командировочных.

Кидалы, наперсточники, те тоже следили за собой. Пока не напивались.

Проститутки же и бандиты — то и дело чего-нибудь отчебучивали. Не давали отдыхающим скучать. Но у них свои дела, у нас — свои. Уважение имели. Если драка, следили за тем, чтобы кого-то из «катал» не задеть.

Конечно, и в нашем лагере не обходилось без скандалов...

На пляже одно время прижился Махмуд. Не особенно, правда, прижился. Поволновал местную, большей частью интеллигентно-шулерскую публику. Чуть что — за нож хватался. Все ждали, были уверены: кончит плохо. (Кстати, легенда у него была из самых надежных. Благодаря стеклянному глазу. Пару раз, играя в гостинице, попал под облаву, и оба раза без последствий. Какие последствия?!. Несчастный парень-инвалид с трудом получил право на консультацию в клинике имени Филатова. Как его обидишь?..)

Махмуд и в ресторан с нами повадился.

Девчонки, бедные, натерпелись от него. То золотом задаривает, весь мир грозится к ногам бросить, то лупит ни за что ни про что. Без поправки на слабость пола. Последнее отбирает.

Однажды за ужином тот самый щедрый наркоман-провокатор проиграл Махмуду пятьдесят тысяч и предложил в виде расчета свою жену Катерину — красивую глупую девушку с тяжеленной косой до колен.

— Павлик, ты что?.. Павлик?.. — чуть не плача (но не плача) умоляла она, пытаясь встать. В то время как Павлик-муженек усаживал ее на колени радостно скалившемуся Махмуду.

Встревать мы не имели права, потому что все было

по правилам. Проиграл — плати. Но растерялись: это уже ни в какие ворота...

С сообщником-шахматистом углядели слабенький шанс: заметили в вестибюле за дверью Анжелу, одну из проституток, которую больше остальных облюбовал Махмуд. Которая больше всего натерпелась от него.

Анжела осторожно в зал заглядывала, украдкой. Высматривала: здесь ли душегуб или можно маленько подработать.

Мы ей и предложили сверхурочные. Двести рублей. За то, что устроит ревнивцу скандал. В оборотку. Готовы были поднять гонорар, но наложница и за эти деньги согласилась. Что значит — профессионалка, понимала, что перспективы нерадужные. Но работа есть работа. Кто платит — тот и заказывает... И не к такому привыкши...

Глазам своим не поверили, когда увидели оправдывающегося Махмуда.

Оправдывался, впрочем, недолго. Спохватился, любимую за патлы ухватил, почему-то под стол попытался затолкать. Та — ни в какую, голосит, салат на столе нащупывает. Вслепую капустой неверного по физиономии...

Мы скоренько Пашу-наркомана, должника чести, и супругу его — дуру, за шкирку оттянули. Заслонили. Послали от греха подальше... С тех пор, кстати, так их и не видели.

...Однажды в самом начале и я, еще по неопытности, был близок к неприятности...

Хлопцы, из наших ресторанных кидал, специализировались на «штрафах». Их подруги строили глазки фраерам. Взглядом выводили на улицу, просили увезти отсюда. От этих ужасных людей. Потом похитителя штрафовали на две-три, иногда больше тысяч.

Я вляпался. Хороша стерва была. Какая-то совсем уж невинная, с круглыми-круглыми глазами испуганными. Увез ее.

Поздно ночью нашли меня свои, из игроков. Вразумили, что к чему.

Войны не было.

Хлопцы извинились: мол, наживка-дурочка, разрешения не спросивши, сама поактивничала, своего — то есть меня — выдернула.

Милиция нас оберегала.

Почти каждый вечер к ресторану подкатывал патрульный «бобик». Строгий молодой старшина, стоя в проеме двери, глазами вызывал меня в вестибюль. Деньги брал небольшие и только из моих рук. С другой стороны: с нас и брать было не за что. Но если потасовка какая случалась, первым делом уточнял: кто свой. Чтобы, не дай бог, «своего» в «бобик» не затолкать. Заодно в каждое посещение осведомлялся, не нужна ли нам в этот вечер машина. Если оказывалось, что нужна, нас после закрытия ресторана этот самый «бобик» с включенной мигалкой развозил по хатам. За дополнительную плату, конечно.

С тех пор не люблю рестораны. Большей частью это офисы группировок. Мне неуютно в чужих офисах...

Когда-то, когда только вошли в моду наперстки, выклянчил у Маэстро секрет.

Он предложил выбор: или показывает технику бросания монеты, чтобы все время выпадала одна сторона, или — наперстки. Выбрал второе. Слишком раздражала собственная бестолковость. Ума хватило только на то, чтобы вычислить идею и не играть. Хотелось деталей.

Прежде чем приступить к уроку техники, Маэстро преподал урок этики.

— Если знаешь секрет, играть не имеешь права. Это их хлеб.

Правило показалось несколько несправедливым. Кому отвечать: знаю секрет — не знаю... Но этика — она на то и этика, чтобы отвечать приходилось в первую очередь себе. Раз так принято — куда деваться, будем следовать.

Через некоторое время влез все-таки в игру. Не сам — втянули.

На «Заставе» хлопцы работали. На остановке. От нечего делать, ожидая трамвая, косился на них.

«Нижнего» подобрали, на мой взгляд, неудачно. Прибалтывал качественно, но вид у него был... Заядлый уголовник. Стриженый, злобный, со страшным шрамом, пересекающим щеку. Такого и в помощнички надо ставить с оглядкой.

Конечно, работали впустую. Развлекали друг друга. Люди останавливаются на голос причитающего «нижнего», смотрят на него и все... Где шарик — им уже не интересно.

Видно, от безысходности зазывала «цепанул» меня.

— Мужчина наверняка знает, где шарик. Ему с высоты все-е видно. Правда, мужчина?

Я отвернулся. Он подергал-подергал других и опять:

— Я бы на вашем месте сыграл. Гарантирую, что угадаете...

Как-то задело: неужели до такой степени лохом смотрюсь?..

— Тебе это надо? — жестко, недобро спрашиваю.

От жесткости, от вызывающего тона, похоже, его маленько своротило. Но не отступать же сразу.

— Не пожалеете, — без энтузиазма подтвердил он. — Надо всего лишь показать...

Я и показал.

У него при себе только сорок пять рублей оказалось. Все сообщникам сплавлял. Те хоть бы вид сделали, что рады за выигравшего прохожего. У всех до единого вырвался вздох огорчения.

А «нижний», обозлившись:

— Еще сыграем — «петушка» отдам...

Ну да, нашли идиота. Понятно, что шарика уже ни под одним из наперстков не окажется. Стою, отступив на шаг. Вспоминаю наставления Маэстро, думаю о том, как бы понезаметнее «свалить». «Свалишь» незаметно, как же...

«Нижний» тараторит, время от времени вставляя наставления подсобникам:

— Кручу-верчу, запутать хочу!.. Зажмите фраера. Институт глазных болезней проводит проверку зрения! Пусть Медведь подстрахует. Кто еще не получил сто рублей, подходи!..

— Так кто из нас — фраер? — насмешливо спрашиваю. И нахально ухожу.

Сзади — суета, крик:

— Обеденный перерыв!

Топот слышу: догоняют. Оборачиваюсь.

Вся бригада в беге цепочкой растянулась. Первый — этот, со шрамом. Шипит, на дружков своих указывает, грозится.

Шиплю в ответ. Держусь усмешливо, уверенно. Но понимаю, что не прав. И удивляюсь: чего так переполошились из-за полтинника?

Подоспевшие помощнички на удивление вежливы. Воспитанно объясняют, что работа нынче — не мед. Лохов за час — ни одного. А тут я... Игру поломал, обидно им.

— Еще бы, — говорю. — Вы бы ему клыки приделали, глядишь — народ бы и повалил.

— Нету другого, — жалуются. — «Нижние» — дефицит.

Как-то надо выходить из конфликта. Хоть и не прав, а деньги возвращать — не годится. Вроде как на «дух» взяли.

— Бабки разыграем, — предлагаю уверенно, словно даю последний шанс. — Выиграю — эти сорок пять мои, «закатаю» — еще сорок пять получишь. Карты есть у кого?

Предложение понравилось. И карты нашлись. Догадывался, что подготовленные, но в игре с таким соперником это не имело значения.

Наскоро на ближайшей скамеечке обыграл его. Оглядел потускневшую компанию и сделал красивый жест:

— Бабки свои возьми. Порядок знаю. Но и ты смотри, кого хапаешь...

Как они обрадовались!.. Руки жать, конечно, не кинулись, но было заметно: нажил потенциальных товарищей. В нашей профессии это тоже не помешает...

Читатель удивится: проститутки, бандиты — это понятно. Действительно, с картежниками мало общего. Но специализация кидал вполне родственна шулерской. Приличные люди вообще полагают, что разницы — никакой.

Нетушки, разница существенная. Во-первых, «катала» предан картам. Во-вторых, вступая в отношения с клиентом, он всегда оставляет последнему шанс выйти победителем. А какой шанс оставляет лоху кидала? В лучшем случае, сохранить свое, но ни в коем случае ничего не приобрести. Неравные условия.

Еще повод читателю для недоумения: а как же пресловутый Маэстро?.. Ведь он же и шулер, и «ломщик», и кидала.

Явление редкое. Вернее, почти любой кидала в состоянии по совместительству подрабатывать, играя. Но чтобы играл высоко?.. Это редкость.

А Маэстро... Он просто талантлив. Правильно сказано: «Талантливый человек — талантлив во всем». Его и как кидалу весьма огорчали приемы коллег.

Мужичок, спешащий на родину в районный центр с пересадкой в Одессе, решил сделать супруге и детям презент — прикупить подарков. Долго у входа на Привоз джинсы фирменные сыну подбирал. Пока общался со спекулянтами, все деньги засветил. (С заработков из Сибири возвращался.)

Шустряки, у входа кишащие, встрепенулись, засуетились. То с одной стороны подобраться пробуют, то с другой. И деньги, свернутые в носовой платок, подбрасывают, стопроцентный вроде крючок.

Не ведется. К ближним пристает с вопросом: кто обронил.

Совсем незатейливо заезжают: то разменять сотенные предлагают, то в доллары перевести рекомендуют...

Этот простак не понимает, чего от него хотят. Уже и уступил бы, взял бы доллары эти, но не в ходу они в районном центре. В те времена их там и за деньги не считали.

Поперебирали свой немудреный арсенал кидалы, да и выхватили у проезжего деньги. Нахально, убого вырвали из широкого кармана штанов. И так же убого — наутек.

Правда, изящная работа?...

Это не все. Мужик, нетронутая душа, нет чтобы смирненько с джинсами да косынками на вокзал податься, следом погнался. За бегуном.

Избили мужика. Скопом. До паралича. И родным самим пришлось за ним приезжать...

Вот так ребята сработали. «Профессионально», «технично», «талантливо». Вспоминать противно!

Очень этот эпизод Маэстро из себя вывел. Долго он чертыхался. Показал мне однажды двух: одного, который вырвал деньги, второго из тех, которые били. Ничего не скажешь, ребята самобытные...

Такие кидалы — не наши люди.

Кто еще совершенно не наши, так это воры. В том смысле, что те, кто ворует.

Знавал одного приличного шулера, который при случае мог и украсть. Пляжника Витьку Барина. И даже был с ним в приятельских отношениях. Но все его жертвы казались абстрактными. Ни одну из них (почти ни одну) ни разу не довелось пронаблюдать. И сочувствия они не вызывали. Может быть, и не верилось — точно было известно: Барин — наш. Опытный «катала» с приличной заслуженной репутацией. Уважающий фраера. Хоть и прошедший тюремную школу, но вполне отошедший от ее жужжащих догм.

Уверен, настоящий шулер красть не способен. Не тот подход к людям. Не та философия ремесла.

Бывало, у Рыжего на хате собирались карманники. Собирались на работу. Обсуждали текущие профессиональные проблемы:

— На «пятый» сегодня Скрипка с Мозолем попросились. На их маршруте — Швабра с Вороном. Мы работаем на «семнадцатом».

Обыкновенная такая планерка... Слушалось вполуха, с легким любопытством. Понималось: люди трудятся.

С удивлением наблюдал их старшего — исколотого, брюхастого, неповоротливого специалиста из Березовки. Непонятно было, как он мог стать мастеромтрамвайщиком в деревне. Из теоретиков, что ли? Судя по наколкам — не похоже.

Особых эмоций мужики не вызывали. Пока однажды при мне в троллейбусе не зашлась в истерике женщина с ребенком, у которой вытянули последнее...

Спросил потом у Рыжего, приходилось ли ему быть свидетелем реакции обворованных.

— И что вы предлагаете? — поинтересовался он. — Возьмемся перевоспитывать?

Хотелось сделать замечание насчет выбора приятелей. Не сделал. Может быть, кто-то считает, что в это время в этой стране он может быть только вором. Но с тех пор, попадая на планерку, смотрел на поживших уже, многократно воспитанных умельцев с вызывающим презрением. Мэтр из Березовки отвечал усмешливостью во взоре, у молодняка мое презрение вызывало уважение.

Рыжий был со всеми саркастичен и добр. И одинаков. Как квочка с цыплятами. Хотя я, может быть, и наивно, надеялся, что он видит нас по-разному...

Кто остался? Бандиты?

Читатель, который сразу признал, что у картежников и бандитов мало общего, погорячился. Бандиты единственные, с кем тесно сотрудничают картежники. Хотя еще можно поспорить, кто с кем сотрудничает.

Каждый приличный «катала» обязан иметь прикрытие. Понятное дело — бандитов. И на выезды желательно двух-трех самых надежных брать. И окружающих следует приучить: за тобой — люди. Конечно, приходится делиться. Но это себя окупает. Как иначе создашь себе ту самую репутацию? Которая зависит от того, обязательно ли тебе платить.

Приученная публика уже и не требует наглядных напоминаний. Но пока приучаешь, всякое бывает.

Откуда берутся люди? По-разному случается, кому как повезет.

Со мной своим давним прикрытием поделился Шахматист. Он выносил, взлелеял его за долгие годы. Нескольких орлов «подогревал» бабками, передачами, пока срок мотали. (Один из них — герой нашумевшей комбинации то ли с сиропом, то ли с эссенцией. В свое время об этом был снят документальный фильм.) Позже знал, что могу рассчитывать на людей Рыжего.

И Крестного отца всегда за собой ощущал. Наши знали: я — его крестник.

Но нормальный, не криминогенный игрок всегда за то, чтобы отношения до разборок не доводить. Тут свои правила, нюансы. Ведь в оптимальном варианте клиент в шулере видит такого же фраера, как он сам. Просто везучего. Как же иначе? Иначе и не играл бы. Зачем же его разочаровывать на свой счет? Пугать, звать на помощь?.. Может, человек еще пригодится. Вот и вступают в силу нюансы.

Первый: если клиент пустой (безденежный), то сколько на него ни дави, полным не станет.

Второй, логически вытекающий из первого: не выигрывай у клиента больше, чем он может заплатить. Правда, угадать, сколько фраер заплатить в состоянии, тоже задача. Но одна из важнейших, и решать ее надо обязательно. Хотя бы с какой-то вероятностью. Можно, конечно, перед каждой партией требовать «ответ» (денежное обеспечение игры), но этим лоха, считающего, что шулер такой же доверчивый простак, как он сам, можно спугнуть.

Маэстро учил:

— Если у человека (он любил именно это слово) — «штука», не выигрывай десять. Дай остаться человеком. Выиграешь десять — не получишь и одной. Какая разница, сколько не платить: девять или десять. Все равно — фуфлыжник.

Водился на пляже один постоянный фраер. Наш, одесский, денежный, играющий только крупно. Крупной игрой мелких и средних шулеров отпугивающий. Как же, отпугнешь их так просто...

Дело в том, что он не совсем фраер был. Странный такой тип. Вроде все про карты знает, трюки ловко демонстрирует. Потом в игре эти самые трюки и «кушает».

Наши, избранные, щипали с него по две-три тыщи за посещение. Для клиента это не было больно — и людям верный заработок.

Махмуд людей обидел — разворошил этот клад. Обыграл клиента на сто тысяч. У того таких денег не оказалось, предложил за расчет меньшую сумму (такое тоже бывает, уступают). Махмуд — ни в какую. Нанял известную в городе бригаду. Те передоговорились с клиентом, что будут оберегать его от Махмуда, и во время разборов крепко избили последнего.

Махмуд пару месяцев спустя привез в Одессу своих, родных по крови сообщников. Нагрянул к клиенту. Тот, забытый бригадой, пообещал внести деньги. К следующему разу, к моменту передачи суммы, Махмуда с земляками, вооруженных пистолетами, ножами, ждала засада. Милицейская. Большой срок дали. Девчонки из ресторана передышку получили.

Люди должны быть свои: те, кому доверяешь. Случайные, чего доброго, в любой момент могут вспомнить свою заповедь: не можешь получить с чужого — получи со своего.

Был у меня один из своих — Вовка Шрам. Мы с ним, кроме всего прочего, и по-человечески дружили.

Но никому бы постороннему не посоветовал обращаться к нему за помощью, числить его в случайных сотрудниках. Редкий типаж. Необыкновенной силы, ловкости, цинизма.

Что говорить, если за ним было два срока, один — за убийство кулаком. Когда его брали, разорвал наручники. Такое только в кино увидишь. И не только это. В подвале у него из досок был сооружен человеческий силуэт, и Вовка тренировался: бросал ножи. Причем с изощрениями. Например, демонстрировал вполне цирковой трюк. Якобы по команде «Руки вверх!» поднимает руки. В одной из них нож. Команда: «Бросить оружие!», и нож выпускается из руки. Падает, скользя по телу до ступни, попадает на ступню... Дальше — бросок ступней, и нож торчит в силуэте. Очень впечатляло.

Цинизм тоже впечатлял.

Как-то приходит, хвастает. Вчера на исходе дня, пустого, не принесшего ни копейки, забрел с напарником на знакомую крутую игровую хату, в которой завсегдатаи — не подарки, и охрана имеется. Забрел в рабочей амуниции: с обрезом двустволки в мешке. Все его знали, уважали. Впустили, приняли как своего. Понаблюдал за игрой, пообщался с игроками. Потом отыскал-таки «солдатскую» причину, построил всех у стены и собрал дань. По «штуке» с носа.

В тот день, в день, когда Вовка хвастал, я уже слышал об этом. Слышал нервный рассказ о беспределе. Только подумать не смел, что герой его — мой приятель.

Так что картежники без бандитов не обходились. Но и бандиты старались держаться «катал».

Это нынче рэкет с чего угодно долю имеет. А раньше... Частных дельцов — единицы, и те — подпольные. Только на них шибко не разживешься. Сотрудничество с картежниками существенной статьей дохода считалось. Дорожили этой статьей. С уважением относились.

Обыграл однажды человека. Тот искренне, по-человечески поведал:

— Нет денег... Можете убить... Но взять негде. Если можешь, прости долг.

Что делать? Повинную голову, как известно, меч не сечет...

Высказался, конечно, в том смысле, что человек он нечестный, скверно воспитанный. Но в других выражениях. И отпустил с богом.

Люди мои на следующий день заявились. Обиженные. Как так: благотворительностью за их счет занимаюсь, без куска хлеба оставляю. Бесчеловечно поступаю.

Во задачка была!.. Того — простил уже, эти требуют, чтобы отдал клиента в работу. Уладил. Как раз нагрянул фраер проверенный, давний, денежный. Долей с его денег обычно не делился. С этого момента — пришлось.

Как именно бандиты выколачивали деньги? Как во все времена, без особого альтруизма. Детализировать — ни к чему. Но чаще всего реально выколачивать не приходилось. Методы и фраерам пусть понаслышке, но известные. Какой смысл их на себе опробовать. Верили на слово.

В Одессе убедительное место — поля орошения. Одесситам это уже и неинтересно, для иногородних поясню. Место находится за Пересыпью. Глухое, водянисто-болотистое, поросшее камышом. Традиционное место захоронения жертв. Все об этом знают, и власти, конечно, тоже. Но что сделаешь? Площадь обширная, подъезды, путаные со всех сторон. Если осушить, сколько костей человеческих обнажится...

С одной стороны этой зоны — трасса. Проезжая, наблюдаешь этот зловещий пустырь. И не по себе делается. Словно наблюдаешь черную дыру в гуманоидной цивилизации.

Упоминание о полях орошения производило достаточное впечатление.

Партнер Шахматист в уговорах фраеров отдать долг имел обыкновение использовать и другой смачный довод.

— Не отдашь? — смотрел на упрямца с прищуром, нехорошо. — А если тебя в хату поселить? А в хате — люди, те, кто откинулся, в себя приходят. У них на баб с непривычки и не стоит. Привыкать надо. И будут тебя трахать. Вперемежку с проститутками. Неужели, не отдашь? Тогда отрабатывать придется. Люди постоянно освобождаются. Как им, закомплексованным, к жизни возвращаться?

Фраеру нехорошо делалось. Не хотелось не то что с людьми комплексующими знакомиться, но и такие сентенции, воображение выворачивающие, слушать. Хотелось поскорее рассчитаться.

Поинтересовался у Шахматиста: жути нагоняет или правда такая хата-профилакторий существует.

Подтвердил, что таки да, действует реабилитационный центр. При этом как-то неприятно улыбнулся. Посоветовал и мне как главный козырь прогноз насчет отработки в ход пускать. Если фраер особо капризный случится.

Попробовал однажды — не получилось. Своротило самого. Где-то в середине изложения. Представил ни с того ни с сего, как воспринимает сказанное строптивец. Что там представлять — по лицу обмякшему все видно было. Козырь, конечно, хорош. Но, похоже, и тому, у кого он на руках, надо иметь воображение менее буйное...

Глава 13

О ЗАКОНЕ

Как ни странно, статьи, запрещающей профессионально играть, в кодексе нет. Быть шулером — право любого законопослушного гражданина. (Так же, как быть проституткой — право любой благовоспитанной гражданки.)

Есть статья, запрещающая содержание игорных домов. Еще есть статья за мошенничество. Но профессионализм, мастерское владение колодой мошенничеством по закону не считается.

У картежника только один шанс влипнуть по этой статье: он должен попасться со специально приготовленной колодой. Крапленой, например. С такими случаями мне лично сталкиваться не приходилось.

Но «каталам», как и проституткам, с успехом шьют другие сопутствующие образу жизни статьи. Чаще всего — это статья за тунеядство. Но бывает, закрывают и за неуплату алиментов, и за бродяжничество... Подходящую статью подобрать всегда можно.

Впрочем, блюстители закона не церемонятся. Частенько прикрывают без излишних занудных обоснований. Благо подходящие казенные дома заблаговременно понастроены. Вполне режимные, но не требующие для постояльца путевки в виде ордера на арест. Спецприемники, диспансеры, чаще всего «псих» или «вен», просто «обезьянники» (клетки) в отделениях милиции... Наш брат должен быть готов к вынужденным кратковременным и долгосрочным отпускам.

Считается везением, если в заведении, где проводят курс нравственного оздоровления, есть возможность использовать профессиональные навыки. Ведь они, навыки, в любой ситуации главные козыри «каталы».

Но, к сожалению, бывает, разоружают. Помещают в условия, где чувствуешь себя вполне беспомощным.

Вот образцы домов отдыха для неблагонадежных граждан. Заведений, в которых мне приходилось отходить от дел насущных.

Первый — заведение, где навыки шулера пришлись весьма кстати.

Купальный переулок... Легендарный, известный венерологическим диспансером.

Знали бы добропорядочные сограждане, что творилось за диспансерным, высоким с колючей проволокой забором...

Режимное заведение. Второй этаж — мужское отделение, первый — женское, два поста охраны.

Старожилы одесской тюрьмы имеют его за дачу. Захотелось развеяться, передохнуть — по отработанным каналам организовываешь себе сообщницу здесь, сообщаешь администрации, что имел связь с больной венерическим заболеванием, сообщница подтверждает — и ты уже здесь на превентивном лечении. Раздолье!

Ведь и нормальные, обделенные уголовным опытом граждане, жаждущие выздоровления, сдаваясь на милость врачей, попадают в эти же стены. Стоит рассказать об этом популярном в Одессе месте поподробнее... Повспоминать. К тому же недавно вновь довелось побывать здесь. По какому поводу?..

Мальчик нажил триппер. Приличный мальчик, не бомж какой.

Из окна его частенько замечал. Под баром. В инкубаторской форме «золотой» молодежи — костюме «Адидас» и кожаной куртке — выбирался он из маминой «девятки».

Мама и попросила об одолжении: сопровождать ее к сыну в это ужасное заведение — в кожвендиспансер в Купальном переулке. В «триппер-бар». Одна идти стеснялась. Драная физиономия моя вселяла в маму уверенность.

Стоим в переходе между первым и вторым этажами, полуприсев на подоконник. Отодвигаюсь к краю подоконника. Деликатно оставляю семью наедине. Изо всех сил стараюсь не слушать, думать о своем. Но попробуй не услышь...

Сынок, красавец парень, заразивший пяток поклонниц и только потому угодивший в стационар, в тех же (а может, в других) костюме и куртке. Жалуется маме:

— В натуре, и дома мог колоться...

Я тогда в «тюремной» дурке жизненного опыта набирался. Перегрузился слегка, заскучал. Невмоготу стало. Исхитрился, вырвался в диспансер... отдыхаться.

По-разному сюда попадали.

Часть, как я, передохнуть. Другие дурашки сами сдавались на милость врачей, на радость дачникам. Кого по вокзалам подбирали и, не зная, куда бы еще запереть (спецприемники не принимали уже), селили здесь.

В женское отделение частенько невезучих доставляли. Проститутки чувствовали себя здесь привычно. Нет на них статьи, зато есть диспансер. Без всяких ордеров и постановлений тюрьмой надышишься. Часто нормальных, скромных девчонок привозили, студенток всяких, туристок.

Проститутка в кабаке примет за конкурентку, своему менту сотню внесет, тот и сплавит кого хочешь сюда дней на пять.

Бывали случаи, и сами менты затеют флирт на улице. Отвергнут их, и вот уже предмет ухаживания здесь. Чтоб не задавался шибко. Предмет, этот самый.

— В натуре, люди — быдло. По двадцать человек в палате. Ну, мы тут втроем — за основных...

Обнаружился здесь Маэстро. Его с «химии» на зону отправляли, он — транзитом сюда. До него власть малолетки держали, беспредельничали.

Посовещались мы с ним. Можно было и войну затеять, но больно уж непрофессионально это: кулаками махать. Мы же не драчуны незатейливые.

Маэстро легкую интригу сплел.

Мафия отлупила одного бычка, грустного деревенского парня свежеприбывшего, тот не рыпнулся даже. Решил, что не положено рыпаться. Маэстро бычка надоумил сдачи дать, мол, если что — поддержим. Бычок при случае и намордовал четверых: те за ножи не успели схватиться. Намордовав, радостно доложил о проделанном.

Маэстро выговор сделал: нельзя так с мафией.

Малолетки нас за старших признали.

— Врачи, я тебе скажу... В натуре. Совдеповские. Ты бабки внесла?

Мы бабки не вносили. Врачи знали, что многие от тюрьмы отдыхают, но, если есть сигнал — лечить положено. Тем более что многие заражались уже здесь. За нарушения частенько выписывали, поэтому с врачами старались ладить.

Обе заведующие отделениями, молодые теплые ироничные женщины, и нынче — в друзьях моих. Там и они признали меня за своего. Удивлялись, как умудряюсь нормально себя чувствовать среди блатных.

Много разглагольствовал перед врачами о так называемых «проповедниках порядочности» в любой среде. Убедил, что Маэстро — из «проповедников».

Если кому светила ненужная выписка за нарушение, уговаривал повременить. Часто отсрочивал выписку.

Сейчас здесь «не режимка». Милиции нет. Тогда было два поста. У выходов.

Врачи с милицией враждовали. Регулярно писали друг на дружку рапорты. Еще бы, медики — почти все женщины. Не скучно им на даче нашей приходилось. Были случаи, когда милиция не спешила с поддержкой. На ночь вообще всего две сестры оставались. Одна — наверху, в мужском отделении, другая — внизу, в женском.

Сколько раз нижние сестры вниз меня кликали: Семка по кличке Садист, прорвавшись в женское, грозился персонал подрезать, если интим разрушать будет.

Мы с Семой относились друг к другу с симпатией. Серьезные, хоть и глупые, статьи за ним были. Неизвестные ментам. И сейчас не скажу какие, вдруг подведу. Но кровь стыла от его откровений. Да и по известным статьям накопилось у него семнадцать лет сроку.

— У меня такое мнение, что тут пара «голубых» имеется. В натуре...

На следующий день после моего поступления, доставили новенького. Отделение сотряс вопль:
— Все на коридор!!!
На коридоре один из мелких малолеток, бывших малолеток, потому как имел за спиной шесть лет сроку, указывая скучившемуся контингенту на новенького, зло информировал:
— «Гребень». Был «опущен» на пятьдесят третьей. Как общаться с «гребнем», все знают?! Сигареты можно давать, брать нельзя, бить только ногами, хавает в стороне...

Новенький — огромный, толстый парень — жалко улыбался контингенту. В этот же день от греха подальше отправили его на «слободку».

— В первую палату бича вчера завезли. Воняет гад. В натуре...

Надо мной была свободная нарка. Ночью бросили на нее новенького. Сквозь сон видел, что голова его замотана полотенцем.

Утром гляжу: вся постель моя в темных крупинках. Блохи с него дохлые сыпались на меня всю ночь.

Забили бы новенького до смерти. Насилу угомонил малолеток. В конце концов, нос расквасили, заставили обриться наголо и на матрац в узкий коридор переселили. В коридоре на матрацах вечно пара бомжей обитала. И в женском отделении тоже, лысые такие заискивающе улыбающиеся создания в коридоре вполне по-подзаборному валялись.

— Девки тут классные лечатся. В натуре, на такой, если не знать, жениться можно...

Милиция здесь была схвачена.

Если при фраере очередном, свежем имелось что ценное, отбирали, снимали (некоторые с магнитофонами являлись, один, непосредственный, при обручалке оказался). Почти все отдавали милиции. За это наверх доставляли женщин. Иногда пускали вниз мужчин.

Женщины, в основном из «жучек», с тюремным опытом, поднимались добровольно, чувствовали себя уверенно. С верхней нарки опускалось одеяло — чем не отдельный номер?! На акустику внимание не обращали. Романы завязывались. «Жучки» предпочитали кавалеров поблатнее, поавторитетней.

Сидели часто в последнем, «воровском», купе

компанией, «дурь» курили, «фанфурики», лосьоны попивали. Время от времени резвились вместе с любимыми, над новенькими измывались. Развлечения женщин отличались изыском. Был, например, случай: спящему сорокалетнему мужчине дамочка подожгла спичкой волосы на мошонке. Радовалась очень реакции. Тот, проснувшись и управившись с огнем, только испуганно улыбался, тер обожженное место.

Как-то попался вреднющий сержант-вертухай, конопатый, грузный, без единой морщинки на лице и подло жизнерадостный.

Потрепанного магнитофона ему показалось мало. Закапризничал, требовал, чтобы ему непременно сдали трех тузов против трех семерок, вот такая вожжа попала ему... Причем Маэстро к картам не подпускал, знал, на что тот способен. Я ему казался безобидным. Заупрямился:

— Пусть сдаст он, — и указал на меня. Сдуру — сдал.

Наверх доставили девчонку-малолетку. Симпатичную, хрупкую пятнадцатилетнюю наркоманку. Пацанку милиция заманила к нам обещанием порции «дури». Наверху девчонка поняла, во что вляпалась. Заупрямилась, утверждала, что девственница. В диспансер ее за наркоту мамаша сдала, на профилактику. Уже и на минет детеныш этот перепуганный соглашался, только просил объяснить, как это делается.

Я Маэстро в сторону отвел. Решили так, если не угомоним малолеток, уложу ее с собой. Закон: чужую женщину без разрешения не тронь. Эта же раздражала публику именно тем, что ничья, и быть «чьей» не собирается. Дура.

Не нравился мне этот ход. Не смог бы завтра объяснить врачам, поверившим, почему она в моей постели оказалась. Права не имел бы на объяснение.

Но обошлось. Втолковали малолеткам разгорячен-
ным, что сто семнадцатой статьей веет, неинтересной
статьей.

Если мужики вниз вырывались, грустно приходилось безопытным женщинам. Тем, которые студентки
или туристки. На кого палец спустившегося укажет,
та и жертва.

Ведь студентки, туристки эти — здоровые почти
всегда, а мужики, особенно те, которые спускаются,
почти всегда при болезни. Тут уж как повезет.

И милиция регулярно на посту душу отводила.
Хотя при чем тут душа?..

Залежался у нас здоровенный мужик, просто невероятно здоровенный, и со сроком вроде, но покор-
ный. Изумлял покорностью. Был у него роман с проституткой, носительницей сифилиса.

Забредает однажды в палату весь не в себе, в сле-
зах даже.

Оказывается, вечером вчера любимую его пригласили менты в дежурку на предмет оказания услуги:
уборки помещения, а потом вынудили расширить ас-
сортимент услуг.

Теперь этот, тихий, порывался громить пост.

Поволновалась милиция, откупного пострадавше-
му предложила: право видеться с любимой в любое
время.

От сестры той, которую от Семки уберег, узнал,
что милиция, прежде чем приглашать женщин для
уборки, имеет манеру справляться о качестве анали-
зов пациенток.

— Господи, — похоже, мысленно перекрестилась
маман. — Откуда ж такие берутся.

Это она о хорошеньких женщинах, заболевших.

Сынок усмехнулся: он знал — откуда. Снисходительно изумил маму:

— Тут одной соплячке — шестнадцать от силы. В натуре...

Тогда в женском пребывало несколько соплячек.
Одна — та самая девственница-наркоманка. Другая — тринадцатилетняя девчонка, к недоумению всех — вокзальная проститутка. За мороженое отдавалась. Еще парочка была... Четырнадцатилетних. Над обеими статья висела.

Поссорились они с одноклассницей. Та по поводу этих нелестные слова на заборе писала. Надумали отомстить. Как раз случился у них, этих двух, дружок — тридцатилетний сторож с соседней стройки, недавно освободившийся. Поделились с ним. По его приказу вызвали одноклассницу, привели в каморку при стройке. Дружок при всех отомстил — изнасиловал. Когда там же, при всех, однокашница минет ему делала, он на всякий случай в каждое ухо ей по спичке вставил, и ладони у спичек держал, предупредив: «Укусишь — по ушам хлопну». Потом одна из подружек помогла наказанной утереться, платком носовым пожертвовала. Теперь очень рассчитывала, что эта жертва зачтется.

— Скучно — обалдеть можно. Телевизор только в одной палате. Черно-белый. «Пулю» пишем. Тут один говорит, что доцент. В натуре, лапшу вешает.

У нас каждый себя считал профессором. Правда, незарегистрированных наук. Карты были самым популярным развлечением. Мы с Маэстро уроки давали. Конечно, учили самым несущественным трюкам. Сбор дани с новичков часто так и оформлялся: как проигрыш. Чтобы справедливость соблюсти.
Скучать не приходилось.
То разборки с новичками, то кому-то мак подбро-

сят, шприц по кругу пускали. На этой почве один «бок запорол» — не по-людски поступил.

Наобещал пяти дружкам по «кубу», по два. А ему все никак «состав» не несли. Жена на свободе тянула резину. Пятеро обнадеженных очень нервничали.

Именно здесь затесался тот эпизод, который вспомнить тошно.

Когда этого, «кубы» посулившего, разорвать изготовились, Маэстро решил так: я должен оказаться рядом, первым же ударом отключить парня. И сразу же попытаемся унять жаждущих возмездия. Начни он огрызаться (крепкий хлопец, хоть и наркоман), мог и на нож наскочить. По плану все и вышло: отключил его, и на этом экзекуция завершилась.

На следующий день, когда врачи по поводу случившегося выписку затеяли (думаю, что стукач все же имелся среди нас), этот отключенный только меня и выгораживал, так талантливо Маэстро ему все объяснил. И шприц доверил спрятать: знал, что меня обыскивать не будут.

Одна из негласных заповедей того мира: унизь ты, или унизят тебя. Так и не принял я ее. И когда новичков лупили, малолетки вроде как извинялись:

— Знаем, что не любишь «прописки», но проверить-то надо.

Этого, как и многого другого, мы с Маэстро запретить им не могли, несмотря на авторитет. «Умный правитель никогда не отдаст приказ, если знает, что он может быть не выполнен». Но процедуру проверки сводили до минимума.

Блатным ведь главное понять, куда человек подастся — заискивать начнет или взгляд исподлобный сохранит. А это с самого начала видать.

И еще... вывел я другую формулу: «Тот, кто способен унизить, способен унизиться и сам».

Вдруг мода на татуировки пробудилась. Из машинки бреющей прибор соорудили — талантливое, надо признать, изобретение. Художник сыскался. Лепили на себя тигров, пауков, звезды. Кто подальновидней, воздерживались. Слышал, как почти в уме бормотали:

— За звезды на тюрьме еще и спросить могут.

Как-то одного москвича, а́кающего, отсидевшего, но наколками разжившегося уже здесь, избили сильно. «Жучки» внизу согласованно избили его подругу. Москвич имел возможность выходить за стены, помогал персоналу пищу доставлять. Заодно доставлял дачникам лосьоны. Заподозрили его в недостаче. Уверенности не было, но решили, что профилактика не помешает. Удовольствие публика получала, наблюдая потом, как голубки эти с отекшими лицами воркуют.

Женщины жутче развлекались.

Как-то, обколовшись, одной из новеньких, пришибленной здешней атмосферой, намазали промежность аджикой. Другую, также совершенно неискушенную, не верившую прежде в реальность такой атмосферы, заставили аджику слизывать.

Некоторые на халате против грудей материю вырезали, так что соски торчали. И так ходили по отделению. Единственного мужчину, врача, соблазняли.

За кавалеров разборы устраивались. Дрались жестоко. Например, Семку никак поделить не могли. Девчонку, из впервые попавших, на которую он однажды пальцем указал, овладел которой, потом еще и избили за это.

— Ты бы попросила, чтоб выписали скорее. Убегу, в натуре.

Блатные боялись выписки.

Когда стало известно, что Маэстро скоро заберут, Сема сделал великодушное предложение:

— Я тебе «свежачок» подброшу. (Свежий сифилис, значит.) Еще недельки три отдохнешь.

От «свежачка» Маэстро вежливо отказался.

Мимо нас из поликлинического отделения в стационар прошагал мужчина в белом халате. Сын кивнул ему, поздоровался. Мужчина поднял голову, и, нарвавшись на мой взгляд, чуть не споткнулся. Втянув голову в плечи, взбежал по лестнице.

— Ниче мужик, — пояснил сын. — Если что — к нему идти надо. Вылечит.

Вылечит...

Много позже, когда ликвидировали «режимку», когда милиции не стало и превратилось заведение это в обычную почти больницу, — недавно совсем привел я сюда изнасилованную кем-то в машине девчонку-лимитчицу, работницу джутовой фабрики. Надо было вылечить после изнасилования от грибка. Привел к друзьям-врачам. Тем самым.

Они порекомендовали этого. Но, видать, не предупредили его. Не знал он, что я — за дверью.

Предложил ей рот коньячком ополоснуть и... в общем, и он туда же.

Вышла пацанка, вошел я. За волосы на затылке сгреб, в рецепты, истории болезни ряхой обрюзгшей, лоснящейся от сытости, помакал. Он и не возражал особо. Набежал персонал. Тоже особо не возражал, не спешил разнимать.

От друзей-врачих узнал после, что грешки такие водились за коллегой. Просто поймать не удавалось, да и не особенно стремились ловить. Потому как врач-таки неплохой. Тут их вина. В самом деле, предупредить забыли, что не тот клиент.

Смеялись они радостно, пока соратник по работе чернила на бумагах с очень близкого расстояния нюхал. Судя по радостной реакции, не случайно предупредить забыли. Просчитывали такое продолжение.

Нажаловался сын вволю. Беспокойства на маму нагнал. Она расширенными зрачками поглядывала на меня. Сочувствия искала.

— Господи, за что же нашим детям такое, — издала она под это самое поглядывание. — Такое пережить в его годы...

Ждал, что сын добавит: «В натуре».

Он не добавил. Мужественно, томно молчал.

— Да уж... Натерпится мужик, — издал и я реплику.

Мужик стал снисходителен и немногословен. Не единожды, пока мы шли по Купальному переулку, у мамы вырывалось:

— Бедный мальчик...

Я был старше ее мальчика на восемь лет. Сколько же времени прошло с тех пор?.. Ну да. Восемь лет и прошло.

(Когда эти заметки о кожвендиспансере были опубликованы в одном из одесских изданий, принес экземпляр на оценку одной из врачей-друзей. В мою бытность она, врач, заведовала нижним женским отделением, а теперь работала в поликлинике. Ее медсестра прочла статью и не поверила:

— Этого не может быть!

На что моя врач тихо усмехнулась:

— Все было... хуже.)

Пример другой. Заведение, поместив в которое меня лишили не только свободы, но и возможности облегчить себе жизнь, казалось бы, неотделимыми навыками игрока-профессионала...

Это заведение мы называли «тюремной дуркой»...

«Диктор закончил интервью и сообщил напоследок частоты радиостанции. Привычно зазвучали прощальные позывные.

Бессмысленно уставившись на серебряный прямоугольник магнитофона-приемника, я машинально потянул из пачки сигарету. Пустил в магнитофон дым.

Я помнил этот голос. Голос дававшего интервью...»

Таким видел когда-то начало лирико-романтического рассказа.

Тут особой лирики не будет. Отделаюсь воспоминаниями.

Столько пишущих зеков расплодилось. Еще бы! За столько лет разных можно наплодить. Сеяли густо.

Тому «я», который у приемника, с сигаретой, другое бы помнилось, и — иначе. Но это всего лишь «записочный» материал...

Официальное название той крепости — стационарная судебно-психиатрическая экспертиза.

Странно, что никому из журналистов эту крепость взять не удается. Мне она далась обидно легко.

Каждый, находящийся под следствием, подвергается экспертизе, обычно амбулаторной. Но кто — по-серьезному: убил с особым удовольствием или там — родину предал, пожалуйте за стены. А также те, кто явно не в себе.

Меня амбулаторно прощупывали. Тот, который прощупывал, хоть и был при очках и в халате, больно жлобское ощущение вызывал. Как пачку купюр, пролистал стопку листов со стихами и рассказами, изъятыми в процессе следствия, и снисходительно откинувшись на стуле, поинтересовался:

— Что вы можете сказать о Блоке?

— О каком блоке? — вежливо уточнил я. —

О строительном приспособлении или методе защиты?..

Написали в деле: тон общения — повышенный, и — в стационар.

До того на подписке был. Статья легкая, хотя и из раздела «государственные преступления». Следователь утешил: неделька, от силы — две. Машинку пишущую обещал разрешить.

Явился в указанное время при помощнике следователя в приемное отделение слободской психбольницы. Этакий фраер вчерашний с тремя сотнями в кармане, с машинкой, пообещав любимой заскочить через недельку на ужин.

В приемной для начала машинку прибрали к рукам, в пижаму облачили, не сковывающую ни локти, ни колени, не достающую до них. Внимательно следили, чтобы не дай бог из карманов чего не прихватил.

С тремя сотнями — управился. С «лишаками» никогда проблем не было, а тут всего-то три купюры. В разжатой ладони перед носом у всех пронес.

Тапками одарили тридцать девятого размера при моем сорок девятом и вдруг вежливо так предложили в наручники облачиться.

Насторожился. Ордера на арест не предъявили. Но у нас, если человек под следствием, ему никак не обойтись без установки: ничему не удивляться.

Фуфаечку набросили и повели по снегу на радость прохожим куда-то в сторону от больницы.

Вот она крепость. Квадрат стены, высоченной, мощной, с проволокой. На углах вышки с защитниками крепости. В огромных воротах калитка. В центре квадрата обнаружилось одноэтажное здание добротного серого вида.

Приняли меня с рук на руки две бывшие женщины, теперь существа без пола, без талии, без возраста.

Одна очень смахивала на мичуринского бульдога. Другая с высушенными телом и глазами. Сразу за дверью попал в клетку. В ней наручники сняли, заставили вновь переодеться. В совершенно аналогичную пижаму и тапки.

И тут снова прошел за фраера. На «лишаке» привычно сыграл. Но в их пижаме карман дырявым оказался. Купюры на пол выпорхнули.

Присутствующие очень оживились. Бульдожка разнервничалась. Рапортами всем грозила, бандершей оказалась.

Не стал им объяснять, зачем деньги пронес. Тем более, что и сам не знал.

Угомонились понемногу, провели по коридору недлинному и отдали вертухаю в халате, лопоухому и добродушному, с любопытством глядящему. Он хозяйничал в клетке-предбаннике и из нее уже впустил меня в конечный пункт непредсказуемого передвижения.

Квадратная большущая комната с длинным столом и непроницаемыми окнами. В комнату выходы четырех помещений, опять же смахивающих на клетки, потому как на выходах не двери, а мощные решетки. Решетки открыты, так что обитатели этой райской обители свободно перемещаются, кто в своей клетке, кто в холле.

Обитателей — человек пятнадцать. Народец, похоже, деликатный, с приветствиями не набросился. Исподлобно глядящий народец.

Присел на край скамьи, длинной, у стола, особого интереса не демонстрируя, осматривался. Очень огорчала мысль, что целую неделю только осматриваться и предстоит. Уж больно атмосфера тяжкая, и публика соответствующая.

Почти сразу скружил ястребом один пожилой,

длинный, с горизонтальными узкими плечами и глазами навыкате.

— Одного привезли? — задушевно поинтересовался.

—Чулков, отвали, — издали, из угла тихо прикрикнул на длинного коротко стриженный гражданин с очень мужским небритым лицом. И мотнул мне головой: мол, подойди.

И я мотнул: подойди сам...

Повезло мне с ним. Вспомнил он меня еще по профессиональному спорту. Забирали его в этот день. Он дал полную раскладку по людям, по вертухаям, по порядкам.

Власть в дурке держала пара блатных при поддержке одного полублатного. Все — в первой клетке. С ними же молодой пацан двадцати двух лет — политический. Студент МГУ, шесть языков знает, армянин. Бежал за границу, переплыл Дунай, но взяли его румыны, вернули. С пацаном не знают, как быть. Подозрение есть на рак мозга. Резину тянут, три месяца уже держат. Информация от одной из вертухайш. Вертухайша эта — единственный порядочный человек из персонала.

Пацан презирает блатных. Те раздражаются его презрением, то и дело порываются избить политического. При этом давят именно на то, что политический, что родину предал. Время от времени пацану достается, но он не гнется, глядит исподлобья. В этой же первой клетке один молодой шизофреник. Похоже, истинный. Есть еще трое полноценных сумасшедших и несколько скрытых, проявляющихся время от времени.

Один из полноценных, Гена, мужичок пятидесяти лет, лысо-белобрысый, в детстве переболел менингитом, и умственное развитие его застопорилось на этом возрасте. Главный вопрос, который мучает его, когда «пидет» мама.

Гена покушался на убийство: нанес пять ударов топором по голове своей жене. Над Геной издеваются. Пытались изнасиловать, против чего он возражал, плача, становился в позу. Насильникам перепал карцер. Карцер — самое действенное наказание. Прежде чем поместить в него, клиенту вкалывают серу. Один, два — до восьми уколов. После чего тот совершенно подавляется. Состояние примерно такое: невозможно ни лежать, ни сидеть, ни стоять, ни ходить, ни говорить, ни молчать, ни думать. Суставы ломит, поднимается температура, и раскалывается голова.

Один из находящихся в послекарцевом состоянии как раз присутствовал в холле, стоял у стены, скрестив руки на груди и глядя в пол. Молодой, взъерошенный, загнанный, с застывшей гримасой боли на мертвом лице.

Еще одного человека выписывали в этот день — сельского интеллигента, учителя обществоведения. Несколько лет прожил он под пятой жены и тещи, под их упреками в никчемности. Исчерпалась покорность однажды, из двустволки застрелил обеих. Тестя ранил, у того было время отдалиться, пока зять перезаряжал оружие.

Маялся интеллигент, вышки просил. Да тут все и не сомневались, что дадут.

Показал стукача, пришибленного сорокалетнего мужчинку с головой, втянутой в плечи.

С уставом монастыря ознакомил.

Свидания запрещены, прогулок не бывает. Нельзя читать, писать, громко разговаривать. Радио нет. Но, правда, имеется неполный комплект домино и непонятно зачем картонное шахматное поле.

Мой собеседник по просьбе Гены-женоненавистника гадал тому на домино, предсказывая скорый приход мамы.

Любое нарушение — карцер плюс сера. Чем бы ни заболел, врача не допросишься. И психиатров-то практически не видать. Зато персонал ведет журнал наблюдений за каждым. Единственный пациент, которого от чего-то лечат, — Чулков. Таблетками пичкают. За последнее время он заметно тронулся мозгами. Обычно уголовников привозят ненадолго: до двух недель. Очень скоро те начинают дуреть, проситься назад в тюрьму. Этот, мертво стоящий у стены, слишком энергично просился. Допросился.

Заведение — не из тех легендарных, где нужных... ненужных людей пожизненно держат за сумасшедших. Это начальный пункт. Здесь объявляют больным или делают таковым. Хотя большинству милостиво дают добро на тюрьму, суд, зону.

Раз в месяц разрешены передачи. И как раз в этот день, в мой — первый, его — последний день здесь, мой ознакомитель получил передачу. И переписал ее на меня.

Многое из услышанного, разумеется, на свой счет я не принял. Во-первых, писать буду, пусть не на машинке. Следователь божился. Во-вторых, я-то знал, что пробуду здесь не больше недели.

Мой благословитель, кстати, армейский майор, угодивший сюда после конфликта с начальством, на уверенность эту только усмехнулся. Ему обещали две недели, а пробыл он тут полтора месяца.

И я только усмехнулся на это. Со мной такого случиться не должно было. Правильно усмехался. Мне предстояло прожить тут три месяца.

Ордер получил в первую клетку, к блатным, полублатному, политическому и шизофренику.

Вечером, когда всех развели по загонам, снабдили загоны парашами и заперли, меня щупанули.

Псих, подогнув колени, укрывшись с головой, жил своей жизнью под одеялом, как оказалось, занимался своим обычным делом — онанизмом. Эмигрант украдкой под одеялом читал «Юность». Я уже знал, что та самая, добрая вертухайша, голову подставляя, снабжала его чтивом.

Блатные, общаясь между собой, промеж фраз назвали предателя Родины козлом.

— Сами козлы, — не отрываясь от журнала, заметил предатель.

Блатные взвились.

— Ша, — добродушно вступил я. — Вы чего? На ровном месте...

— Где-то я тебя видел, — сообщил один из них, мелкий, нервный, с огромной выступающей опухолью на животе. — Не мент?

— Дядя Степа, — смягчил я.

— Мусор, — подтвердил второй, шоферского вида, оказавшийся шофером и хулиганом. — Я его в Ильичевском РОВД видел.

Полублатной, сельский хлопец, избивший семерых, пока молчал.

— Тебя, наблюдательного, размажу по стенке до потолка, потом будем выяснять, кто прав и сколько вас, — оскалился я.

Пацан оторвал глаза от журнала, с любопытством глянул на меня.

С утра Васька (звали его Сашей, но с самого начала он числился у меня Васей) объявил голодовку. Не вышел к завтраку.

Я-то был зажиточным: при передаче. Правда, передачи здесь не вручали сразу, как в тюрьме, а выдавали по долькам к завтракам и ужинам. Пару кусков сахару, колбасы, сала, хлеба белого по паре тонких ломтиков, пол-луковицы. (Позже обратили внимание: пациент расписывается в получении передачи, видит ее всю, в том числе — две завершенные палки колбасы, но за все время съедания обнаруживает только один хвостик.)

Поделил ломтики с близсидящими, с блатными, уже угомонившимися на мой счет. На правах хозяина соорудил бутерброд для Василия.

Казенные харчи не особо смутили, хотя почти всегда душа новичков не принимала их. Макароны черные. Думал, подгорели, оказалось — сорт такой. Чай одеколоном разил. Разъяснили: вертухай, тот самый — лысый, добродушный, из наших кружек алюминиевых одеколон принимает.

Васька от бутерброда отказался. На обед — проблема, как бутерброд поделить.

Шофер пошутил:

— Гене отдай.

Соседи посмеялись. Гена имел манеру доедать за новичками остатки.

— Держи, — передал ему бутерброд.

Он испуганно принял его. Недоверчиво глядя, стал осторожно жевать.

Блатные очень посерьезнели. Стол притих.

Хрен с ним, с бутербродом. Всю бы передачу на них извел, чтоб только почаще так на меня смотрели.

За неделю вполне обжился, с нетерпением ждал окончания ее. Зачем? Понимал ведь уже, не выпишут.

Первые три дня давали ручку и бумагу, разрешили писать, запретив при этом неразборчиво зачеркивать написанное. Записи потом забрали, и больше я их не видел.

Блатных к рукам прибрал.

Понравилось им в сумасшедших играть. Тот, который с опухолью, взял себе дворянское имя: де Бил.

Я им повести свои на ночь рассказывал, стихи читал. Васька вредничал, критиковал. Нас внимательно слушали.

Днем через клетку-предбанник вертухай пускал пациентов в туалет, курить. Не больше чем по два человека.

Блатные повадились напрашиваться мне в пару. Сентиментальными оказались. Просили написать про них. Вот пишу.

Еще два человека просились в пару: Гена и Чулков.

Гена не курил, но ему мало было того, что я принял эстафету: пророчил скорый приход мамы. В туалете он, поинтересовавшись для затравки: «Мама кода «пидет»?» — ждал от меня аргументированных заверений.

Чулков, пациент, принимающий таблетки, заметно, на глазах обрастающий странностями, в пятьдесят лет подался в поэты. Читал в туалете свои творения:

> Стоит у бутля на посту,
> Забыв о времени в миру.
> Так пусть исчезнет бутыль тот,
> И побелеет его нос.

В течение второй недели мы с Васькой под руководством блатных сотворили из хлеба шахматы. Играли дни напролет. Рябило в глазах от клеток. Спорили частенько. Снисходительно, ехидно. Все как-то зауважали его.

Васька пацифистом оказался. Где-то под Москвой его компанию однажды отлупили десантники за то, что дорогу ракетам перекрыли, сидели на шоссе. Васька травму черепа нажил.

Я помнил информацию, полученную от майора.

Через две недели, выслушав от ведущей врачихи (видел ее всего два раза) замечание по поводу шибко жизнерадостного поведения и угрозу на предмет переселения в карцер, был переведен во вторую клетку. Совершенно пустую за нехваткой пациентов.

На следующий день подселили соседа. Совершенно экзотического вора в законе, сотканного из татуировок. Может человек за один день совершить семнадцать преступлений, в том числе два убийства с истязаниями, с пыткой током? Этот смог. Кличка его была «Отчаянный».

Догадывался, зачем его подселили.

Только обнаружились у нас общие знакомые. С Маэстро оба партнировали, правда, в разное время и по-разному. Я его еще и карточным трюкам подучил. Устно. Спустя три дня увезли его назад в тюрьму.

Через месяц совсем невмоготу стало. И Васька не вытягивал. В шахматы я уже по памяти играл. Из своей клетки ходы Василию называл. За то, что нахамил дамочке, раз в неделю стригущей нам лица машинкой, в карцере место зарезервировал. Слишком много грязи было под ее ногтями. Но опять обошлось.

Чулков совсем плох стал. На мой день рождения во время обеда речь сказал, макароны подарил. Стихи посвятил:

> Желаю счастья от души,
> Здоровья также, и беги.

Очень обиделся, что его подарок с Васькой-предателем поделил.

Одна из радостей была — суп гороховый. Оказалось, в нем червей полно. Не присматривался поначалу, пока не обратили внимания. Печень ни к черту стала: мыло только дустовое, в печени, говорят, осаждается.

Подумывал о том, что пора что-то предпринять, вырваться хоть ненадолго, воздуха глотнуть.

И таки вырвался.

Через полтора месяца получаю передачу от своих: вычислили, где я. Расписался в получении. Музыкант, известный в городе бандит (покойный нынче, зарезанный), принес.

На следующий день вертухай выдает порцию. Мне корка хлеба выпала. Уже к зубам поднес... И вдруг на корке — легкая мелкая царапина: «Лена».

Я понял.

За неделю до моей резервации видел Музыканта в городе. С ним — девица драная. Он мне потом объяснил, что из кожвендиспансера на день откупилась погулять. Что наши, кто в тюрьме, отдых себе устраивают — говорят, что были в контакте с ней, лечения требуют. И она подтверждает.

В этот же день после завтрака затребовал врача.

Разбежались они — жди. О карцере напомнили.

На следующее утро, умывшись, спер общаковое полотенце, спрятал в наволочке. Думал: если не хватятся, ночью сымитирую повешение. Внимание обратят.

Не дошло до ночи. Полотенца недосчитались, все вверх дном перевернули, шмон устроили. Нашли, конечно. За шприцами послали.

— Если на почве сифилиса, — вежливо говорю, — стану импотентом, вас из-под земли достану. И отсюда тоже.

Испытанный прием против психиатров. Бывают у них такие случаи.

Повезли на опознание...

Прервался почти на месяц. Перед отправкой выводил по одному блатных на парашу, просил:

— Ваську не трогайте.

— И все же он — козел, — удивлялись блатные, — почему не трогать? Если есть причина, объясни.

— Есть. Объяснить не могу.

Обещали не трогать.

Через месяц возвращаюсь назад...

Что нового пока открыл читателю? Да ничего. И не об этом думал писать тот свой рассказ. Не обо всех этих событиях, не они были главными. Не они помнятся ярче всего. Всего пару ощущений своих тогдашних хотелось передать. И первое из них — то, которое возникло, когда, вернувшись в тишь покинутую, обнаружил в ней Ваську. Ощущение это очень смахивало на счастье.

И Василий обрадовался, не без ехидства, правда.

Больше всех был рад, конечно, Гена.

Контингент почти полностью сменился. Чулкова уже не было. Де Била со свитой отправили. Стукач сохранился, псих-онанист, еще пара нормальных, с которыми, похоже, не знали, что делать.

За время отсутствия успело еще одно поколение блатных перебывать. И уйти.

Гену затравили. Делали это подло, исподтишка. Он, наивный, возмущался вслух, непосредственно. В карцер его бросили. Плакал в нем громко, умолял отпустить, обещал, что не будет больше. Все это — пока уколы готовили. Не уговорил.

Меня поначалу в пустующую клетку поселили, через день наркомана измаильского, спортивного парня с активно уголовными замашками подбросили. В первый же день он в карцер угодил.

Вертухаи после обеда должны убирать загоны. Почти всегда кто-то из пациентов готов был взять уборку на себя. За кусок белого хлеба.

Сунувшись в мою клетку, вертухай обратился к наркоше:

— «Катала» у нас не убирает, ты возьмешься?

Тот принял вопрос за утверждение, и чтобы не упасть в глазах «каталы», попер:

— Да что, я — шнырь?! Ты чо, лягавый...

После карцера поостыл. Потом снова ожил. За авторитета меня принял, дуралей. Думал, что угождает выходками блатными.

Угомонил его однажды, рявкнул. На радость Ваське и старожилам.

Позже он еще раз в карцер угодил, доигрался в блатного. Поймали на том, что заставлял болгарина одного тихопомешанного минет делать. На параше застукали. Там дверь с большим окном, чтобы и нужду справляющих наблюдать. Пронаблюдали вертухаи, как здоровяк этот болгарина за волосы на макушке подтягивал...

Если бы его в карцер не сплавили, сплавили бы меня. Очень уж нутро своротило, отвел бы душу.

Потом, когда выпустили его, пришибленного (шесть уколов всадили), отошел я. Да и отправили его почти сразу.

Меня в четвертую клетку перевели, меньшую. Неспокойную.

Несколько ночей просыпался от стонов. Один из соседей — псих, тихий вроде бы, среди ночи вдруг садился верхом на спящего дальнобойщика Володю, задумчивого мужичка, старожила дурки, душил его. Облюбовал именно эту жертву, прочих не трогал. Приходилось вскакивать, стаскивать.

Потом на его место подбросили совсем молодого парня. Синего от побоев. Узнали, что за убийство он здесь.

Поначалу из-за недалекости сразу зарождалось отношение к новенькому в зависимости от статьи. Позже осторожней стал с быстрым отношением.

Просыпаюсь однажды от стонов. Ну что опять?

Новенький избитый под одеялом плачет. Рассказал, как дело было.

Сидели с другом на окраине деревни у ставка, выпивали. Заспорили чего-то. Пьяные уже. Этот и воткнул в дружка нож. Потом, как оказалось, он его еще до камышей тащил. Дома проспался, вспомнил все. Как сон. Вечером пошел под яблоню в огород. Голову в петлю вдел. Тут жена случайно во двор на место освещенное вышла. Горшок детский вынесла. Не смог от табуретки оттолкнуться. Менты крепко избили потом. А парню — всего двадцать один год. Тихий парень. Днем молчал, по ночам плакал под одеялом.

Играем как-то с Василием в шахматы, и он промежду прочим, как о параше невынесенной, замечает:

— Эти дуры-врачихи думают, что у меня рак.

Я от этого замечания пешкой, как конем, сходил.

— Чего вдруг? — равнодушно спрашиваю.

— Тебя не было — я тут одного вора философии учил. Дура заведующая вызвала его и предупредила: не слушайте Чаушана (вот и фамилию Васькину-Сашкину без изменений назвал), рак у него.

— Дура, — спокойно согласился. И партию доиграл.

На парашу в предбанник попросился. И там уже «кипеж» затеял. Допустили к заведующей, попер на нее с вопросом: как там насчет клятвы Гиппократа. С каким-то злорадством хотелось в карцер. Узнать заодно, что это такое.

Не пошли навстречу. Отчего-то крепко смутились они. Совсем уже неожиданно для меня, убеждали, что ничего такого не было. Что ошибочные сведения. Но тогда их заискивающий тон не изумил. Не до того было. Под конец они еще и поинтересовались, не собираюсь ли я в будущем об этом писать. Тогда не собирался.

Васька прознал, поиздевался: что толку лезть к ним.

Снова невмоготу стало. Окна, двери заделаны, а весна чувствуется. Не запахом даже, не светом. Может быть, и не угадывается, а знаем просто, там май. И новые люди не отвлекали, хоть и забавные люди.

Один — свинокрад. Пятый срок — за один и тот же свой родной сельский свинарник. Освободится, через месяц-другой как выпьет, не выдерживает, снова на дело идет. И ведь знают уже: его рук дело, а он ничего поделать с собой не может.

— Освобожусь — сожгу его к чертовой матери. — обещал он.

Другой — в паре с кумом пошли на охоту. Незадолго до этого кум выиграл в лотерею мотоцикл. Этот и просит:

— У тебя ж уже есть, продай мне.

— Не могу, — кум отвечает, — жена свояку обещала.

— Я сверху ведро вина ставлю.

Они как раз за околицу вышли. На околице, у хаты крайней — коза пасется.

— Козу трахнешь — продам.

Этот поупирался чуток, да и овладел козой.

Дальше так. Жена уперлась: мотоцикл обещан свояку. Кум — с извинениями, готов ведро вина выставить. Этот — ни в какую.

— Теперь ты будешь козу драть.

Идут на околицу.

В момент близости застукали блудников хозяева животного. Они, оказывается, и первый случай наблюдали. Но тогда, должно быть, рукой махнули, а тут подозрение возникло, что кумовья повадились. Заявили. Этим по пять лет светило.

Один еще и упрекал другого:

— Когда я ее драл, она спокойно стояла, а когда ты — кричала...

Из тюрьмы новый человек известие принес: тому интеллигенту сельскому, застрелившему жену и тещу, восемь лет дали, хотя он и впрямь просил на суде «вышку».

С Васькой французским языком занялись.

Подробно рассказал он, как Дунай переплывал, как Румынию почти прошел. Как взяли его румыны на границе с Югославией. Два месяца в тюрьме держали. Он с ними на французском разговаривал, убеждал, что француз. Потом шутки ради недельку понервировал на английском. Наконец махнул рукой и послал по-русски. В тот же день оказался в Союзе.

Держали его сначала в КГБ. Камеры там шикарные, некоторые с телевизором. Одно время Васька соседствовал с кем-то из наших крупных обэхаэсэсников. Тот утверждал, что сможет в течение часа организовать полмиллиона, чтобы откупиться. Только часа ему не давали.

Кагэбистов очень интересовало, что Василий собирался делать во Франции: идти работать на радио или разглашать что-нибудь сокровенное?

Запомнилось, как однажды в свою смену та самая добрая женщина (не поднимается перо назвать ее вертухайшей) вечером перед отбоем усадила всех за столом и раздала по кружке чая, по куску хлеба белого, по картошке и огурцу. Была пасха.

Мутные мертвые дни... Каждый начинался с того, что я подходил к клетке Васьки и подергивал матрац, ухватившись за угол его. Будил. Дразнился, на радость всем окружающим, и Васька начинал спросонок недовольно ехидничать-издеваться в ответ. Входить в чужую клетку запрещалось, а Васькин топчан был первым, слева за стеной.

Как-то утром я привычно ухватился за выглядывающий угол полосатой материи...

Вот оно, то второе ощущение... Ощущение легкости, с которой пополз матрац. Ощущение отсутствия на нем родного, в этот момент самого родного человека.

Ваську увезли ночью в четыре часа утра.

Какая разница, что происходило еще в последние дни там. Через неделю выписали. Опять под подписку.

Конечно, дух весны, оказавшихся зелеными деревьев и неба, пахнущего солнцем, выбил из меня все. Надолго опьянил. И это чувство хмельного состояния от свободы и весны казалось тогда самым сильным. Но оно прошло. И помнится теперь другое...

«Дотлела между пальцами вторая сигарета.

Я помнил этот голос, голос дававшего интервью. Он верно поведал об успехах нашей психиатрии. Особенно в области содержания больных. Но я слышал только одну его фразу, последнюю:

— За все время моего пребывания там не могу вспомнить ничего, что можно было бы назвать человеческим...»

Так замышлял я когда-то закончить тот свой рассказ. Рад, что не довелось написать его. Потому что каким бы заманчивым такое окончание ни было, оно будет нечестным. Васька никогда так не скажет.

(Четверо: Василий, Володя дальнобойщик, симулянт-онанист (оказавшийся приличным человеком) и я договорились встретиться в ... году в Киеве на площади Победы первого мая в 10 часов утра.

Вспомнил об этом третьего мая.

Уже попав на «химию», написал Ваське письмо и получил ответ, в котором он усмехался по поводу того, что его родители предполагают, будто я — стукач.

Я почему-то больше не написал. А когда спохватился, начались уже нынешние смутные времена. Но адрес Васькин никогда не записывал и помню до сих пор.

Васька или кто другой, кто знает о нем, если нарветесь на эти записки, черкните пару строк на адрес Одесского главпочтамта. На всякий случай адрес Василия: г.Ереван, 4-й Нордкский массив, первый квартал, д. 25, кв. 23, Чаушан Александр...)

Может быть, излишне сентиментально описал эти популярные в перевоспитании шулеров (и не только их) заведения. Не помешает. Лишняя информация для тех, кто считает жизнь профессиональных игроков неунылой, полной романтики.

Глава 14

О СОВЕСТИ

Как бы ни пыжился в этой главе, как бы ни пытался оправдать мораль профессии, читатель усмехнется: мошенник — он мошенник и есть. Шулер, «катала» — понятия не из словаря нравственности.

Проститутки заявляют, что смысл их профессии в сексуальном воспитании затурканных женами мужиков. Бандиты считают себя Робин Гудами. Думаю, и наемный убийца умудрится представить свою специализацию социально полезной. Объявит себя, к примеру, санитаром общества.

Каждый грешник не настолько грешен, чтобы не

иметь трактовки своего греха. Хм... Каждый норовит себя оправдать.

Позвольте же высказаться и игроку...

Конечно, все эти высказывания будут выглядеть именно попыткой оправдаться. Но в том-то и дело, что шулера искренне полагают: оправдываться им не в чем.

А действительно, в чем?..

В том, что в игре используют ловкость рук, запрещенные приемы? Но разве кто-то когда-то слышал о том, чтобы, садясь играть, соперники договаривались: играем без этих приемов.

Я однажды слышал. Школьники начальных классов прежде, чем сыграть в «дурачка», сговорились.

Один:

— Играем честно...

Другой:

— А как это?..

Все. Других случаев таких детских договоров на моем веку не было.

И дело не в том, что это само собой подразумевается. (Если бы такое имелось в виду, то хотя бы иногда, хотя бы раз на сто игр, на тысячу договор все же был бы озвучен). Дело в том, что умение устоять против этих приемов, этой ловкости включено в понятие игры. Каждый прием имеет контрприем, каждая ловкость — контрловкость. И в этом-то сам смысл игры — переиграть соперника во всех областях. В игре.

Игра — это и умение не дать заманить себя в ловушку, и все обернуть так, чтобы в ловушке оказался заготовивший ее противник. Игра не только раздача карт, шлепанье ими о стол. Она демонстрация ловкости, выдержки, оригинальности ума, знания человеческой натуры, презрения к деньгам. (Да, и презрения. Конечно, без денег игра теряет смысл, но пойди, швырни на стол тысячи, рискни ими... В этот момент деньги презираемы.)

И, за исключением редких экземпляров, не встречал игроков, не готовых воспользоваться случайно подвернувшимися запрещенными возможностями. Например, возможностью увидеть карты соперника. Ведь и эта почти всегда используемая возможность — жульничество. Значит, жулики — все. Но мало на что способные, мало умеющие.

Карты можно сравнить со спортом. Есть любители, есть профессионалы. Разница только в том, что профессионалы все делают лучше. И заслуженно получают за это вознаграждение. Спортсмен, пользующийся оправданием «любитель», как-то неубедителен, жалок... Да и какой любитель не норовит перенять мастерство у профессионалов, не мечтает стать профессионалом? Только не всем дано. И еще, в картах в отличие от спорта есть возможность свое неумение, свою любительщину не признать. Списать на невезение.

«Назвался груздем — ...» Никто играть не заставляет, но если сел, играй. Если ты — фраер, лох, то на кого тут сетовать?.. Мне, к примеру, даже грустно, когда человек — лох. За человечество обидно.

Ведь не больной же, не слепой... И не проигрывать садится... Что поделаешь, если соперник окажется ловчее, выше. Кто спорит, конечно, обидно... Выходит, есть еще куда совершенствоваться, стоит поработать над собой. Это всегда полезно.

Так что совесть чаще всего нашего брата не мучает. Хотя и бывают ситуации, за которые по прошествии какого-то времени стыдно бывает.

Занятно, почему ситуации — схожие, а отношение к ним — разное. Некоторые, казалось бы, должны вызывать бессонницу, а вспоминаются с улыбкой, без зазрения совести.

...Еженедельные на протяжении полугода спектакли с Юркой-газовщиком.

Обыгрывали его на пару с Шуриком. Шурик, разумеется, числился балластом, пахать приходилось одному мне. В преферансе желательны три-четыре игрока.

Газовщик наведывался к Шурику по вечерам пятниц. «Преферанс по пятницам». Мы его уже ждали, но каждый раз делали вид, что удивлены, что я у Шурика в этот момент оказался случайно.

Юрка — пятидесятилетний мужичок с простецким, несколько перекошенным лицом, считал нас юнцами, ничего в жизни не видавшими, в преферанс толком не игравшими и обязанными ценить его готовность преподать нам пару уроков.

Мы ценили. Как не ценить его небольшие, но надежные вливания в бюджет. Эти регулярные поступления на карманные расходы.

Спектакли были отшлифованы, выверены до реплики, до жеста. Юрке они не наскучивали, каждый раз казались захватывающими, полными драматизма.

Вот краткое содержание пьесы...

Юрку впускает в квартиру бабушка Шуры. Он застает нас играющими в шахматы.

Юрка:

— А, пацаны, все развиваетесь!

Мы:

— Здравствуйте, добрый вечер. — С надеждой: — Может, сыграете с нами?

Юрка смотрит на часы:

— Мне бы ваши заботы. — Снисходительно кривит рот, уступает: — Ладно, давайте. Пару партий.

Следуют пять сыгранных партий, требующих некоторого растолкования. Играли мы по странным, принесенным взрослым Юркой правилам. Под каждую партию оставлялся залог — сто рублей. Игра была с «призом», поощряющим активность. Кто первым в партии набирал сорок очков, писал на каждого уйму вистов (единица измерения выигрыша, эквивалентная какой-то ставке). Кто брал приз, тот обычно и выигрывал. Какая бы сумма в партии ни выигрывалась, победивший получал с каждого не больше сторублевого залога. Остаток выигрыша писался в долг. При этом, если выигрывал тот, кто должен, залог он, конечно, не получал.

Так что нам с Шурой следовало спешить, доход зависел от количества сыгранных партий. После каждой партии к кому-нибудь из нас переходила заветная сотня. При этом и долг Юркин, набежавший за все прошлые игры, исчислялся тысячами. Получить даже эти заложенные нами две сотни с него не было ни малейшего шанса.

Продолжение содержания пьесы.

Юрка, в сердцах, при последней раздаче карт в третьей, четвертой и пятой партиях:

— Чтобы я когда-то еще сел!?. Целый день пашешь, как начальник лагерной плантации (всегда этот образ), а потом эти триста (четыреста, пятьсот) рублей каким-то ссыкунам-негодяям за один вечер... Надо же, чтобы так не везло. Все!.. Последняя «пуля»! Больше никогда в жизни!..

На этих словах он обычно расчерчивал новый лист, прятал под него очередную сотню. После «никогда в жизни» шел текст-вопрос:

— Кто сдает?

Но спектакль неспроста имел такую чудную посещаемость, неспроста нравился Юрке. У пьесы был хороший конец. Ну и что, что один и тот же?.. Зато счастливый.

Шестую партию выигрывал Юрка. И как выигрывал!

Начиналось с того, что я привычно набирал тридцать восемь очков. При этом у остальных двух игроков было пусто. Ноль. Невезение невероятное.

Юрка отрабатывал все реплики, как положено: про лагерного карьериста, про нашу юношескую беспечность и связанные с беспечностью отрицательные черты, про фортуну, имеющую слабость именно к этим чертам...

И тут начиналось!.. Фортуна, словно послушавшись, меняла вкус. Юрка начинал набирать очки.

Сначала, пока счет шел до десяти, продолжал еще бурчать, хотя уже и не так самозабвенно. Когда счет был в пределах двадцати, он затихал, становился сосредоточен, весь был занят только игрой. Ближе к тридцати — безуспешно прятал улыбку в ответ уже на мои полные трагизма реплики. Когда счет приближался к сорока, Юрка замирал. Играл затаив дыхание, боясь спугнуть, обидеть неосторожным словом удачу.

Я в этот момент тоже опасался. Чтобы Шурик сдуру не всунулся с какой-нибудь неожиданностью, не помешал Юрке взять приз.

Последнюю, спрятанную под лист сотню Юрка не проигрывал. Но это для него уже не имело значения. Он чувствовал себя, как... Золушка, найденная принцем... Гадкий утенок, испытавший чудо превращения в прекрасного лебедя... Ребенок после воскресного посещения цирка! Ей-богу, я завидовал ему.

Обычно мы провожали Юрку (он жил неподалеку), и по дороге он уже не вспоминал о том, какое количество газовых колонок пришлось ему сегодня подключить, чтобы заработать на кусок хлеба. Он читал нам стихи своего отца, репрессированного Сталиным, делился воспоминаниями детства. Подолгу держал у своего подъезда, не желая отпускать. Жалко было отпускать. Ведь мы были свидетелями сказки.

— Ну ничего, — наконец утешающе завершал

он, — в жизни всякое бывает. Если что, в следующую пятницу загляну...

Юрка — пожилой работящий человек, сосед по кварталу. Друг детства отца Шурика... Нет, совесть нас почему-то не мучила.

Она не давала о себе знать и когда я обыгрывал Севу Бухенвальда.

Прозвище Сева получил не за худобу.

Он выглядел вполне упитанным, благообразным. Ответственный работник пароходства, ничем не отличающийся от других ответственных и безответственных работников. Немолодой, всегда при костюме, несколько суетливый и заикающийся.

Имелось одно отличие. На внутренней стороне его руки у локтя был выколот многозначный номер. След пребывания в Бухенвальде.

Сева иногда подавался за границу, на слеты-встречи с коллегами-узниками, и каждый раз по приезде делился впечатлениями. Не часто, но случалось, рассказывал и о лагерной жизни. В годы войны он был ребенком, но помнил все. Рассказы всегда поражали реальностью.

Поражали, но не мешали обыгрывать. Впрочем, Сева и сам был не подарок.

Однажды полдня обыгрывал его в покер. Один на один. Используя достаточно сложный технический прием — «вольт». Вдруг, уже под конец игры, Сева насторожился:

— Дай-ка подстрахуюсь, — говорит, — чтобы не было «вольтмайстера». — Это он так, немецким аккордеоном, «вольт» обозвал.

И действительно начал с этого момента умело страховаться. И ведь не был уверен, что трюк исполняю, но как подстраховаться — знал. Чего ж раньше не начал?.. Я так и не понял...

Нет, не мучают почему-то выигрыши у Севы.

Что же тогда мучает? Другие ситуации, схожие. Вроде ничего особенного, но и сразу, в момент их, чувствовал себя неуютно, и до сих пор вспоминаю, краснея.

Тот же Сева, случалось, играл с Ракушкой.

О Ракушке долго говорить не хочется. В настоящее время он занимается разведением кроликов. В прошлом, далеком прошлом, во время войны, служил полицаем у немцев. После войны отсидел двадцать пять лет в Норильске. Вернулся бодрым, жилистым, хватким. Дело с кроликами наладил. Я вроде не шибко пафосный, но не разделял приветливости пляжников в отношении Ракушки. И совсем уже непонятной была доброжелательность Севки Бухенвальда к бывшему полицаю.

Однажды играют они.

За спиной Бухенвальда стою, наблюдаю. Сева мне всегда доверял (все равно не совестно), за спину пускал.

Вдруг этот падлюка, Ракушка, шлет мне «маяк», запрос, значит. По Севкиным картам.

Хотел ему показать... «маяк» из особо секретных... Не стал при отдыхающих рядом детях. Отошел. Через некоторое время оглядываюсь... За спиной у Севы — другой из наших, пляжных жуликов. Из тех, кому Бухенвальд тоже доверяет. «Маячит» вовсю Ракушке.

Ну подойди же, или в рыло дай, или просто авторитетом придави... Не подошел. Теперь краснею, вспоминая...

Некую закономерность вывел. Если видишь в клиенте заведомо неполноценного по жестким карточным меркам соперника, совести обеспечено беспокойство. Конечно, если противник болен (пусть даже верой в людей) или сохранил в себе душу ребенка, как выйдешь к нему во всеоружии?.. А ведь выходить случалось....

Как-то в Аркадии поймали фраера. Явно провинциального, обгоревшего по-поросячьи мужичонку. Добродушного такого, с приплюснутыми добрыми губами, с животиком умеренным. С взлохмаченным ободком вокруг подгоревшей лысины. Поймали на пару с другим пляжником, тоже «каталой», но не членом своей, засекреченной корпорации.

Фраер приручился легко и сразу. Играет только с нами. Если приходит раньше — дожидается. Другие подбирались, капризничает, отказывает. Клиент, хоть и не особо денежный, но из радующих: спокойный, печально добрый, преданный.

Обыгрываем день, другой, третий...

На четвертый — спускаюсь по аллее в Аркадию.

Вдруг впереди он — фраер. С семьей. Женой и двумя дочками. Вся семейка аналогичная, все умеренно полненькие, все подгоревшие, все добродушно провинциальные. И печальные.

Не спешу обогнать, следую за ними. И как-то нехорошо уже под ребрами пошкрябывает...

Доходит семейство до низу, где развилка: на южный пляж и на северный. Папа начинает прощаться с женой, дочурками. Те опечалены, что папа покидает, совсем уж чуть не плачут. Жена тоже недовольна. Но не скандально. Прощаются, расходятся. Жена с детьми — на один пляж, папа-фраер — на другой. На наш. Проигрывать деньги, с которыми в отпуск приехал, семью на море вывез. И ведь явно не из тех он, кто делами ворочает. Инженерик из средней полосы России. В лучшем случае.

Так скверно на душе стало. И досада за него взяла. Ну, что теперь с ним делать, придурком возрастным, добродушным?..

Что сделал? Продолжал играть. Если бы отказался,

другие «грузили» бы. До упора. «Свято место пусто не бывает». Я хоть и с оглядкой, но играл. На жену его и детей, горемычных. И все равно до сих пор как вспомню — тошно, совестно.

...День Победы.

Среди преферансистов — ветеранов войны — оживление. Все помолодевшие, при орденах. Все — в настроении.

Среди них — Эдик. Давний знакомый, фанат преферанса, ветеран-истребитель. Любящий выпить мужичок с землистым лицом. Так-то он осторожный, с молодыми (кому меньше шестидесяти) в жизни не сядет. Но сегодня — такое дело... Праздник! Его праздник!

Обыграли Эдика в его праздник. Крупно. Для Эдика крупно. Он на пенсию существовал. Обыграли подло, на сменке колоды. Наши, из самых бессовестных.

Эдик крепко выпил по этому поводу. Тут же на пляже. Ко всем присутствующим стал приставать с рассказом, как бесчеловечно его обыграли. Участия искал. Соратники-ветераны, конечно, сочувствовали.

Женщина одна, при орденах, тоже преферансистка, предложила собрать для Эдика матпомощь. Молодцы старички, дружная братия, скинулись: кто сколько может. По мелочи, конечно. До слез Эдика растрогали.

И наши некоторые растрогались.

Особенно один. Пожилой, по возрасту Эдику подходящий. Хотя и жулик, из матерых пляжных ветеранов, но человек деликатный, не лишенный сочувствия.

Прибился к нему Эдик, моральную поддержку нашел. Этот матерый, мало того, что и по возрасту Эдику соответствовал, так еще и стакан потерпевшему истребителю почти полный поднес, и кивал во время жалостливого повествования.

И надо же, матерому, известному всему пляжу этой матеростью, подворачивается вдруг фраерок. Туристик тридцатилетний. Ветеран пляжа благородно предлагает ветерану войны долю. В связи с несчастьем. Выигрыш, если он состоится, поделят пополам. Если состоится проигрыш, то и его делить придется. Но играть-то будет ветеран-шулер. Какой, к черту, проигрыш?.. Чудес не бывает...

Бывают.

Пришлось Эдику не только матпомощь отдать, но еще двойную пенсию выплачивать. В рассрочку.

Турист, конечно же, напарником матерого оказался. Наверное, непросто им было рассрочку делить на двоих, неудобно. Не знаю: рассчитался ли Эдик до конца. Конец скорым оказался. Через несколько месяцев умер он.

Тошно вспоминать. Но надежда есть: если вслух вспомню, может, реже будет вспоминаться втихаря. Я ведь присутствовал при той игре. И знал, что матерый и турист играют в пару. Смолчал тогда, уставу шулерскому следовал.

Звали этих двух... Нет, каждому надо оставлять шанс на исповедь...

Глава 15

О МИСТИКЕ

Туз пик преследовал меня всю карточную жизнь. Мог вытянуть из колоды карту наугад. Она оказывалась тузом пик. Случалось, колоду бросил на топчан, одна карта отлетела в сторону, перевернулась. Туз. Из коробки вытряхиваешь карты — одна застряла, не вытряхнулась. Опять он. Обнадеживающие намеки.

Всю карточную жизнь приходилось ждать от провидения какой-либо гадости. Так ничего путного и не дождался.

Потом уже объяснили специалисты-мистики, что преследующий пиковый туз — совсем не обязательно к беде. Скорее всего — просто моя карта. Присвоенный свыше знак. Пояснили бы раньше... Сколько бы нервов сберег и пользы получил.

Хотя, честно говоря, жаловаться — грех. Давно уже заметил: ничего кошмарного не происходит. Наоборот, если туз являлся, все как-то устраивалось. Даже в очень бесперспективных ситуациях. Но каждый раз, выбравшись, думал: «Ну вот. Если здесь обошлось, можно представить, какую пакость в будущем ожидать следует. Там уж мне за все отольется...»

Не отливалось.

Тогда решил так: это все ангел-хранитель, спасибо ему, с дурными предзнаменованиями справляется.

С тех пор, как понял, что туз с хранителем либо заодно, либо первый — визитная карточка второго, неловко себя чувствую. Как будто оказал недоверие порядочному человеку. Или не оценил преданности друга.

Но к пиковому тузу еще вернемся...

Картежники — публика весьма суеверная. Даже самые матерые, прожженные, все умеющие, понимают: с «той стороны» заупрямятся — и никакое всеумение не поможет. Каждый профессионал рано или поздно приходит к пониманию этого. А не приходит — поплатится.

И еще одно — лучше как можно раньше угадать, насколько могущественен тот, кто свыше курирует персонально тебя.

Часто бывает, игрок — умничка: руки — исполнителя, мозги — на месте, душа — не амеба... А все — из рук вон. Смотришь на такого коллегу и сочувствуешь: эх, еще б маленько сверху подстраховали!..

Возьмем Джигита-неудачника. Красавец, держался аристократом, фраера липли к нему, как у иных — загар к вспотевшей лысине... И что же?..

То клиента, пока Джигит на пляже проигрывает, обворуют, из номера в гостинице последнее вынесут, так что весь долг — насмарку... То кто-то из своих за спиной у фраера смачно чихнет от солнца, а Джигит чих за «маяк» примет. И чужая невоспитанность обойдется ему в семь взяток на мизере.

Единственный раз адмирал жене на пляже скандал устроил, не дал доиграть. И это случилось именно в тот день, когда адмиральша рискнула сесть с Джигитом.

И именно он, ловкий спортивный мужик, возвращаясь под утро после игры с хаты-заповедника, в которую проник в результате многоходовой изящной комбинации, поскользнулся на тротуаре на рассыпанном арахисе. Грохнулся, потерял сознание. Пришел в себя скоро, люди только-только начали собираться (в те времена на граждан, потерявших сознание на улице, еще обращали внимание). Здоровый мужик; до дома добрался своим ходом. Но без выигранных денег. Похоже, первый из тех, кто поспешил к нему на помощь, кто находился ближе всех, оказался нечистым на руку...

Коллеги сочувствовали Джигиту. Всякий раз при встрече на пляже взирали вопросительно: ну, что там у тебя опять? И тому всегда было что поведать. Причем без особого огорчения, потому как уже выработалось смирение с неприятностями, неудачи вошли уже в привычку...

Бывает наоборот. Игрок — врожденный фраер, жизнерадостный, денежный, беспечный, не желающий ума набираться. Такому и проигрыш в радость, и потеряется не скоро. Явный кормилец. Пристраивайся грамотно да помаленьку дои себе...

Ан нет. Что с ним ни затеваешь, как ни изощряешься, куратор не дремлет. Его куратор. Когда-никогда отлучится на минутку, должно быть, по малой нужде. За такой отрезок времени много не урвешь.

Студе-е-нт! Думаю, любой из наших, прочитав предыдущий абзац, вспомнит именно его. Легенды ходили о фраерском счастье этого щуплого, улыбчивого юноши.

Вот пример из моего опыта общения с ним.

Играем на хате Лысого. В преферанс. За студента решили взяться плотно. Развеять миф о его феноменальном везении.

Насчет играем — неправду сказал. Меня он к себе не подпускал. Когда-то в самом-самом начале «хлопнул» его, должно быть, именно в тот момент, когда опекуна приспичило. Студент, конечно, не насторожился, но один из наших общих дружков все про меня поведал ему, предостерег. Потерял я легендарного. Ничего: сообщников хватает.

Против Студента-фраера играют три(!) профессионала. Шурик, кандидат-математик и Лысый. Лысого пришлось взять в долю как хозяина хаты.

Через десять минут игры за столом возникает конфликт. Лысый, как все люди оригинальной внешности, шибко неуравновешен. Вступает в конфронтацию с математиком и осознанно крушит слаженность содружества. Цинично занимается вредительством. Своим не дает работать. Игра становится не то чтобы лобовой, но лишенной шулерской осмысленности, лишенной контроля.

С тоской наблюдаю за происходящим со стороны.

Такого я еще не видывал!.. Играющие в преферанс оценят... Студент сыграл восемнадцать игр подряд. Из них только три «шестерных», минимальных. И ни разу не сел. Каждый раз, когда он был на прикупе, иг- рались «распасы». Вот это куратор, я понимаю!

Правда, закралось подозрение, не подсобил ли ку- ратору Лысый. Вариант проверили и отвергли. Да и для Студента с его фартом Лысый, что справочник «Секс в вашей жизни» для путаны на пенсии.

Позже слух пророс: студент в церковь регулярно захаживает. Нужному святому свечки ставит.

Не знаю, посещал ли Студент храм божий, но то, что многие наши грешили корыстным отношением к Всевышнему, — это точно.

И меня подмывало. Но как-то совестно было, не по себе. К тому же до сих пор так для себя и не опре- делился: богоугодное ли дело — игра. Конечно, за- грязнение душ смертных страстями, суетой навряд ли от бога. Но уверенно ответить «нет» — не рискую. Библия на этот счет — ни слова.

Зато неуверенное «нет» готов отстаивать. Интуи- тивно чувствую: есть зависимость судьбы держащего в руках колоду от расклада карт.

Конечно, есть незатейливая зависимость: расклад случился не тот, привел к проигрышу — самое время стреляться, но сейчас не о ней.

Есть зависимость позначительнее, понеотврати- мей. Потусторонняя.

Погодите снисходительно отмахиваться, дескать, эка невидаль, гадалки с этой зависимости и живут. Зависимость — обратная. Не судьба через расклад со- общает, какой она будет, а карты, тасуясь, меняя по- ложение среди других, программируют судьбу.

Не думаю, что богоугодно вмешиваться в предна- чертанность.

Надо бы остановиться на драматическом термине «фраерское счастье». Любой шулер знаком с этой не- приятной проблемой. В чем смысл ее?

Если профессионал столкнется с фраером в «лобовой» игре, то скорее всего проиграет. Провидение почти всегда на стороне лоха.

Это вполне увязывается с заурядной теорией вероятности. Взять тот же фокус с монетой. Если умудришься десять раз выбросить «орел», можешь не сомневаться: в дальнейшем чаще будет выпадать «решка». Провидение стремится привести результаты в соответствие с теорией вероятности.

«Катала» от игры к игре прет против теории, чего ж рассчитывать, что она, теория, будет за «каталу». Причем чем дальше, тем труднее бороться. Сказывается груз прошлых неравновероятных результатов. Со временем теория вступает в борьбу уже и с мастерством. И пенять не на кого — справедливо. Сколько неприятностей доставила эта справедливость.

Запомнилась одна из игр на Ланжероне.

В клуб этого пляжа проник неказистый игрок. Никакой. И как проник, тоже непонятно. Скорее всего общались с ним из сострадания. Не так уж и общались. Позволяли наблюдать, иногда комментировать... Совершеннейшие альтруисты соглашались на игру с ним. Затурканный, занудный пожилой мужик, заглядывающий в глаза даже самым слабым игрокам.

Однажды и ко мне подступился. В толпе болельщиков я наблюдал за игрой. Он обнаружился рядом. Незаметно подкрался, заискивающе щурясь, спросил:

— Случайно, не играете?.. — И весь съежился от собственной дерзости.

Наши услышали, на миг притихли. Даже те, кто играл, головы повернули. Зануда был из свежих, не знал, что со мной здесь играть не принято. Он всего-то меня второй или третий раз видел.

Болельщики обсмаковали непосредственность новичка. Беззлобно, намеками. Так, что тот не понял причину насмешек. Посчитал, похоже, что побрезгую сыграть. Это напрасно. К фраерам я уже давно относился без гонора, с повышенным уважением.

Играли в деберц, нетрадиционную для Ланжерона игру. Не помнил на этом пляже ни одного сильного деберциста. И этого бы не вспомнил. Если бы не его «фраерское счастье».

Не стоит описывать всю игру. Достаточно одного примера.

Сдаю себе пять карт одной масти от туза и туза сбоку. Какой вскроется козырь уже и знать не очень интересно, при такой карте и контролировать его не так уж важно.

Еще как важно!.. Козырь вскрывается в той масти, в которой у затурканного такие же пять карт. И он эту партию выигрывает...

Конфузы такого уровня, пусть не при каждой сдаче, но в каждой партии. Для выигрыша в короткой партии и одного такого достаточно. Насилу выстоял.

Когда играли, наши кольцом обступили, интересно им, по какому рецепту разделывать эту тушку буду.

Когда игра завершилась ничем, завосхищались, подмигивали по-свойски, шушукались:

— Видал, что творит?! — это обо мне.

— Ну, аферюга! Кругом стояли, и ни один не углядел!..

— Это ж надо: и себе, и фраеру — полтинник! Тот — натуральный клоун. Думает, повезло.

— Да, прикормил лоха, хлопнет по полной программе.

— Представляешь, нарваться на такого?..

— Ну, к черту!..

И я не представлял, что можно на такое нарваться. Состояние весьма беспомощное. И гадливое.

Пару дней для страховки выждал. Потом обыграл зануду на все, что у того было. Со злорадством обыграл. Хотя чем мужичок виноват? Не он — его покровитель из меня, самонадеянного невежи, клоуна сделал.

На Ланжероне случай добавил мне веса. Все посчитали, что я — единственный автор сценария.

Разубеждать не стал, но к сведению принял: автор сценария — ты сам, но выправить произведение могут до неузнаваемости.

Похожий случай. Корпорация приняла в разработку того самого сапожника Эдика... Эстетствующего эротомана, любителя секса в майках. Он числился в вечных жертвах. Сильно играющих. Как и в случае со Студентом, трое обрабатывают одного. Только фраер не Студент — прилежный прихожанин, а Эдик — кормилец. И обыгрывает его не троица невнятных жуликов, из которых только один и имел право на звание шулера, а трио «катал» — корпорация, сыгранная до взаимопонимания на уровне телепатии. (И заодно на уровне радиоволн, потому как «маячили» с помощью радиоустройства.)

К тому же, казалось бы, нам добавился лишний фактор — залог успеха: по ходу игры Эдик по чуть-чуть прикладывался к водочке, что для корпорации оказалось приятной неожиданностью. Никогда до этого не наблюдали сапожника хмельным. А тут набрался до того, что приходилось помогать ему деньги в карманы запихивать. Наши деньги. Им выигранные.

И телепатия, и лишний фактор оказались бессильны против «фраерского счастья».

Не помню почему, но сумму при себе мы имели ограниченную... Кажется, математика, хранителя общаковой кассы, выдернули неожиданно прямо из института. Сколько при себе оказалось, тем и пришлось обходиться.

Играем.

И начинается... Как с тем занудой на пляже.

Делаю себе «каре» семерок. Казалось бы, фантастическая комбинация...

В фильмах о шулерах сценаристы повадились сталкивать «каре» тузов с «флешь рояль». Дурной тон. В жизни любая «карешка» — большая редкость.

Как-то на пляже в игре со своими, клубными, организовал встречу: у меня «каре» восьмерок, у остальных «фул макс» да «тройки». Приличный банк взял. Наши долго успокоиться не могли. И тогда друг у друга ошалело вопрошали: как такое может быть? Ведь явно же встреча — искусственного происхождения... Но сами же и ответ верный давали: не пойман — не шулер. До сих пор участники той игры при встречи любопытствуют, как исхитрился? И не «флешь», не «каре» тузов. Всего-то «каре» восьмерок.

В игре с сапожником ограничиваюсь семерками.

У того, упившегося фраера, обнаруживается «каре» валетов.

Ну кто мог подумать, что ни на миг расслабиться нельзя, что и его карты контролировать следует? Будем контролировать. Делаю ему «тройку» тузов, себе «фулек». Этот дуралей с залитыми зенками не различает трех тузов, пасует. Ну что тут сделаешь?

К тому же денег-то немного, выигрыш стекается ко мне. Но выигрываю не у сапожника — у своих. Те быстро финансово пустеют. Чтобы они могли продолжить игру, приходится передавать им выигрыш. Наладили передачу.

Отлучаюсь в туалет, деньги прячу под ковриком перед унитазом. Потом отлучаются сообщники, извлекают клад. Деньги, можно сказать, в обороте. До бумажника Эдика добраться не удается. Нервничаем, надеемся, что когда-нибудь это издевательство хотя бы прервется, что и его покровителю понадобится отлучиться.

Эдику понадобилось раньше. Приспичило неожиданно. Шахматист только навострился перевод получить, сапожник опередил. Рванулся со всех нетвердых ног к клозету.

Повозившись, предстает пред нами, успевшими в его отсутствие не только наговорить друг другу много лестного, но и конструктивные поправки в тактику внести. Предстает Эдик, пошатывающийся, несколько забрызганный, смущенный. С нашим тайным вкладом в виновато протянутой руке. Клад тоже забрызган.

— Кто-то уронил, — сообщает пьяный, но честный сапожник. — Я в унитаз немножко не попал... Хотел вытереть, а там... Кто-то потерял. Я их немножко того...

Он их не немножко «того», а «того» — очень даже обильно...

Такой заключительный аккорд симфонии под названием «Фраерское счастье» нас подкосил. На этом сдались: закончили игру.

Позже выработался обряд: несколько раз в год по ситуации, по предчувствию, надо дать вероятности отвязаться. Пустить игру на самотек. Нечто вроде жертвоприношения. Проблематично, конечно. Обряд не запланируешь. Всегда есть опасность, что жертва востребуется в ответственной, крупной игре. Но упрямиться нельзя. Теория — соперница серьезная, ее лучше не злить.

...Кстати, насчет соперников несерьезных, пьяных фраеров.

Сколько раз было. Играем, клиент или клиенты просятся на перемену, наскоро пьянствуют.

Все. Дальше хоть не играй... Поначалу обнадеживался. «Напьются, — думал. — Скорее дело сделаю».

Как же, сделаешь скорее!.. Все наизнанку выворачивается. Просто напасть какая-то... Хоть сам бери напивайся.

Позже на все эти безобидные переменки «вето» наложил.

С Гогой Ришельевским как-то играл. У того эпилептический припадок случился. Страшный, мощный. К болезни его мы, конечно, привыкшие, но совесть должна быть... требовать после приступа выигрыш... В этой партии у Гоги прилично «выкатывал».

— Все, — говорю Гогиному товарищу после того, как мы с ним Ришельевского на топчане в себя приходить устроили. — Закончили. Переиграем в другой раз. — А сам думаю, дудки: еще сяду... нервы трепать.

— Я доиграю, — сообщает товарищ, совсем слабый игрок, из штатных болельщиков.

И — тоже изнанка. Все, что выигрывал я к этому моменту, спустил. И не умышленно. Как будто Гога из того места, где он в тот момент находился, товарищу помогал.

Многое в игре имеет значение.

Место, которое выберешь, люди, стоящие за спиной... Ну, и само собой, приметы. Деньги во время игры одалживать нельзя. И до игры к игровому фонду прикасаться нежелательно. Если ведется запись, каждый пользуется своим фартовым карандашом. Также важно верно определить, кто из рядом стоящих несет невезение, какой карандаш нефартовый.

Шурик на этот счет отличался особой чувствительностью. В корпорации числился главным прибором, фиксирующим аномальные факторы.

Делюсь с читателем всеми этими шулерскими мистическими традициями и понимаю, можно к рассказанному отнестись скептически. Подумаешь, мало ли ничем не подкрепленных суеверий...

Действительно немало. Некоторые граждане-материалисты даже не верят в ясновидение. Я в нем тоже до поры до времени сомневался. Пока сам не сподобился.

Это снисходило ко мне пять раз. Дважды четко, безошибочно и еще трижды не совсем убедительно, на грани видения и завесы... Для некоторых ясновидение — дело житейское, повседневное. Я — не из таких. Поэтому случаи помню четко и, что удивительно, не знаю, хотел ли, чтобы они повторялись...

Это случилось под утро после долгой игры. Первый раз во время игры-жертвоприношения. Часов с трех ночи понял, что игру надо отдавать в жертву теории вероятности. Умудренный прошлыми обрядами, без сожаления дал вероятности отвязаться. Пустил игру на самотек, расслабился.

И с рассветом началось...

Говорят, ясновидение — это видение картинок.

У меня было не так. Никаких изображений не возникало. Просто знал: у соперника именно такие карты и первый его ход будет именно таким. Не видел карты и еще не видел ход. Но знал. Как будто перед раздачей сообщили, и — запомнил. Нет, не перед раздачей... После того, как уже розданные карты лежали на столе. И известно было только то, что будет происходить в совсем ближайшем будущем. В пределах розыгрыша одной раздачи. Но и результат игры был известен. Как сейчас помню: триста семь рублей. Таким он и оказался.

Странное было чувство: все знаешь, а поделать ничего не можешь. Странное тем, что это не обижало. И помню, что происходящее не казалось удивительным. И не пугало.

Все прошло, когда встал из-за стола. Интересно было бы, чтобы оно продлилось хотя бы до того момента, когда лягу отсыпаться. Чтобы продержалось вне игры. Да и этот интерес возник не тогда, а после. Когда проснулся нормальным.

Вспоминая то свое состояние, пробовал угадать, что случится через какое-то время. Не угадывал. Но вспомнил еще одно. Пришедший в себя, в реальность, пробовал угадать из любопытства. А тогда любопытства не было. Знаю, и ладно.

В отличие от нормального меня, ясновидящего, будущее не могло испугать. Каким бы оно ни предвиделось. И стало понятно спокойствие ясновидящих, знающих час собственной смерти.

Во второй раз предвидение снизошло тоже в игре, но уже в выигрываемой. В покере. И тоже под утро.

Та же история: после каждой раздачи становились известны все карты соперников. В покере это решает все.

Еще один, по-видимому, существенный момент: озарение повторилось после того, как я перестал использовать шулерские навыки, расслабился, имея запас выигрыша.

И вновь состояние не принесло ни радости, ни удивления. Только отметил про себя:

«Кажется, начинается...»

И так же все закончилось. После завершения игры.

Три невнятных эпизода произошли после первых двух.

Все было почти так, но... Временами я словно спохватывался. Пытался уразуметь происходящее, и оно тут же терялось. Терялась возможность предугадывать. Как будто в памяти, в той, где хранилась сообщенная заранее информация, случались провалы. И эти провалы раздражали.

Никому ничего не хочется доказывать. Просто с некоторых пор, нарываясь на популярные споры о возможности ясновидения, в душе пожимаю плечами. Это личное дело каждого. У кого-то дело было, у кого-то нет. У меня было.

Вернусь к тому, с чего вступил в главу...

Когда был начинающим, горячим, гонористым, лез в поединки со всеми без разбора. Особо не обламывали, не нарывался на тех, кто смог бы обломать как следует. Кстати, и в этом проявился покровитель. Могли так одернуть... Надолго выработался бы комплекс неполноценности. Обходилось.

Как-то ввязался в игру с одним из тех, кто... Кто мог бы обломать. Но это уже потом понял, повзрослев, остепенившись. А тогда... И знал же, что человек уважаемый, зубы на игре сточивший. Причем не только на игре с фраерами. Заслуженные «каталы» пляжа держались с ним весьма почтительно.

Конечно, и у меня уже репутация имелась. Рано познавшего секреты, не слишком вежливого со старшими, бесцеремонного скороспелки. Непонятно откуда возникшего, но держащегося так, словно самые авторитетные «каталы» Союза — все мои родные отцы.

Этот, зубы (в том числе и на скороспелках) сточивший, на пляж, похоже, расслабиться забрел. И вкусить почтения хорошо воспитанных коллег.

Пляжники, из самых уважаемых, обступили его, наскоро организовали этакий «круглый стол» для избранных. Конференцию по обмену опытом. Все — как положено: отчет о достигнутых результатах, новейшие разработки, советы мэтра.

Мэтр держался достойно, не перебивал выступающих, выказывал одобрение, иногда деликатно, без оттенка высокомерия, поправлял, подсказывал.

Я со стороны наблюдал весь их церемониал.

— Чего всполошились? — поинтересовался у одного из рядом стоящих, не рискнувших приблизиться к избранным, знакомого жулика.

— Ты что? — изумился тот. — Это же Черныш!

— Да? Странный какой-то Черныш. Совсем лысый.

Нахально направился к «круглому столу».

— О! — неискренне обрадовался мне Учитель, немолодой худющий «катала», сидящий на топчане рядом с Чернышом. — Вот она — наша смена.

Представил меня мэтру, присовокупив рекомендацию:

— Техника — ничего, но уважения к старшим... — Он неодобрительно цыкнул зубом.

— Молодежь, — неожиданно приветливо улыбнулся мне мэтр. — Техника — дело не последнее. — Засокрушался: — Где они нынче, технари? Все норовят вдвоем, втроем фраера «хлопнуть». Квалификацию теряете. — Он с укоризной, но безобидно глянул на образовавших круг. И вдруг — ко мне, выверено, точно:

— Сыграешь с пожилым человеком? Порадуешь искусством?

Что мне его выверенность? Понятно, мэтр решил одернуть. Но и мне же интересно, потому и подошел.

Кстати, молодец мужик, боец. Зачем ему было играть? Выиграет — авторитету не особо прибудет. Проиграет — пошатнется на пьедестале. Игра явно не ради денег. Так что никаких приобретений не сулила. Но на поединок вызвал. Значит, не сомневался: обыграет, поставит сопляка на место.

Об этом я позже подумал. Через несколько лет.

А тогда мотнул головой на карты, которыми шелестел Черныш, и с насмешливым вызовом спросил:

— Играем вашей колодой?

— Возражать не будешь? — изучающе спросил и он.

— Ради бога! — Мне даже увлекательнее было обескуражить его — его же картами.

— Молодец, — похвалил мэтр. — Играть будем твоими.

Я пожал плечами. Понимал: демонстрирует уровень и снисходительность.

— Ну-ка, ребятки, — это он нашим, заинтригованным. Образовавшим круг. — Не стойте за спиной у юноши.

Я пошел за своими вещами. Со стороны глянул — Учитель что-то усердно пояснял Чернышу. Стало ясно: этот зараза-педагог в курсе некоторых моих «коронок».

Не понимал я, сопляк, что для мэтра «коронки» — семечки. Да и несолидно ему было бы при всех шпионскими данными пользоваться. В поединке со мной, щенком. Учитель мог рекомендовать только одно: не считать меня фраером. Черныш слушал сдержанно, без насмешки в глазах. Настоящий «катала», было чему у него поучиться.

Мэтр достал карты из принесенной мной пачки, чуток поразглядывал их. Небрежно, не столько от недоверия, сколько по привычке. Бросил на топчан...

Играли достаточно долго.

Я решил не спешить, посмотреть, чем будет «кормить» авторитет. Ждал партии три, никогда прежде себе такой пассивности не позволял. Но «кормежки» так и не дождался. Понял, что скорее всего Черныш желает воспитать меня на контригре. Оптимальная тактика, если желательно сбить спесь с задаваки-технаря. Пусть сбивает, глядишь, что-нибудь да проглотит.

Не проглотил волчара. Ни кусочка.

Я и так, и этак. Не лезет. Все выплевывает. Причем без удивления, сдержанно. Время от времени даже одобрительно кивая. Без намека на насмешку.

Наши, обступившие мэтра, наверняка многого не замечали. Некоторым из них я уже «скармливал» неперевариваемые в данный момент трюки. Одним — одни, другим — другие.

С Чернышом не проходило ничего. Ни одной «коронки», ни одного трюка. Даже тот, который был изобретен, как надеялся, мной, вычислился и обезвредился сразу.

Мне бы занервничать. Ведь если Чернышу знаком весь мой арсенал, значит, наверняка его арсенал — шире. По молодости, по недалекости, не занервничал. Может быть, потому, что не проигрывал. Игра была ровной. Партия — за ним, партия — за мной.

И потому еще не нервничал, что обнаружил: обеспокоен мэтр. Не знал чем, да и беспокойство было совсем неуловимым... Так же одобрительно кивал, по-прежнему демонстрировал вежливую, доброжелательную манеру игры. Но... То вдруг обернется, попросит висящего над душой Учителя:

— Ванюша, если не трудно, чуть-чуть правее. Солнце загораживаешь.

То ни с того ни с сего одну из карт вновь примется разглядывать.

— Можем сменить колоду, — с готовностью откликался я.

— Что ты, что ты... — спохватывался он. — Случайная царапина...

Еще бы, не настолько я самонадеян, чтобы играть с ним подготовленной колодой.

Так игра ничем и закончилась. Часа четыре промаявшись со мной, мэтр пожал руку, похвалил:

— А говорят, молодежь — не та.

Я ему не поверил. Радости от того, что молодежь — та, он не получил. И пляжники, надеявшиеся на трепку, не получили удовольствия.

Черныш сложил, собрал карты, потянулся к лежащей в стороне коробке...

Коробку я взял первым. Не потому, что успел сообразить — рефлексы подсказали: что-то не так. Не станет авторитет, пусть даже такой вежливый, как Черныш, сам заниматься такой послеигровой суетой, как упаковывание колоды в коробку...

Коробку взял первым. Рефлекторно. Машинально взглянул на нее. И увидел внутри карту. Забытую, невыпавшую из коробки, когда колоду извлекали... Извлекал Черныш.

Позже и сам пользовался этим наивным, безобиднейшим трюком. Одна из карт застревает в коробке. Якобы застревает. Играешь — без нее. И, разумеется, знаешь, какая именно карта не участвует в игре. Информация очень существенная, особенно если забытая карта — туз. Даже искушенные исполнители, вытворявшие с колодой чудеса, ловились на эту не требующую ни малейшей ловкости примочку. Ведь и претензии в случае обнаружения пропажи не выскажешь. Ну, не выпала... Что поделаешь?

И я тогда претензии не высказал. Перевел взгляд на Черныша и все понял.

Он не отвел глаза. Неожиданно, не так, как прежде — как своему улыбнулся. Приблизился к моему уху и тихо произнес:

— Молоток.

И похлопал по плечу.

...Остается загадкой, как мне удалось выстоять. В игре с таким спецом, как Черныш, «забытая карта» — решающий нюанс. И сам до некоторых пор не мог понять, что помешало ему. До некоторых пор.

Шло время, я помаленьку лишался неоправданной дерзости и добирал опыта.

И со временем понял, что спасло меня тогда. Потому, что помнил карту, которую Черныш умышленно забыл в коробке. Это был туз пик.

...Как-то приударил на пляже за вызывающе собирающей на себе внимание окружающих блондинкой. Длинноногой, с пшеничными прямыми волосами почти по пояс, с гордо-импортным, замаскированным темными очками личиком.

Между прочим, без очков личико оказалось вполне нашим, без особого вызова. Должно быть, обладательница его была в курсе, потому и маскировалось.

Но в эту тайну удалось проникнуть ближе к вечеру, когда солнце село настолько, что оставаться в темных очках стало опасно. Могли принять за незрячую.

Игры не было, вяленько косился по сторонам без всякой надежды нарваться взглядом на что-либо занятное. И обнаружил блондинку. Без волнения. Мало ли их обнаруживается. Все силы кладущих на то, чтобы продемонстрировать — до окружающих мужчин им нет дела.

Так же вяло посозерцал ее. И подумалось вдруг: они же, непутевые, держатся за имидж, который не приносит ничего, кроме скуки. Мужчины, нормальные, не хамы, подойти не рискуют. Имидж никаких надежд на знакомство не оставляет: чего ж на посмешище выставляться...

И эта явно маялась своей неприступностью.

То книгу откроет, через пару минут отложит, то на подстилке вытянется, но долго не выдержит — сядет, то к воде пройдется, волосы поправляя, фигуру демонстрируя.

Понял вдруг: подойду — обрадуется. Взбрыкнет, конечно, для приличия, но, если минуты на три терпением запасусь, подружимся.

С тремя минутами — это лишку хватил. Видать, шибко натерпелась.

— Нет, — первое, что сказал я. — Не подойдут. Могу поспорить.

— Кто? — удивилась она.

— Никто. Глазеть — это пожалуйста. А скрасить девушке одиночество — кишка тонка. Интеллигенты.

— Но ты же подошел? — неожиданно без капризов заметила она.

Сбитый с толку, но обрадованный этим «ты», плюхнулся не на песок, как собирался, а на ее коврик. Пояснил:

— Это от недалекости. И эгоизма.

— Далекие остаются далекими, — несколько тяжеловесно скаламбурила она. Неожиданно перехватывая инициативу, спросила:

— Спортсмен?

— Спортсмен, — согласился я. — Это мое алиби, если окажусь слишком непосредственным.

— Слишком — не надо, — попросила она.

Начало очень понравилось. Сулило хорошее развитие. Но развитие вышло не тем.

Блондинка оказалась не такой незатейливой, какой себя подавала окружающим. Тонкая вполне личность, у которой ноги и волосы — не единственные прибыльные акции. Безработная переводчица испанского языка, конфликтующая с родителями-интеллигентами на почве этой самой безработицы.

Не жалуясь, с сарказмом поведала мне об этом. В ряду других сведений о себе. Как приятелю, который ее ни разу не подвел и на которого много раз полагалась.

Это и подкупило. Поражаясь своей всамделишной непосредственности, сделал предложение. Предложил долю от шулерских доходов. Мизерную, конечно, но регулярную. Мизерную для доходов, но весьма значимую для переводчицы.

Сообщение о профориентации вызвало у нее наивно-романтический восторг. На предложение получать пособие по безработице — сначала горячий протест, потом сомнение, наконец смущенно-молчаливое согласие.

Последнего удалось добиться двумя вескими аргументами.

Во-первых, мне позарез нужен помощник, способный вести хоть какой-то учет финансовых дел. Сам я в бухгалтерской отрасли поразительно никчемен. Если поможет в этой деликатной, хлопотной проблеме, буду премного благодарен. Так что речь идет уже не о пособии, а о реальной работе, которую кому попало не доверишь.

Во-вторых, чтобы ситуация не была с душком, мы не спим. В том смысле, что на моих ухаживаниях ставим крест.

Странно, но и второе условие не показалось мне обременительным. Может быть, потому, что такие ограничения самому себе приходилось ставить не часто. И к тому же, отказываясь от удовольствия близости с манящей женщиной, получал взамен удовольствие от иллюзии собственного благородства.

Общение с Наталией было легким, не обременяющим. Договорились, что она будет появляться на пляже не реже чем раз в три дня, сводить дебет с кредитом, фиксировать текущий счет, получать комиссионные.

Получение поначалу давалось туго, с этическими хлопотами.

Хорош жулик, не способный провести неискушенную переводчицу. Задурил. Даже скандал пришлось устроить по поводу того, что прожиточный минимум шулера — несколько выше общепринятого. Выработал ощущение, что зарплату получает не зря.

Иногда, конечно, посещала мыслишка: захоти она... Договор-то был о том, что крест ставим на моих ухаживаниях. По поводу ее ухаживаний в договоре не было ни слова. Но мыслишка застенчивая, оживающая обычно в те мгновения, когда наблюдал дольщицу загорающей неподалеку, поправляющей пшеничные волосы, прогуливающейся вдоль моря...

Весь этот бухгалтерско-благородный роман — всего лишь канва. Глава как-никак о мистике...

Натали оказалась нашим нефартовым талисманом. Моим и Шурика.

В тот период нас было только двое — корпорация еще не возникла. И к тому же еще не было четких соображений по поводу влияния потусторонних факторов. У меня не было. Шурик в этом смысле сформировался намного раньше.

Именно он и высказался в том смысле, что моя новая пассия приносит нам неудачу.

В течение почти месяца игры у меня не было. Промышляли мы на Ланжероне. Играл в основном Шурик. Я околачивался среди играющих, по возможности «маячил», в перерывах лез с наставлениями.

Именно в этот месяц мне подвернулся тот самый занудный фраер. Которого поначалу выручило «фраерское счастье», а после все же удалось проучить.

Так вроде бы сходилось. Когда тот уцелел, Наталия была поблизости, а после на несколько дней пропала. Но два раза для проверки — недостаточно. И прежде такие выкрутасы с «фраерским счастьем» случались.

Шурик же стоял на своем.

— Ты бы договорился с ней... Встречаться в другом месте, — просил он.

— Плохому «катале», знаешь, что мешает?

— Твоя баба, — бурчал Шурик.

Что-то в его подозрениях было. Например, играя, он мог взглядом подозвать меня, выдать:

— Попроси ее на часок отойти.

— Совсем сдурел! — бесился я. — Она еще и не приходила... Не ищи крайних.

— Она где-то здесь, — уверенно заявлял Шурик. — По раскладам вижу.

Что удивительно, ни разу не ошибся. Натали оказывалась поблизости. Тихонько загорала поодаль. Украдкой. Чтобы не смущать ни меня, ни Шурика.

Я не делал секрета из того, что друг уверен: она приносит неудачу в игре. Рассказывал ей об этом с насмешкой и сам не веря, и от нее требуя, чтобы не воспринимала всерьез. Но она все же деликатничала. Старалась подольше не попадаться Шурику на глаза, не подрывать психически.

Конечно, это были капризы не особо блещущего мастерством приятеля. Хотя как-то же угадывал он ее присутствие...

В последнее время на Ланжерон зачастил неизвестный мне до этого исполнитель. Принялся шерстить местную публику.

Ланжерон славился «лобовой», бестрюковой игрой. Шулеров тут не жаловали, потому я и оказался без игры. Так-то все уважали, но играть... Уворачивались.

Этот новенький держится грамотно простачком. Но вижу, руки — очень приличные. Трюки не бог весть какие сложные, но выполняет аккуратно, чистенько.

Немолодой уже, неприметный. Серенький такой мышонок, с внешностью сантехника, не злоупотребляющего спиртным.

Откуда он взялся, догадаться было несложно. Свои привели, парочка местных пляжников, и один молодой бородач, тоже из новеньких. Не значит, что все они держатся компанией, но, если присмотреться, можно заметить: партнеры.

Странное содружество: двое пляжников — насколько я знаю, грузчики с Привоза, бородач — играет сам очень сильно, но без всяких фокусов. Слух прошел, что кандидат наук, и по манере держаться, да и по игре похоже.

Сантехник знай себе обыгрывает ланжеронских под одобрительные взгляды бородача и грузчиков.

Жалко хлопцев: в заповеднике когда-то начинал, все — в приятелях. Мало ли что со мной не играют. Все равно обидно.

Шурику запретил с новеньким играть. Сантехник — еще та штучка. Шурик-игруля, списывающий исполнительскую бездарность на очаровательную переводчицу, для штучки — лакомый кусочек.

Пробовал, конечно, водопроводчика сам подцепить, в игру втянуть. Не дался.

— Что вы?! — заулыбался. — Рано мне еще. Я — новенький, а с вами и дедушки не играют. Боюсь.

Вот шельма! И понимает же, что все вижу. Все, что он вытворяет. Но уверен, не вложу. Значит, и сам с понятиями. Наши — тоже кролики. Нашли кого предостерегать. На свою голову.

Проходит месяц.

В конце дня мы с Наталией дожидаемся, когда Шурик закончит последнюю «пулю».

Сантехник отзывает меня в сторонку и сам предлагает игру.

Я растерялся, насторожился. Понимал, что неспроста. Но предложение очень безобидное. Завтра встретимся пораньше, часов в девять утра, и он с удовольствием у меня постажируется. В деберц. Для начала по пятьсот рублей за партию. Нахалюга...

Соглашаюсь, разумеется.

Поделился новостью с Шуриком, тот задумался. Потом выдал:

— Я бы не играл.

— Почему?

Он неопределенно пожал плечами:

— Плохое предчувствие... — И вдруг поинтересовался у Наталии: — Завтра с утра будешь?

Та растерялась, не успела ответить, я вмешался:

— Совсем обалдел! Те или что-то удумали, или просто оборзели. А этот — опять за свое! — **И тоже** повернулся к девушке: — Чтобы завтра с утра была на пляже... В девять — как штык!

Шурик от дальнейших советов воздержался.

Взялись ловить такси для Наталии.

— Вообще-то я со своими погрызлась, — неожиданно сообщила она. Смущенно.

— Ну?

Что я нукал? Все же понятно. Самое время оставить ее у себя. Конечно, это еще не означало нарушения пакта, но смущается же неспроста.

— Достали... Соседи видели с тобой, родителям рассказали... Сам понимаешь.

— Ты это... родители как-никак... Попробуй наладить отношения. А завтра посмотрим.

Конечно, «завтра посмотрим»... Потому что сегодня у меня намечались гости... Гостья.

Попридержу язык эротического повествования для записок другого жанра. Выражусь сухо и нескромно: ночь была бессонной.

Нескромность необходима для того, чтобы хоть как-то оправдать последствия. А они оказались чреватыми...

Я проспал. Целых два часа. И как проспал!..
Похоже, без некоторой детализации событий все же не обойтись. Гостья, из-за которой вынужден был увернуться от общения с долгожеланной дольщицей, у которой и преимуществ перед последней было только одно — предупредила заранее — представляла из себя весьма экзальтированную леди. В это наше рандеву приспичило ей свои фантазии выигрывать в

карты. Как не уважить? Какая разница, кому сдавать выигрышную карту. Пошел у изощренки на поводу...

В некое подобие сна провалились перед самым рассветом. Встать предстояло в восемь. Будильник никогда не ставил, да и ни к чему он. Внутренние часы до сих пор не подводили. Почему до сих пор? И в этот раз не подвели.

Выхваченный из сна привычным ощущением: «Пора!», глянул на часы. Что за чертовщина: шесть часов!

Закрыл слипающиеся веки, прислушался. Часы тикают. И, радуясь отсрочке, провалился в дремоту.

Когда через некоторое время вновь взглянул на часы, стрелка по-прежнему показывала шесть.

Сел, глупо протер глаза. Навел резкость... Стрелка оказалась тузом пик. Тем, который в центре карты, перевернутый, указывает вниз.

Вечером, ночью, закончив игру, последнюю, за которую и рассчитаться толком не смог, отшвырнул колоду на столик. Карты рассыпались, и одна встала «на попа», закрыв циферблат часов. Пиковый туз указывал туда, где должна быть шестерка, вниз.

Понимал, чем чревато мое опоздание... Потому что как облупленного знал Шурика.

Результат скорости одевания и перемещения в направлении Ланжерона показал удивительный. Но когда выскочил на пляж, увидел сидящих друг против друга Шурика и сантехника, понял, что опоздал.

Вот оно.... Рано или поздно, туз пик должен был себя проявить.

Можно было уже не спешить.

С виду вальяжно, а на самом деле обреченно приближался к их топчану и видел, что с той стороны, от моря тоже к топчану навстречу мне идет сияющая Наталия. И чувствовал себя самонадеянным кретином.

Потому что Шурик оказался прав: и договариваться вчера не следовало, и переводчица — к неудаче.

К топчану мы с ней подошли одновременно.

— Привет! — радостно поздоровалась Наталия.

— Привет... — поздоровался я. И с ней, и с сантехником-везунчиком, и с Шуриком. Наверное, в первую очередь с Шуриком, потому что голос мой прозвучал виновато.

— Вы... Ты здесь? — Шурик очень удивился переводчице.

Ну конечно, теперь будет на кого списать поражение. Вот зараза, меня — как и не заметил.

Но и сантехник обернулся не ко мне — к Наталии. И тоже выдал почему-то испуганно:

— Вы тут?

— Куда я от него денусь! — на мой взгляд, высокопарно отозвалась дольщица и, обойдя топчан, обняла меня за талию.

Ничего не понимая, покосился на нее сверху вниз. И увидел, что она показала язык. Проследил за направлением, которое указывал кончик, и обнаружил бородача кандидата. Тот сидел в пяти топчанах от нас и выглядел взъерошенно-испуганным.

Я чувствовал себя полным идиотом, но на всякий случай спросил у сантехника:

— Играть, как я понимаю, уже не захотите?

— Захочу!.. — капризно, как ребенок, которого незаслуженно обидели, взвизгнул он. — Только поздно пришли...

Еще бы! Спасибо, что разъяснил.

Вдруг сантехник принялся извлекать из карманов деньги. Из брючных, из нагрудных. При этом время от времени почему-то обиженно поглядывал на Наталию. Выложил на топчан целую кучу, начал долго считать. Я с беспокойством наблюдал за его странными манипуляциями. Он сосчитал все. Снова бросил сердитый взгляд на мою женщину, сообщил Шурику:

— Семь четыреста... Еще шестьсот, так?

Шурик кивнул.

— Завтра принесу, можно?

Шурик снова кивнул.

Я чувствовал себя нездоровым. Может, не выспался?

Сантехник поднялся с топчана, собрал вещи. Прежде чем отойти, истерично заметил Наталии:

— Вы же обещали... Как не стыдно!..

— Что ты обещала? — глупо спросил я.

— Да пошли они, — беспечно отозвалась радостная дольщица.

— Докладывай, — я присел на топчан к Шурику. — Что произошло?

— Не знаю... — Шурик внимательно и странно посмотрел на Наталию, добавил: — Понятия не имею...

Я перевел взгляд в сторону. Туда, где переваривали поражение грузчики, сантехник и бородач.

Грузчики, нарвавшись на взгляд, смущенно отвели глаза. Бородач с недобрым прищуром глядел на нас.

...Он все и прояснил. Позже, став третьим членом нашего содружества, к которому вскоре прибавился и мастер-шахматист.

...У них была своя банда, скрепившаяся вокруг жулика-сантехника. (Он, кстати, не был сантехником, трудился кладовщиком в стройуправлении.) Находили тихие заводи. Судак-кладовщик талантливо маскировался под пескаря. Сам кандидат — чистый аналитик, мозг банды. Грузчики — ни рыба ни мясо, но как прикрытие очень неплохи. Когда попали в заводь — Ланжерон, математик скоро вычислил, что меня надо остерегаться.

Все бы ничего, если бы не Наталия...

Бородач-аналитик параллельно с Шуриком, но сам по себе обнаружил зависимость: когда девушка появляется на пляже, у кладовщика начинаются проблемы. Только математик пошел дальше Шурика. Он проанализировал наблюдения и вывел закономерность. Наталия приносит неудачи шулерам.

Этот случай был не первым в его опыте, поэтому отнесся к обнаруженной закономерности серьезно.

Шурика — неумелого, но шулера, пронаблюдал в игре. Фиксировал приходы, уходы, даже опыты ставил: подбросил мне фраера-зануду. Гипотеза подтвердилась.

Члены банды к изыскам мозга-аналитика отнеслись скептически. Но не особо возражали. К тому же их исполнитель тоже имел некоторый опыт суеверий. Не такой осмысленный, как у мозга, но... Особо не возражал. Не возражал против того, чтобы наш с ним поединок состоялся в присутствии Наталии. Если уж он состоится.

Бородач считал наличие Наталии обязательным условием. Накрутил заговорщиков, что она — гарантия успеха.

В тот вечер случайно услышал у телефона-автомата, как девушка предупреждала подругу, что с утра, с девяти, будет на Ланжероне. (Как понял математик, рассчитывала прибыть вместе со мной.)

И банда начала комбинацию.

Игру назначили на девять. Когда я не пришел, растерялись. Это рушило планы. Тем более что девушка уже прибыла. Тогда было решено не упускать момент, взяться за Шурика. Психология друга для аналитика давно не была потемками. Что полезет в игру, пользуясь моим отсутствием, сомнений не было. Так и получилось. Но надо было нейтрализовать Наталию. В новом плане место на пляже ей не предусматривалось. Сначала сам математик предложил ей заманчивый гонорар за то, что та привезет какую-то особую колоду, с поселка Котовского. Он оплачивал проезд на такси в оба конца. Давил на то, что коллекционирует колоды и получил сообщение о редком образце. Сам отлучиться не имел возможности: назначил здесь важную встречу.

— Зачем мне ваши деньги, у меня у самой здесь важная встреча, — ответствовала девушка.

Ее упрямство было очень некстати. Вступили грузчики. Сыграли пьяниц-ловеласов. Не помогло. Отвергла. Тогда украдкой пригрозили. Постарались нагнать ужаса. И вроде бы нагнали...

Шурик поведал, что присутствие Наталии и его смущало. И он порадовался, когда она, собрав вещи, направилась с пляжа. Конечно, если бы обратилась к нему за помощью, поставил бы ловеласишек на место. Но она не обратилась: знала, что Шурик ее не жалует.

Просто отыграла уход и вернулась, подойдя со стороны берега, вдоль моря. Устроилась неподалеку, скрытая крайним рядом топчанов.

Выигрывая, Шурик свой успех объяснял отсутствием Наталии, сантехник и компания объяснений не имели. Игра-то была с полулохом Шуриком. Ставился под сомнение авторитет аналитика-главаря.

Когда в конце концов прояснилось, что решающий фактор оказал-таки свое влияние, авторитет кандидата взмыл, но он, просчитывающий и излишние варианты, заподозрил, что кладовщик вступил с нами в сговор.

После случившегося пошел на сближение с нами, чтобы проверить догадку. Догадка не подтвердилась, но это уже не имело значения. Банда, подорванная неудачей и недоверием, распалась.

Кандидат примкнул к нам. И надо признать, для нас это было удачное приобретение.

— Как же можно было так опоздать!? — в сердцах, беззлобно вопрошал бывший противник-интриган. — Пришел бы вовремя — теория бы подтвердилась.

— На вашу теорию мы припасли свою, — ответил я и поведал ему и Шурику о выручившем нас пиковом тузе.

Потом, заранее зная ответ, но желая получить удовольствие от его озвучивания, спросил у Наталии:

— Чего ж ты не ушла с пляжа? Просили же люди...

— Еще не хватало, чтобы я их слушалась... Мы же договорились. Как можно было так проспать? Такой сон обычно у тех, кого не мучает совесть...

Глава 16

О БЛАГОРОДСТВЕ

В каждом из нас, даже в самом подлянистом, смирившемся с подлостью, живет потребность в благородных поступках. Своих, конечно.

Другое дело, что возможность эти поступки совершать весьма ограниченна. Ни денег, ни ситуаций подходящих, ни публики благодарной. Нормальному гражданину, вздумавшему проявить себя на поприще благородства, не развернуться.

Шулера — везунчики. Их поле деятельности — благодатная почва для реализации этой человеческой слабости.

Потому и пестрят произведения о шулерах эпизодами, полными благородства. И писатель реализует скрытые фантазии, и читателю — бальзам на душу.

Не хочется и мне своего читателя огорчать. Да и незачем. Все правильно.

Не доводилось встречать ни одного шулера, который бы не выкинул, хотя бы самый махонький, самый завалящий благородный фортель.

Другое дело, что каждый из них, шулеров, будучи совершенно не против того, чтобы поступок стал широко известен, чаще всего о нем помалкивает. Наверняка с тоской. Этими фортелями не принято задаваться.

Репутация благородного жулика весьма актуальна и для тех, у кого совесть, как удачная жена — не скандальна и ко всему привычна, кто отличился на поприще бессовестности. Так сказать: «Обойдусь без необходимого, но не обойдусь без лишнего».

В чем отличие благородного поступка от поступка нормального, совершенного просто по совести? Думаю, только в необязательности. Благородный поступок имеешь право и не совершать; претензий со стороны морали не будет. Конечно, со стороны своей морали.

Так что каждый раз, когда наработавшийся, утомленный «катала» прощает фраеру хоть часть проигрыша — он поступает благородно.

Каждый раз, когда «катала» по какой-либо уникальной причине отказывается играть с фраером, уже готовым к употреблению, — он поступает сверхблагородно.

Каждый раз, когда «катала» по какой-либо уж совсем фантастической причине решается фраеру проиграть, — он поступает... Этот поступок названия не имеет. (В последнем случае — насчет «каждого раза» — погорячился. Поступки, не имеющие названия, встречаются крайне редко.)

Возможности проявить себя ограничиваются не только «выигрышами-проигрышами». И в окрестностях мира игры предостаточно поводов...

Регулярно в Одессу наведывался николаевский

бизнесмен. Интеллигентный, горбоносый еврейчик. Мелкий торговец книгами. Нахальный такой торговец. Нахальный и настойчивый.

Нахальный потому, что в каждый свой приезд непременно отмечался на пляже. Безрассудно лез в игру. Проигрывал, впрочем, с оглядкой, не все до копейки. Такая традиция у него сложилась: оставлять навар одесским пляжникам.

Почему настойчивый?.. Потому что настойчиво заявлялся на пляж с тяжеленной сумкой, полной книг. С пляжа возвращался не только без денег, но и без сумки. Сумку у него непременно крали. Не помню ни одного случая, чтобы он явился без сумки, и не вспомню, чтобы ушел с ней. Вот такая преданность привычке.

Теперь — о том, кто крал. Витька Барин — жилистый, белесый, пожилой жулик с лицом несколько надменным, изможденным глубокими морщинами, ироничным. Витька был из тех, к кому я относился с симпатией, на кого, без сомнения, мог положиться. Несмотря на внушительное тюремное прошлое (восемь «строгого»), Витька успешно освоился с уставом вольной игры. Был вполне уважаемым «каталой». Но время от времени подрабатывал и по своей побочной специальности. По случаю приворовывал.

Дались ему эти сумки... Может, тоже настойчивость демонстрировал? Во всяком случае крал усердно. Даже другие дела откладывал по случаю визита николаевского.

И ведь после второй попытки мог уже успокоиться. В сумках оказывались только книги, и то такие, которые на лотках не брали. Какая-то мистика, философия... Сбрасывал сумки в сарай (жил в частном доме) и в следующий приезд снова шел на дело.

Нравился мне этот момент... когда бизнесмен игру заканчивал.

Расплачивался, аккуратно, деловито пересчитывал оставшиеся деньги, прятал бумажник... И начинал шарить рукой под топчаном. Потом усаживался на корточки, заглядывал под топчан, сокрушенно произносил:

— Ну вот. Опять.

После этого вежливо пожимал партнерам руки и налегке направлялся к лестнице. Хрупкий, интеллигентный, сосредоточенный.

Однажды бизнесмен забыл бумажник в сумке. (Говорю же: нахальный.) Барин привычно сумку спер. И обнаружил в бумажнике стопку пригласительных. На свадьбу бизнесмена. На ближайшую субботу. (Дело было в пятницу.) Когда в этот раз интеллигент сунул руку под топчан, он с удивлением наткнулся на сумку. И с удивлением обнаружил вокруг топчана и за ним целый штабель пропавших сумок. Наполненных книгами. Рассчитаться в этот день ему было чем, потому что деньги оказались на месте, в бумажнике.

Понравился мне и этот момент. Несмотря на то что всем нам пришлось помогать. Сумки до такси тащить...

Не знаю, этот пример из разряда благородных или — курьезов?..

Следующий — точно показатель благородства... Еще и потому, что исходил от Маэстро...

Освободился из нашей, одесской тюрьмы знатный авторитет. Карточный авторитет. Я его и не знал по молодости. (Сел до моего карточного совершеннолетия.) Слышал, правда, о нем, но слухи не были такими уж поражающими.

Появляется на пляже... Коротко стриженный, с запавшими глазами, злобный. На топчане сидит рационально, по-тюремному, скрестив ноги и опустив плечи. Картами шелестит.

С ним женщина. Под стать ему, из тех, которые ждут не слишком преданно, но дожидаются. Может быть, потому, что больше никому не нужны. Из тех, кто в жизни во всем подражают милому.

Оба — подпитые, бутылка початая — между ними, на топчане. Авторитет что-то брезгливое сквозь зубы цедит, женщина с готовностью подхихикивает.

Омерзительная картинка.

Помаленьку фразы наливаются громкостью и слышно, как милый поносит окружающих. И их «фраерское счастье».

Тут появляется Маэстро.

Они, конечно, знакомы, здороваются за руки, общаются. Явно есть что вспомнить. Общее. И Маэстро выпил.

Дальше обнаруживается, что этот злобный уже поносит Маэстро. Снисходительно похлопывает учителя по плечу, громко, чтобы мы все слышали, поучительно излагает:

— Фраер — он и есть фраер!.. Это тут, среди них ты — крупный фуцын, а на зоне... На зоне — игра серьезная. Не мне тебя учить...

И бабенка его хмельная, знай себе хихикает.

Маэстро кивает, пресс денег достает.

— Бабки тебе не помешают, — говорит. И жертвенно соглашается: — Ладно, выигрывай.

...Как эта баба причитала, в ноги Маэстро бросалась. После того, как он нефраера на нереальные сотни тысяч нагрузил. Как умоляла не губить.

Тот, надо отдать должное, сидел в той же позе и так же зыркал глазами. Только теперь уже по поводу фраеров и фуцынов не высказывался. Молчал. Только с зоны, понимал: «фуфлыжник» — хуже опущенного.

Маэстро долго не реагировал. Сидел, тоже по-турецки скрестив ноги, тасовал колоду и со снисходительной нежностью взирал на лысого.

Потом встал, молча одним движением разорвал несколько карт. И стало ясно: долг прощен.

Направился к нам. Подойдя, заговорил в своей ернической, игривой манере. О чем-то несущественном, о том, как вчера отмазывали у ментов Душмана, помочившегося на колесо милицейского «бобика».

И больше не смотрел в сторону разом стихшей, засобиравшейся женщины и спасенного ею авторитета...

Как не вспомнить историю с Сашей?

Впервые увидел Сашу на пляже. Коляску его катил молодой парень, вида шустрого и преданного, рядом преданно тоже семенила маленькая рыжая дворняжка с загнутым кверху хвостом. И первое, что подумал, это то, что когда-нибудь Саша на коляске с пацаном этим и дворняжкой преданными и будет мне вспоминаться, как символ времени.

Сашу любили. Пальцы его, тонкие, нервные, в перстнях; зрачки — огромные, проникающие, не смирившиеся — завораживали.

Так вот, когда один из вполне матерых игроков попытался отказаться от своего проигрыша, оставшись должен Саше, такая бригада неожиданно даже для Саши встала против матерого, что... Я за своих гордостью проникся. Ведь и те встали, кто всегда отсиживался, кто славился скользкостью.

Хочется и о себе что-нибудь вспомнить. Пофорсить.

Дело было не в Одессе — в приодесской курортной зоне.

Побережье тревожили две юные особы, эротического, журнального типа. Особы эти прибились на время к нашей компании, но чего-то поотвергали всех. Чем-то или кем-то, похоже, напуганы были. От-малчивались.

На следующий день после их неприживания под-бегает на пляже одна, нервно просит помощи.

Надо сказать, что побережье было возбуждено и еще одной парой: уголовничков шварценеггеровского типа.

Парочки пересеклись: уголовнички нагнали жути на журнальных.

Отказать было противно, не уснул бы потом.

Подхожу к их подстилке, на которой по-хозяйски восседают эти типы. Один сразу жужжать начал, «на дух» брать. Другой работал под своего парня.

— Ну что ты, — говорит приятелю. — Может, ниче парень, — про меня, — может, в карты играет.

Банальный трюк склонить жертву к игре.

— Чего ж, — говорю, — нет!

— Почем играем? — сразу потеплели оба.

— На нее.

Что оставалось делать? Хотя и не был уверен, что получу выигрыш.

Крепко озадачены были хлопцы.

Приятно было отвести особ к пансионату, в кава-леры больше не набиваясь. И их, неприступных вчера, озадачить.

Благородство не в том, что выручил (что остава-лось делать?) — в том, что в кавалеры не подался. Шансы, думаю, были.

...Но подмывает рассказать другую историю. Под-мывает, но не расскажу. Чтобы не повторяться. Я уже вставил ее в главу об аферистах-картежниках в про-шлой книге. В «Одессе-Маме». Сейчас даже несколь-ко жалею об этом. Там бы сгодилась и любая другая история о нравах «катал». Зато тему благородства в этом опусе лучше, чем тем эпизодом, не проиллю-стрируешь.

Напомню хотя бы, о чем там была речь.

Я не был свидетелем происшедшего, передам с чужих слов.

Историю мне поведал друг, пятидесятипятилет-ний актер, который был безукоризненным в амплуа добрых министров сказочных капризных королей.

Немного о нем.

Когда-то в Одессе О.П. Табаков пытался органи-зовать театральную студию. Предполагалось, что дру-гой артист будет преподавать в ней мастерство актер-ское.

Ничего путного из затеи не вышло, но Валерий Иванович (этот самый артист) из поступавших ребят создал студию свою.

И совсем уже случайно в ней оказался я.

Сначала была принята девушка, к которой я имел некоторое отношение, и однажды мне, дожидавшему-ся ее после репетиции, было предложено попробовать себя в роли.

Много позже, когда мы с Валерием стали друзья-ми, выяснилось: почему мне была предложена роль.

Как-то другу-режиссеру пришлось возвращаться из Мурманска. С гастролей. Настоящих, театральных. Он выехал на два дня позже труппы; задержался на съемках эпизода фильма...

В общем, вот она, история, рассказанная им и уже пересказанная мной. Вот она в законспектированном виде...

Возвращаясь поездом из Мурманска в Одессу, мой пожилой друг стал свидетелем и даже участником не-которых картежных перипетий. Волей судьбы он ока-зался попутчиком двух шулеров, промышляющих в поездах. Зная, что вмешиваться в их взаимоотношения с лохами бестактно, он наблюдал за событиями со стороны, со своей полки.

Вмешиваться-то он права не имел, но кто мог отнять у него право иметь свое отношение к происходящему?.. А отношение оказалось весьма переменчиво.

Сначала жулики «хлопнули» молодого умника, направлявшегося в Одессу прокучивать средства папаши — лауреата премии. В данном случае процесс облапошивания показался артисту педагогически оправданным.

Следующей жертвой аферистов стал молодой конопатый парень, подводник. Этот наивный пацан вызвал у артиста, оказавшегося в данный момент в роли зрителя, сочувствие. Зритель даже попытался горемыку предупредить. Проку, впрочем, от его предупреждения оказалось немного. Конопатый, растроганный участием, пооткровенничал, что без денег вернуться не имеет права, так как из-за них он и шастал по глубинам в течение двух лет. «Растроганный» продолжил играть. Пока его не обобрали подчистую.

На роль третьей жертвы поездных ловкачей с самого начала своего появления в купе стал претендовать новый их попутчик, подсевший в Петрозаводске.

Это был еще тот тип. Здоровенный, нахальный, корчащий из себя умника. Конопатого добивали у него на глазах, и это его не то чтобы не тронуло, а как будто даже привело в отличное расположение духа.

Артист возненавидел новичка с самого начала. Тот производил на него примерно такое же впечатление, какое производил бы «клоун на похоронах».

Когда обобранный морской волк с грацией зомби покинул купе, Кеша, новый попутчик, принялся умничать перед дружками-мошенниками и даже пообещал преподать им пару уроков игры.

А мой приятель артист, человек не просто добрый, а какой-то даже всепрощающий, вдруг страстно возжелал, чтобы этого хама проучили. Выиграли у того все, до копейки. (Хам уже успел пофорсить, что везет с собой с лесозаготовок двенадцать тысяч. Это в восемьдесят втором году.)

И уже по ходу игры желал этого все больше и больше, пока не понял, что Кеша не подарок. Кеша аферистов обыграл. И, издеваясь, преподал обещанные уроки.

К концу игры артист уже был на его стороне. Слишком неожиданным оказалась для него метаморфоза. Превращение пустозвона-хама в матерого шулера.

Артист даже рискнул предупредить Кешу, когда горе-мошенники попытались отбить свои кровные боем. Риск привел к нокауту и к тому, что Кеша одарил пожилого попутчика своим расположением. На ночь глядя Кеша даже поведал своему спасителю душещипательную историю своей семейной жизни. Пооткровенничал, что пять лет вкалывал на лесосеке, чтобы заткнуть рот теще и доказать, что он способен добывать деньги не только игрой. Позже Кеша похвастал перед артистом и снимком, на котором были запечатлены его жена и сын. Беззубый мальчуган и молодая красивая женщина с удивленным и несколько утомленным жизнью лицом. Кеша вообще обнаружил предрасположенность к сентиментальности. Он, похоже, спал и видел, как швырнет родне пресловутые тыщи, как войдет в детскую, как сын, который «весь в него», подаст ему руку.

Но отношению артиста к тому, что он слышал и наблюдал, предстояло меняться еще не раз.

Когда на следующий день, конопатый подводник заявился в купе, ведомый надеждой отыграться, (вспомнил, дуралей, что у него есть кольцо, которое везет любимой)... Так вот, когда артист увидел его физию, возникшую в проеме двери, он, артист, озарился наивной идеей: уговорить Кешу проиграть мореходу две тыщи. Те, которые транзитом через карманы шельмецов попали к Кеше.

Кешу идея, конечно, рассмешила. Он, впрочем, идя навстречу просьбе, согласился на игру. И, конечно, пацана добил. Да еще в присутствии зазнобы, которую успел подцепить в вагоне. Красуясь перед ней, он изъявил готовность прикупить и лежащее на столе опустевшее портмоне подводника, и фотографию, уголок которой торчал из него.

Но фотографию, бестактно вытащенную на свет божий, Кеша так и не прикупил.

Она оказалась тем самым снимком, который он давеча показывал артисту. С женой и сыном. Только теперь уже непонятно чьими.

Кеша, нарвавшийся на такой сюрприз, сымитировал приступ кашля и покинул купе. В его отсутствие артист выведал некоторые подробности у конопатого лоха.

Тот, оказывается, за время отсутствия Кеши увел у него и жену и сына. Вот тебе и недотепа...

Разбираться в своих ощущениях, которые вызвала у него пикантная ситуация, артисту не довелось. Потому, что ситуация стала еще пикантней.

Кеша сентиментально проиграл удачливому сопернику не только навар, которым разжился в поезде, но и свои пресловутые двенадцать тысяч.

Обставить эту проделку убедительно, труда для него не составило. Шулер все-таки. Зато каких трудов стоило артисту переварить происходящее.

Последний, рассказанный им эпизод этой истории, обнаружил явное несварение...

«...В Одессе мы были в два часа дня.

Поезд уже стоял у платформы, но Кеша выходить не собирался. Спешить ему теперь было некуда.

Когда наконец все вышли, Кеша криво усмехнулся, поднял чемодан, но вдруг медленно опустился на сиденье.

Я проследил за его взглядом и догадался.

Напротив нашего окна, держа за руку беззубого мальчугана, стояла молодая красивая женщина с удивленным и несколько утомленным жизнью лицом. Малыш что-то восторженно сообщил ей. Я увидел, как конопатый парень, часто бывавший у нас в купе, подошел к ней и смущенно поцеловал в губы. Я видел, как малыш совсем по-взрослому протянул ему руку, и она утонула в ладони конопатого. Я перевел взгляд на Кешу и заметил, как цепко пальцы его сжали край нижней полки.

— Ну и погода, — услышал его голос. — Думал позагораю. Не фарт.

И он стал ощупывать замки на чемодане...»

Вот такую историю поведал мне когда-то пятидесятипятилетний друг-актер, играющий добрых министров глупых сказочных королей. Заинтересовался, предложил роль, потому что узнал: карты — моя профессия. (Дамочка выболтала.) Под впечатлением этой самой истории и заинтересовался. Признался, что атмосфера мира карт манит его. Потому что это... Театр... Театр жизни. И он завидует тем, кому довелось играть в этом театре.

Судя по описанию, героя рассказа я знал. Знал за нормального, звезд не хватавшего игрока. Середнячка. Знал раньше. С некоторых пор он перестал появляться среди нас. И в этот момент я пожалел об этом. С удовольствием при встрече порадовал бы его тем, что происшедшее наконец вскрылось.

Вот, изложил на скорую руку историю, которая подтверждает: игра в благородство — одна из самых популярных в среде «катал». Изложил и вспомнил еще одну. Подобную. Привести, что ли, и ее?..

Я — ШУЛЕР

Это история скорее из житейской, чем игровой биографии Людвига.

Людвига я знал давно, еще тогда, когда у него была кличка Гном. До карьеры картежника он тоже был спортсменом. Начинали мы примерно в одно время. Но ремесло «каталы» давалось ему медленнее. Мы не то чтобы дружили, просто были в приятельских отношениях. Не раз на пару приударяли за пляжными подружками. Но в глубине души я относился к ровеснику снисходительно. До тех пор, пока не узнал об одном из его любовных похождений. Узнал от самого Людвига-Гнома. Он рассказал мне эту историю, посмеиваясь, как курьез. Но я тогда представил ее до деталей. И вспомнил сейчас....

У Гнома затянулась тогда полоса неудач. И игровых, и житейских. Все было ни к черту. Прибыльных встреч не случалось все лето. Приличных фраеров перехватывали другие, более опытные ловцы-коллеги, которые по причине неурожайного сезона не желали делиться с молодняком. Дважды ввязавшись в крупную игру, Гном нарвался на гастролера-исполнителя. Особо не пострадал, но понервничал прилично.

В этот же период его отец, известный в Одессе аферист (протестующий против того, чтобы сын шел по его стопам), прокололся на комбинации. Терпилы, оказавшиеся московскими авторитетами-уголовниками, наехали на кинувшего их родителя Гнома. Чтобы остаться хотя бы при жизни, и своей и родных, глава семьи вынужден был продать все, включая квартиру.

Родители арендовали дом на Фонтане, Гном, отделившись от них, снял однокомнатную квартиру в городе.

За полгода до этого напарник Гнома, взяв у него деньги на раскрутку, подался в Якутию. Обещал выслать деньги из первых же заработков. Но за полгода даже ни разу не дал о себе знать. Кто-то из игроков, вернувшихся с отработок, привез новость: напарник спился.

Пометавшись, как зафлаженный, по черной полосе жизни, Гном избрал выход, достойный уважения и сочувствия. Решил завязать.

Вбил себе в голову, что для нормальной жизни в первую очередь нужна квартира, и поставил задачу: заработать на собственное жилье. Заработать без игры.

Миленькая задачка во времена, когда инженеры получали сто, а однокомнатные квартиры стоили восемь-десять тысяч. Непосильная задачка для молодого человека, относящегося к ста рублям, как к ставке при перетемнении в покере.

Гном подался в грузчики. Почему-то решил, что в Одессе это самое прибыльное времяпрепровождение. Поддался влиянию расхожих слухов. Впрочем, в то время, возможно, так оно и было.

Во всяком случае, один из сомнительных знакомых Гнома, специалист по различным житейским услугам, сумел устроить его в элитную бригаду портовых грузчиков. И кроме этого, время от времени подбрасывал отщепенцу-«катале» внеурочные, в виде судна, пришедшего в Ильичевск.

Этот же специалист познакомил Гнома с женщиной, которая, по его уверению, никак не должна была сказаться на бюджете накопителя.

Для Гнома, привыкшего сорить деньгами, особенно в процессе обольщения, это было немаловажно.

Гном с женщиной сразу нашли хоть и циничный, но общий язык. Друг от друга им нужно было одно и то же: пару раз в неделю отводить душу и все остальное. Причем слово «душа» в последнем предложении можно было бы и выправить.

Они встречались дважды в неделю.

Гнома поначалу такая манера взаимоотношений

сбивала с толку. До сих пор его любовные похождения не обходились без романтических выкрутасов. Но почти сразу же романтик-ловелас признал и удобство такой манеры.

Закончился этот его бездушный роман весьма огорчительно.

В одно из свиданий барышня проговорилась, что тоже копит деньги. Подрабатывая прачкой по частным заказам. Впрочем, проговорившись, спохватилась. Особо распространяться на эту тему не стала.

От приятеля-устроителя Гном узнал, что его зазноба одержима идеей выйти замуж за какого-то лоха-военного, ради которого готова уехать из Одессы. Уверяла, что любит того. Может, и не врала, но чувство ее к фраеру-милитаристу произросло явно от безысходности. Одесские женихи имеют обыкновение перебирать харчами. Присматривать себе суженых среди барышень с приличной репутацией.

Для переезда и замужества нареченной служивого требовались тысячи три приданого.

Делясь со мной подробностями этой досадной истории, Гном и сам не мог уразуметь, чего вдруг его понесло в непроходимые романтические дебри.

Он всучил все накопленные деньги этой сомнительной особе. И как всучил... Добыл через дружка адреса ее клиентов-грязнуль, и за две недели те порциями выплатили прачке якобы от себя переданные Гномом премиальные. Три тысячи рублей.

И все же одной из версий: зачем ему это было нужно, Гном со мной поделился. Оказалось, он вздумал проверить, так ли уж цинично относилась к нему эта искушенная штучка.

Должно быть, перечитавши О. Генри, просчитывал невероятное продолжение: что она изыщет способ всучить деньги ему. Даже запоминал номера передаваемых ей купюр. Но память засорял зря.

Барышня оказалась вполне искренней. И именно такой, какой, не маскируясь, представила себя с самого начала. Циничной, а не сентиментальной. Заполучив жертвоприношение Гнома, потерялась.

Позже Гном несколько раз встречал ее в городе, но только однажды в обществе военного. Американского моряка с пришедшего в порт корабля.

После того как еще не ставший Людвигом Гном, посмеиваясь, рассказал мне эту курьезную историю, я его не то чтобы зауважал... Но с тех пор, если случалось на пару обхаживать пляжниц, я невольно косился мыслями на Гнома. Опасался промельктешить в его глазах. Испортить о себе мнение. Мне оно стало важно...

А вот всплыла в памяти еще одна история...

Рассказ поведу от лица барышни-курортницы, которая в это приключение влипла.

«...По узкому проходу между пансионатами выходим к морю. Справа от прохода, у самой воды, наша вчерашняя компания. Эпицентром в ней мой давешний несостоявшийся поклонник. Держит в руках газету. Взгляд вроде только-только оторвал от нее. Нарываюсь на этот до угрюмости серьезный взгляд. Киваю. И он кивает угрюмо-серьезно. Странное лицо у него. Без единой округлости. Все резко, терто. В лице есть все для того, чтобы его боялись. Но почему-то не страшно. Угрюмая, задумчивая усмешливость в нем. Задумчивость и усмешливость не опасны.

Компания у них пестрая. Вчера днем один из них (сказал, что врач, хотя для врача ущербный больно) зацепился с Зойкой. С подругой. Та клюнула на «врача». Потащились вечером на дачу к ним. Сидели у лимана, у костра. Гитара была, вино известковое. Зойка набралась. Врач анекдоты гадливые рассказывал. Девки две еще были, пошлые. Хохотали. И Зойка хохотала, напившись.

Приятно изумляло, что никто не лез, не ухаживал. Только этот, заостренный и угрюмый, насмешливо глядел. Но даже в бликах от костра лицо его не пугало.

Потом отчего-то (оттого, наверное, что трезвая была) потянуло на причал. Погодя немного, он подошел. Закутанный, как в мантию, в одеяло. Благодетель:

— Набрось. Не парит...

Я сразу почувствовала, наслышан он о нас. По побережью-то почти с самого нашего приезда шел слух, что мы шлюхи. Слухами воодушевленный, явился. Все они уже прознали. Хотя и не лезут пока.

Хамить не хотелось. Вода, как зеркало. Звезды в ней. Хохот и костер далеко на берегу.

— Не холодно.

— Набрось. — Он накинул мне на плечи часть мантии.

Надо было бы увернуться. Не увернулась. Освобождая его руку, перехватила угол одеяла. Свою руку он убрал. Роста почти моего. Удобно было стоять. Молчали все время. Хотя и наслышан был о нас. Так и не поняла я: почему не лез. Понравился даже. За то, что не спугнул причал. И звезды в зеркале, и тишину.

Он один и проводил нас. Врач обиделся на Зойку за то, что та не захотела с ним спать. Этот проводил. И так и не сделал ко мне ни шагу. Как к шлюхе. Я подумала было, что это — так, трюк. Что интригует. А тут по взгляду поняла: не трюк. Ему до нас не было дела. И не будет.

Мы пошли влево. Подальше от всех, кто наслышан о нас. Подальше от пансионатных. Проку от этого никакого. Взгляды те же. И мужские, и женские.

Только расстелились, легли — тут же скружил ястребом один юный, бритозатылочный. Незатейливо скружил:

— В карты играете, девчонки?

Я даже голову не подняла. Столько их поперебывало у нашей подстилки, суперменистых, юных, карточных. Покосилась только. И Зойка отмолчалась.

— Хотите фокус? — растерянно, жалковато уже попросил соблазнитель.

— Давай, — смилостивилась Зойка.

Фокусов, слава богу, тоже насмотрелись. Зойка, хоть и вредничает, на контакт идет. Ее не задевает, что клеются чаще ко мне. Надеюсь, не задевает. Тем более что от меня как от стенки горохом и рикошетом к ней.

Как рык, тяжкий мерзкий, раздалось над нами:

— Брысь отсюда!

Я вздрогнула, оторвала голову от подстилки. Села. Что это?!

Если Шварценеггера ненадолго установить под работающий механический молот... Вот такой укороченный, пришибленный, ущербный Шварценеггер висел у нас над душой. Короткие, бугристые кривые ноги. Глыбы мышц с кривыми змейками вен на них. И лицо... Если не считать торчащих сломанных ушей и короткого уголовного ежика, в лице было все для того, чтобы считать его красивым. Но оно было мерзким. Это было лицо питекантропа. Оно могло только рычать. И оно рычало.

Сразу стало жутко. И не только мне. Зойка вся подобралась, съежилась. Почуяла настоящую опасность.

Декоративный фокусник тоже съежился, пошел пятнами. Рык адресовался ему. Уточняя адресата, короткая кривая нога пнула сидящего на подстилке парня в плечо. Сразу стало еще жутче, унизительнее.

— Чтобы я тебя, козла, близко не видал...

Парень, изо всех сил невинно глазея на питекантропа, прыгая на попе, выскочил на песок.

Зойка инстиктивно ухватилась за его руку. Пытаясь сохранить остатки достоинства, парень остался рядом, на песке. Отнявшийся язык его забормотал Зойке:

— Да ничего они не... Они тут вечно... Так, чуть-чуть... Люди вокруг...

Лопоухая морда озлобилась:

— Ты меня понял, «гребень»? Пшел отсюда!

— Да ладно, Котя... Ниче паренек. Че ты пристал? — раздался сбоку еще один слащавый, и сразу ощутилось: опасный слащавостью голосок.

Мы обернулись.

Метрах в пяти стоял еще один. Если Шварценеггера долго варить и после малость покоптить, а потом (для придачи нужного выражения лица) обработать все же молотом, получился бы этот, второй. Тоже накачанный, но более рослый, с более вытянутыми мышцами. Тоже лопоухий, стриженый и жуткий. В огромных руках его ловко кувыркалась казавшаяся малюсенькой колода. И этот фокусник.

— Ниче парень, — повторил долговязый, подходя. — В карты играет...

И уточнил у парня:

— Играешь?

Парень торопливо кивнул.

— Че ссориться... — сладко заулыбался бугай. — В «сечку» сыграем?

Парень снова кивнул.

— Сядем в сторонке, чтоб не мешали. Пошлепаем картишками. — И он пошел в сторонку. Отойдя метров на десять, сел прямо на песок, по-турецки поджав ноги. Не сомневался, что парень пойдет за ним. Правильно не сомневался. Тот шел. Обрадованный шел.

— На спички? — донеслось уже издали.

И снова кивок.

Я перевела взгляд на Котю. Тот оскалился в улыбке, присел на корточки.

— Что, курочка, затосковала? — Он положил огромную короткопалую лапу мне на колено.

Я дернула ногой. Лапа не соскочила.

— Ну-ну, не брыкайся. — Он нахально, не выпуская моего колена и опираясь на него, переместился, уселся на подстилку рядом.

И тут взорвалась, взвилась от страха Зойка:

— Что за хамство?! Где вы воспитывались?! Молодой человек...

Зойка никогда прежде не обращалась к пристающим на «вы». Я испугалась за нее. С надеждой глянула по сторонам: может, хоть визг ее обратит на нас внимание отдыхающих... Дурочка. Нас давно старались не замечать. Стало одиноко и совсем страшно.

— Да на х... ты кому нужна, — прошипел Котя. И добавил: — Доска. — И еще: — Пшла отсюда...

Зойка вскочила, как ужаленная, попятилась. Я не взглянула ей вслед. Чем она могла помочь?..

Питекантроп повернулся ко мне и вдруг потерся своей небритой мордой о мое плечо.

Гадко, жутко. Днем, на пляже, среди людей чувствовать себя беспомощной, чувствовать себя никем и не видеть никакого выхода. О таких историях я была наслышана. Но истории всегда казались нереальными.

— Теперь ты будешь только со мной, — пообещал Котя.

Неожиданно даже для себя я попыталась встать. Но не смогла: за что-то зацепилась. Глянула вниз. Его короткий, гадкий палец, просунутый под тесемкой плавок на бедре, под узелком, удерживал меня.

— Ну-ну-ну, — оскалился в усмешке этот гад. — Сиди камушком, не рыпайся. Минут десять потерпи еще. Фраера твоего Пиня «нагрузит» коробок на тыщу, и — пойдем. Спички нынче по полтиннику. — Он противно засмеялся и объяснил еще: — Больше с него не получишь. Босота...

Я оглянулась. Зойку не обнаружила. Горько стало. Могла бы хоть не отходить далеко. Одной страшней.

Я все так же молча, рывком попыталась вытолкнуть его палец, вскочить. Безуспешно. Только услышала еще, как пощечину получила:

— Хочешь, вы...бу прямо здесь?

Страх смешался со стыдом. А этот повторил еще:

— Хочешь?

— Нет.

Стало противно, мерзко за себя. За это «нет».

И тут кто-то плюхнулся на подстилку рядом со мной. С другой стороны. И обнял меня за плечо. И я услышала безмятежный, откуда-то знакомый голос:

— Ну ты даешь, Лерка! Весь день тебя ищу. Что за манера уходить к черту на кулички?..

Не веря своим ушам, глазам, а только ощущая что-то, очень похожее на счастье, я обнаружила рядом с собой усмешливую физиономию вчерашнего кавалера.

Он вроде только теперь заметил Шварценеггера. Приветливо, невероятно приветливо улыбнулся тому и глупо спросил:

— Отдыхаете? — И очень непосредственно протянул бугаю пятерню.

Бугай очень озадачился, извлек палец из-под тесемки, пожал поданную руку. Тут же спохватился. Челюсть его отвисла. Он исподлобья, но и растерянно еще переводил взгляд с подсевшего общительного интеллигента на меня.

Подсевший не умолкал:

— Мы с хлопцами ищем тебя весь день. Предупредила бы хоть... Почему без Зойки?

— Ты с ними со всеми трахалась? — жестко вставил питекантроп. Опять стало страшно.

Вчерашний кавалер сразу осекся. Очень серьезно, интеллигентно серьезно, не усмешливо посмотрел на Котю.

— Я вас не понял. — И словно надеясь получить разъяснения, перевел взгляд на меня. Разъяснений не получил. Вернул взгляд на бугая: — Вы о чем? — И поделился с ним: — Это моя невеста.

— Как его зовут? — не замечая интеллигентности и все так же вперив взгляд в пришельца, четко спросил меня бугай.

«Господи, как же его зовут...» — испугалась я. Как-то не пришло в голову, что сгодится любое имя. Он возражать не будет. Но стыдно было ошибиться. И я вспомнила: вчера у костра все звали его Николой или Миколой. Я еще удивилась: имя Коля, одутловатое, сытое имя, никак не шло ему.

— Коля, — сообщила я.

Бугай вопросительным кивком потребовал подтверждения у жениха. Тот пожал плечами. Отозвался:

— Были сомнения?

— Это моя женщина, — воинственно, очень жестко, почти по слогам, заявил питекантроп.

— Ну? — изумился Никола. Изумленно уставился на меня.

Я качнула головой.

— Не понял, — сказал тогда Никола.

— Иди отсюда, хлопец, — посоветовал Котя.

Никола очень серьезно и очень долго разглядывал песок под собой. Думал, как быть. «Не уходи!» — молила я про себя.

— Хотя стой, — спохватился Котя. Голос его сразу стал сладким, опасно сладким. Как в начале у его дружка, — ты не обижайся. Можем в картишки сыграть. — Он собрал рассыпанную забытую колоду бритозатылочного фокусника. — Сыграем?

Никола поднял сощуренные, недобро сощуренные глаза:

— Чего ж нет?

— На спички? — как лучшему другу предложил бугай.

Никола помолчал, не отводя суженного взгляда от подобревшего бугая. Недобро покачал головой: нет.

— Ну, просто так только бабы и фраера играют, — зауговаривал бугай.

И тут Никола выдал под тот же взгляд:

— На нее.

— Как?.. — аж растерялся бугай. И тоже замолк. До него дошло. Вдруг знакомо оскалил зубы в улыбке:

— Во что?

— Деберц, — четко, внятно сказал Никола.

— Это дело, — сразу согласился Котя. Тыльной стороной лапы похлопал меня по плечу: отодвинься.

Я отодвинулась.

Сказал мне:

— Сиди не рыпайся.

Я как-то сразу захмелела. Это было нереально. Но самое невероятное заключалось в том, что я была спокойна. Я не сомневалась, что выиграет Никола. Я знала, что невозможно выиграть у этих драных, наглых... выиграть у бандитов. Но я была почти спокойна. Слушала незнакомые слова: «белла», «терц», «манела» и думала о своем женихе Вадике, которого оставила дома. При нем бы всего этого не произошло. Но что бы он смог?.. Его юная драчливость была бы слишком незначительным препятствием для этой мрази. А Никола взрослый. Не мог он так просто взвалить на себя такое. Я верила в него. Рядом с этим Шварценеггером-Котей он выглядел цыпленком. Поджарый, худощавый, невысокий... Со своей усмешливой физиономией. Но если даже он выиграет... Что будет дальше? Я не знала. Но верила в него. Я не могла, не способна была думать о том, что будет, если выиграет не он. Я глянула в сторону. Наш первоначальный кавалер продолжал проигрывать спички. Тут я вспомнила. Эти амбалы жили в огромной палатке у станции. Дикарями. Они явились откуда-то с лесозаготовок. Человек десять-двенадцать. От их стойбища вечно доносились угрозы, мат, звон бьющихся бутылок. Побережье знало их и опасалось. И мы слышали рассказы о том, что кого-то унижали, кого-то насиловали или пытались изнасиловать... И в эти слухи не верилось.

Они уже не играли.

— Прошу пардона... — усмешливо сказал Никола. Встал. Развел руками. Одними зрачками украдкой приказал мне: вставай.

Теперь уже питекантроп зло, сосредоточенно глядел в песок, в подстилку у себя между ногами. Молча тасовал засаленную колоду.

Никола склонился, ухватил за угол подстилку, повторил:

— Прошу пардона.

Питекантроп не поднял глаз. Подровнял карты. И вдруг одним движением разорвал колоду пополам. И, отбросив на подстилку обрывки, встал. Глянул куда-то мимо меня, прошипел громко:

— Быстро бегаешь, коза. Прутики повыдергиваю.

Я обернулась. За спиной, метрах в пяти, стояла перепуганная Зойка.

Никола не спеша вытряхнул подстилку, аккуратно сложил ее. Сказал обещающе глядящему на нас Коте:

— Пока. — И, положив руку мне на плечо, пошел с пляжа.

Я шла рядом, чувствовала на обгоревшем плече

его руку, но мне не было больно. Я была хмельной и счастливой, и меня слегка трясло.

К нам, с моей стороны, пристроилась Зойка. Мы ни разу не оглянулись. Все молчали. Уже недалеко от прохода Никола непривычно, по-чужому задумчиво сказал:

— На вашем месте я бы уехал.

Я покорно, блаженно покорно кивнула.

— Когда? — спросила послушная Зойка.

— Сейчас.

Он вдруг провел ладонью по моим волосам, приласкал, как маленькую, зря наказанную девочку, по головке. Усмехнулся:

— Счастливенько. — И, оставив нас у прохода, пошел к своим...»

Или еще история...

Но хватит. Только начни вспоминать, и не остановишься...

Глава 17

О ТОМ, КАК СЕБЯ ВЕСТИ

Как правильно себя вести, если судьба свела с шулером? Правильных поведений всего два: либо не играть, либо платить.

Глава 18

О КУРЬЕЗАХ

Этого добра в жизни шулера — с лихвой. Каждый день хоть что-нибудь занятное, необычное да происходит. Иногда — веселое, иногда — грустное. Впрочем, это, наверное, читатель заметил. Из того, что уже написано.

Какие тут могут быть обобщения?.. Обойдемся примерами.

Вот история, приключившаяся со Студентом.

Когда он и впрямь был студентом, во время сессии прилип к профессору, чтобы тот досрочно принял экзамен. Мотивировал тем, что жена рожает в другом городе и билет на самолет — уже в кармане.

Профессор упирался. Его ждал ученый совет.

Студент таки уболтал и, конечно, — сразу на пляж.

Там двое соигроков, из солидных, при орденах, ветеранов, пригласили его в компанию, но предупредили: надо обождать, ждут еще одного своего. Запаздывает чего-то.

Через минуту-другую прибыл и опоздавший, тот самый профессор. Студента, испуганного, поначалу не признал, а когда вспомнил, не обиделся. Потом они в одной компании и в институте играли...

Любви к картам все возрасты покорны.

...Валик Кеннеди, известный одесско-израильский шахматист. Его рейтинг печатался (и печатается) в мировых шахматных изданиях. Известный еще и компьютерной способностью просчитывать расклады, но больно уж неуравновешенный. Автор полюбившейся всему пляжу фразы...

Кеннеди славился феноменальной невезучестью. Все к ней, к невезучести, привыкли. Никак не мог привыкнуть только сам Валик.

Проявлялась у него еще одна, неприятная в первую очередь для него самого особенность. Являясь на пляж, сразу предупреждал:

— Так, скоренько... Времени — в обрез, часовой покерок, и — разбежались.

Страховался. На тот случай, если выиграет. Потому как, если проигрывал, все дела откладывались, обнаруживалась бездна времени, и Кеннеди уверенно летел в эту бездну. До самого дна. До астрономических долгов. Которые потом, капризничая, отдавал.

Если же покерок оказывался удачным (что случалось чрезвычайно редко), Валик, получив скудный выигрыш, немедля покидал пляж.

Шахматиста дружески журили, объясняли невезучесть именно неумением выжимать все из удачных дней.

И однажды Кеннеди решился. Выиграв первую партию, продолжил игру. Со скрипом, с насилием над собой.

Он играл в одной компании с Терапевтом, преданным членом пляжного клуба, над которым частенько подтрунивали за то, что он «себе на уме». Терапевт, несмотря на насмешки, был деликатно-ироничен, замкнут и явно знал себе цену.

Кеннеди же относился к нему с оттенком презрения, как, впрочем, и ко всему остальному человечеству, когда был эмоционально растревожен.

Так вот, и в этой, следующей за счастливой партии все шло хорошо. Для Валентина. Он становился все более приветлив, интеллигентен и даже, кажется, начинал уважать Терапевта. Нет, игру продолжил не зря...

Пребывая в этом блаженном состоянии, неожиданно нарвался «фулем» на «цвет».

Когда это обнаружилось, нервно встал с топчана и обиженно выдал ни в чем не виноватому, смирному Терапевту ту самую фразу, почему-то перейдя на «вы»:

— Терапевт, вы негодяй, дурак и педераст. Я кончил.

И, швырнув карты о топчан, не расплатившись, ушел с пляжа.

Терапевт только пожал плечами и вроде как кивнул, дескать, как скажете...

Ситуация из трудовой биографии Маэстро. Не карточный, но — курьез.

Работа на выезде в Москве. Несколько афер, ломка валюты, «кукольные» финансовые операции. В последнем жанре недоразумение и вышло.

Что такое «кукла», думаю, подробно разжевывать не стоит. На всякий случай — кратко. Заранее заготовлена пачка ценных бумаг. Правда, ценных бумаг в ней обычно — не больше двух. Одна — сверху, вторая — снизу. Вот такая пачка в результате некоего денежного обмена достается лоху.

Предстояла покупка партии валюты. Рубли были заранее сложены в «дипломате».

После того, как клиент пересчитал деньги, убедился, что его, слава богу, на этот раз не «кидают», «дипломат» подменили. На «кукольный». Маэстро получил валюту и, конечно, поспешил удалиться.

Очень удивился, обнаружив, что и полученный «дипломат» — бумажно-«кукольный». Кстати, добытая истинная валюта, по курсу, как раз соответствовала отданным в качестве маскировки рублям.

Или другой эпизод, связанный с Маэстро. Взяли его на каком-то «кидняке» в Ильичевске, под Одессой. Он исхитрился так «развести» отличившихся милиционеров, что они отправили пойманного афериста в Одессу не в «воронке», а с сопровождающим сотрудником.

В Одессе Маэстро «развел» и сотрудника.

Что навешал тому, бедному, по каким точкам в Одессе водил — неизвестно. Но ближе к вечеру нетрезвый, шатающийся представитель власти одиноко стоял на углу Большой Арнаутской и Французского бульвара. Мутным взглядом глядел на тротуар, себе под ноги. Терпеливо дожидался, когда придет аферист Маэстро и сообщит, где они будут ночевать. Появляться у своих в таком виде и вечером было неудобно.

Заночевали у Рыжего.

Кстати, о Рыжем...

Как-то забрел к нему, на хате — атмосфера траура. Общаковая касса — пуста, каждый из гостей — пуст. Пропито — все. Вот уж горе так горе...

Отдал им, что при себе обнаружил. (Наша, корпоративная касса, хранилась у математика-кандидата.)

Со взносом управились быстро.

Опять грустят. С тоской на дверь поглядывают, слоняются по квартире понурые, молчаливые. На приятелей денежных, шляющихся неизвестно где, злые.

И вдруг Рыжему показалось, что у Ведьмы под ногой что-то звякнуло. В маленькой комнате под половой доской...

Тут же вспомнилось, что в этой квартире до войны жил еврей-валютчик. Жил с сестрой, с которой был в вечной ссоре. Перед приходом немцев не эвакуировался, рассчитывал откупиться. Но повесили его. На воротах дома. В хате обязан быть спрятан клад. Разумеется, в этой комнате. В большой — обитала сестра.

Участок застолбили и стали разрабатывать.

Разрабатывал я. Стамеской. Конечно, не верящий в успех, но восхищенный этими жаждущими детьми.

Дети стояли полукругом в застывших выжидательных позах. С надеждой в отекших глазах. Только Рыжий суетился. То ли в шутку, то ли всерьез умолял долбить осторожней. Чтобы, не дай бог, не повредить пробу.

Куда-то отлучился сосредоточенный Ведьма, из

двери заглядывала поддавшаяся общей вере скептик-Бородавка...

Я все долбил. Стамеска оказалось тупой, вообще странно, что она случилась в этом доме.

К тому моменту, когда доска была наконец оторвана, среди заждавшихся обнаружился ювелир. Изумленный, доставленный Ведьмой, интеллигентный старик.

Клада не оказалось. Но, что удивительно, под доской была обнаружена старая зеленая монета — румынский лей.

Окружающие огорчились до слез. Действительно, как дети. К счастью, у знакомого ювелира удалось получить бессрочный кредит...

Вернемся к картам...

Когда на пляже вскрывали новую, запечатанную колоду, приятели просили бросить шестерки. Что это значит?

Есть такая игра: кто дальше зашвырнет карту.

Я в ней не специализировался, лучший результат — сорок пять метров. Один из наших, мной уважаемых, из плеяды отходящей, швырял на семьдесят. Но шестерки ненужные, лишние в традиционных играх, вручали почему-то мне.

Швырял.

При этом наивные воспитанные отдыхающие то и дело срывались со своих подстилок и гнались за картой. Подобрав, направлялись к нам и с вежливой фразой:

— Вы уронили, — протягивали кому-либо из нас.

Мы благодарили. Погодя, я швырял вновь. И все повторялось. Случалось по многу раз...

...Как-то Боксер был пойман на «лишаке».

Играли на квартире у Розы. Как принято на ее хате, в «храп». Публика престарелая, лоховитая.

Боксер — из профессионалов, но затесаться — умудрился. Без напряжения, не мудрствуя, доит их на лишней карте. Но захотелось ему пива. Дал знак — подали бутылку. (У Розы для гостей всегда пиво было, не бесплатно, конечно.) Открытую уже. Этот нахалюга бутылку взял, приложился к горлышку.

А в руке — туз. В той самой, которой бутылку держит. Через мутное стекло ясно виден.

Роза так и обомлела. Рот разинула, пальцем на бутылку, как на чудо, тычет. Звуки гортанные издает. Отказала, в общем, Боксеру от дома...

Ленгард рассказывал, как жену вычислил.

Поехала отдыхать в Трускавец. Отдыхала месяц почти, звонила часто, жаловалась на скуку, на тоску по супругу милому.

Возвращается, жалуется на четырехнедельную скукотищу.

Ленгард вдруг ей полную раскладку дает: как звали ее «хахаля», как выглядел, какими текстами прибалтывал, даже какие цветы при первом свидании подарил...

Та растерянна, напуганна... В слезы. Повинилась, куда деваться? Все сходится...

Вычислить было несложно.

По возвращении обнаружилась среди ее вещей колода. Супруга утверждала, что в киоске купила, чтобы с соседками по санаторию время убивать. Не так по дому скучать... Ленгард по колоде «хахаля» и вычислил. Крапленой оказалась колода. По знакомой системе. По той самой, которой Ленгард с напарником — «каталой» много лет назад пользовались, гастролируя. Напарник — бабник был редкий. Секретами очарования имел обыкновение хвастать. Но мужик, как утверждал Ленгард, был порядочный. Наверняка не знал, за чьей женой в Трускавце волочился.

...Как не вспомнить вечный фокус Семеныча?..
Генерал в отставке, ветеран войны, в картах — не такой уж подарок. Невероятно сморщенный, невероятно сухой старичок с неизменными орденскими планками и воинской выправкой.

Сколько его помню, приставал ко всем с одним и тем же карточным фокусом. По многу раз к одним и тем же людям. Ко мне, например, раз семь подходил. Я каждый раз не мешал ему доводить выступление до конца...

Семеныч, строгий при этой своей выправке, направляется ко мне, только что спустившемуся на пляж. Протягивает колоду, командует:
— Тяни карту.
Послушно тяну.
Требует:
— Запомни.
Запоминаю.
Семеныч отворачивается и старчески-строевым шагом уходит. Полный ожидания.
Ожидание я оправдываю, интересуюсь:
— Что с картой-то делать?
— Засунь себе в задницу! — оборачивается радостный Семеныч. И начинает вдохновенно хохотать.

Засунуть карту всем из нас он предлагал почти при каждой встрече... Никто не обижался. Даже радовались за него: веселый человек, чего уж тут...

...А пронырливость того самого тихони Терапевта...
Играем в преферанс. Я, Терапевт, Ленька Ришелье и Буржуй. У меня «пуля» складывается удачно, у Терапевта с Ленькой — так себе.

У Буржуя, возрастного, опытного профессионала, — не идет. Это его раздражает. Потому как мы с
ним — жулики, оставшиеся двое сильных любителей,
обязаны, по его разумению, быть жертвами. Буржуй — не из моих партнеров. Как-то не случалось
быть соучастниками. Вижу, бесит его, что приходится
этим «закатывать».

И вдруг — на тебе, начинает хамить. Хамит именно мне, может быть, как самому молодому.

Терплю, но — сколько же можно.

— Еще вякнешь, — предупреждаю, — отлуплю.

Не успокаивается.

Конечно, все — свои, позволительно и не сдер-
жать слово, но этот, вроде как специально, провоци-
рует. Этак и репутацию потерять недолго.

Не выдерживаю.

— Пошли, — говорю, — настучу по мордяке.

Надо же!.. Вскакивает, и к моему, и ко всеобщему
изумлению. Нервно так, порывисто подталкивает.

Понятное дело: отойти надо. Не тут же, при людях
взрослого человека лупить?

Отошли в сторонку. Оглядывается: нет ли кого поблизости. Принимает подобие стойки. Тут же получает в глаз. Почему в глаз — я и сам не понял. Не луч-
шая точка приложения, некорректная. Как-то бездумно, раздраженно буцнул.

Буржуй мгновенно успокаивается.

— Все, — сообщает. И, как оценку выставляет: —
Очень хорошо. — Тут же деловито ко мне, демонстрируя потерпевшее око: — Ну как? Заметно?

— Не очень... — отвечаю растерянно.

— Ну, все-все, тебе дай волю...

Пока играли, осенила его идея: давно нам пора со-
трудничать. Почему бы не начать прямо сейчас?.. Ну
и нашел способ уединиться. Договор заключили.

Рассмешил меня этот этюд. Может, поэтому и уступил, пошел на сделку, что развеселился. А может, Буржуй как раз на это рассчитывал, хитрюга. Предполагал, что мне его поддержка нужна, как «двойки» в преферансе.

И что же?! Терапевт неладное заподозрил.

Несмотря на то, что к концу игры фингал у Буржуя сиял вовсю, как маяк в ясную ночь. Несмотря на то, что я для пущей достоверности, время от времени порыкивал на побитого.

Терапевт то и дело произносил тихие, ворчливые фразы:

— Ну да, нашли время драться. И с чего бы это угадывать стали, со «старшей» ходить?..

Ришелье — не насторожился, слишком невероятным показалось предположение Терапевта.

Я понимал, что веса оно не имеет: можно не обращать внимания. Но раздражение испытывал. Смешанное с восхищением. Впрочем, всегда относился к Терапевту с уважением.

Или вот — курьез. В чистом виде.

Дело было в том самом N. Еще в период, когда обхаживал, лелеял Борьку.

Довелось познакомиться с Мусиком, шулером-союзником. Он Борьку тоже маленько пощипал. Столкнулись мы с ним в игре. На Борькиной территории. Ничего не вышло. Ни у него, ни у меня. Но я вроде как из молодых. А он только-только из Киева, с ристалища. В принципиальной игре шестьдесят «штук» нажил. У профессионала.

Озадачился он, предложил сотрудничество.

Я обещал подумать. Не нравится мне, когда жулики друг друга обыгрывают. Что, фраеров мало? Конечно, можно посостязаться, но — шестьдесят со своего?... Мне показалось — многовато. В общем, уважительно расстались.

Проходит время. Я — уже не у Борьки. Имею сообщника, местного игрока, несколько приблатненного, тоже известного, но в кругах более узких. Тренирую помаленьку, он мне фраеров поставляет.

Нагрянул однажды с сообщением, что есть два клиента. Лезут в крупную игру. Не то слово — крупную. В нахальную. Идем на игру, на нейтральную хату. С прикрытием, как положено.

И — на тебе, в виде клиента, одного из двух, оказывается Мусик. Начинает смеяться.

Оказывается, когда посредник сообщил ему, что клиенты, то есть мы, готовы принять нахальные условия и играть крупно, Мусик передал через наших, что ему в N нужен я. Для игры в пару. Я намечался в соперники самому себе...

...Сколько их, курьезов — грустных и смешных — случалось и случается с картежниками...

От такого, например, где не способного рассчитаться должника обязали в течение года по утрам приносить молоко выигравшему, устроили молочником, до мрачного, когда подруга по-шпионски раскусила милого в постели. Милый в гуцульском регионе крепко нажился. Разнеженный страстью, признался. Залог успеха — перстень с шипом. Крапил колоды в ходе игры. По утру повесили разомлевшего. В лесистой гуцульской местности.

Много курьезов. Но нанизываешь их один за другим, и занятность вроде сглаживается, привыкаешь, что ли, к ней? Так и в работе шулера: когда регулярно — перестаешь замечать. А оглянешься — действительно есть, что вспомнить...

Глава 19

О ТОМ, ЧЕМ ЗАКАНЧИВАЮТ

Самая печальная глава.

Не знаю ни одного «каталу», который закончил бы благополучно. Шулер — это не профессия, мировоззрение это, образ жизни. Попробуй откажись от мировоззрения, от привычного, единственно знакомого образа жизни.

Попробуй не откажись. На старости лет, когда не те глаза, не те руки, не те нервы.

Лучше всего устраиваются те, кто съезжает, эмигрирует. Образ жизни волей-неволей меняется. Хотя все, кто избрал это продолжение, от карт не отказались. Насколько знаю, ни один.

Все три сообщника по корпорации — за границей. Шурик с Шахматистом — в Сан-Франциско. Математик — в Израиле.

Если бы только они... Забредешь на пляж, окинешь взором, памятью, оставшихся...

И поделиться не с кем. Все оставшиеся при тоске.

Но и те, кто никогда не выберет самоизгнание, большей частью не веселят.

Если ты и дожил до почтенного возраста, если не споткнулся на тернистом пути о чью-то месть, о свой непрощенный проигрыш, о статью закона, которую на тебя таки отыскали... Какие шансы пожить беспечно при любящей супруге, вышедших в люди детях, карапузах внуках? При здоровье, достатке и уважительном отношении соседей? Слабенькие шансы.

Угнетающе большие нажить язву от ресторанных харчей, болезни — от ресторанных девочек и множество врагов.

Примеры даже приводить не хочется. Тошно. Одна картинка совсем подкосила...

Осенний вечер, улица Пушкинская, усыпанная листьями и экскрементами ворон. Контейнер с мусором, и занырнувший в него нестарый еще человек. Рослый, с очень мужским, изможденным лицом. Тот самый Кеша. Попутчик артиста-режиссера, благородно проигравший удачливому сопернику уйму тысяч.

Конечно, не обстоятельства вынудили, скорее с психикой — нелады. Но разве ж это утешит?..

Примеров благополучного исхода тоже много не приведу. Правда, по другой причине.

Отец Шурика, в молодости проигравший огромные деньги и завербовавшийся в Якутию. Для отработки. Так в Сибири и остался, бригадиром монтажников стал, орден Ленина получил. «Правда» о нем писала.

Вадик Богатырь — уважаемый игрок, бывший партнер Ленгарда. В бизнес ударился — от карт отошел. Когда-никогда на Ланжерон забредет, удовольствия ради дешевую «пульку» распишет. Без всяких трюков.

Валера Рыжий... Не тот — другой. Удивительное совпадение имен. Этот закончил профессионально играть еще накануне моего карточного младенчества. О его прошлой деятельности легенды ходили. А он, живая легенда, на пляже шлепал себе картишками. С полными фраерами. Вызывающе честно. И всегда при нем, душу отводящем, находилась жена Ирина, которая, как говорили, помогла «соскочить». Уважали их. Обоих. Валеру еще и за то, что классным рихтовщиком стал. И, кстати, о цепкости мафии... Крестный отец о жизненном пути отщепенца с одобрением высказывался...

Можно и еще примеры отыскать. Удачного исхода. В основном среди тех, кто учуял новое время, угадал с бизнесом.

Однажды коллеги увидели Маэстро, выступающего по телевизору. В передаче «Тень». Он сидел спиной к камере, рассказывал о своей жизни. В конце беседы прочел четверостишие, которое написал незадолго до этого:

> Наш мир устроен так, дружище,
> Что каждый в жизни ищет брод,
> Но часто только пепелище
> В конце пути своем найдет.

И добавил:

— Так что, видите, сапожник — без сапог, портной — без костюма. А я, аферист, — без денег...

Была зима, ветреный одесский декабрь.

Маэстро с его женой Светкой я встретил на Привозе. И обеспокоился: учитель был в легонькой, потрепанной осенней курточке.

Я не удержался от подначки:

— Звездой экрана стал. Теперь вот в «моржи» подался. Для гармонии в кружок бального танца запишись.

— Если будут платить — запишусь, — усмехнулся он.

— Совсем игры нет?

— Ни игры, ни бабок.

— У Крестного был?

Маэстро снова усмехнулся.

— Кому он, кроме меня, нужен? — встряла Светка.

— Будет работа — не забудь, — увлекаемый за рукав супругой, заметил он.

Как мог я забыть?..

Через неделю навестил, сделал презент: пуховую китайскую куртку. Сказал, что привез из-за границы, хотя купил на нашем «толчке».

Маэстро не поверил, но виду не подал. Он уже не

был подавлен, собирался в Москву. Столичные соратники подготавливали гастроли одесской звезды.

О том, что Маэстро умер, я узнал через месяц. От случайно встреченного Витьки Барина узнал... Подробности потом передали другие, в основном взрослая дочь Учителя, Людмила.

Маэстро вернулся домой рано, часа в четыре. Выслушал укоры матери. Она, правильная, мягкосердечная женщина, очень страдала оттого, что вырастила непутевого сына. И он всегда имел что безропотно послушать.

Дальше дочь Людмила рассказала так:

— Папа успокаивал бабушку. Сказал, что все образуется, что у него есть ученик Толик, тот, что привез из-за границы куртку. Что ученик обещал помочь с работой. Парень порядочный, не подведет. Скоро все изменится... Папа сказал, что пойдет в комнату, приляжет, опять прихватило сердце. Бабушка его отговоркам уже не верила, проворчала, как всегда, что «лучше бы он маленьким...»

Когда она через полчаса вошла в комнату, папа уже умер.

Насчет того, что муж никому не нужен, жена Светка сказала в сердцах, сгоряча. На похоронах была тьма народу. Самого разного народу, от милицейских полковников до наркоманов, бросавших в яму шприцы.

Маэстро так и не смогли закрепить на груди руки, не держались. Пришлось связать ниткой. Он лежал в гробу, спокойный, серьезный, незнакомый.

Слушая рассказ, вспоминал я Учителя, уснувшего однажды на пляже, на топчане. Глядя тогда на него спящего, видя совершенно расслабленное незнакомое лицо его, думал: «Как же он, должно быть, устал...»

Во время рассказа о похоронах не к месту подумал о том, что теперь так и не узнаю, как бросать монету, чтобы выпадала одна сторона. Может быть, кто-то и знает секрет, но, даже нарвавшись на знатока, никогда не посмею спросить. Единственный человек, к которому не считал зазорным приставать с расспросами, был Учитель.

И еще вспомнил почему-то себя, начинающего. Было мне тогда двадцать лет. Жизнь представлялась приключенческим фильмом, в котором разрешалось сыграть самые необычные, самые интересные роли. Причем, как у всякого фильма такого жанра, у этого предполагался хороший конец...

Маэстро облачили в костюм, единственный в доме. Во внутренний карман положили колоду, приготовленную для игры в Москве.

Когда поднесли крышку гроба, начали устанавливать... нитка, держащая сцепленными кисти, неожиданно порвалась. Руки Маэстро свободно распались в разные стороны...

Послесловие

В первом, трехгодичной давности варианте «Записок» этой главы не было.

Некоторые книги при переиздании снабжаются предупреждением: «Издание такое-то, дополненное». Книги эти — обычно научного жанра или справочники.

«Записки» не претендуют на уровень исследовательского труда. Повторяю: они — всего лишь свободные воспоминания о конкретных историях и конкретных людях. О людях в первую очередь.

Но несмотря на то, что опус этот — не учебник и не справочник, мне приспичило подправить его и дополнить.

Чего вдруг?..

За три года после первого издания кое-что в этой

жизни напроисходило. Времечко нынешнее навыкидывало фортелей. Как было не отразить это?..

Я так поначалу и предполагал: брать поочередно главы и дополнять их. Скажем, в главе «о том, где играют», попытаться описать страсти, кипящие в казино.

Взялся уже, но понял: не потяну. Нет в душе созвучия казиношным страстям. Тот, кто взращен на живой музыке, кто сам играл на живых инструментах, сразу распознает фальшь синтезатора.

А какое может быть дополнение к главам «О репутации», «О совести», «О благородстве»? Нынешним игрокам, тем, кто в будущем засядет за мемуары, эти разделы придется опустить. За недостатком иллюстраций.

Главу «О том, как себя вести» пришлось бы переделать подчистую. Выправленная, она начиналась бы примерно так: «Собираясь на игру с малознакомым партнером, не забудьте дослать патрон в патронник...»

Зато сколько можно было бы дописать к главе «О том, как заканчивают». Шурика с Шахматистом не без гордости помянуть. Не помянуть — вспомнить. Не пускают их нынче в казино Лас-Вегаса. Доигрались.

Впрочем, это единственное, радующее душу дополнение. Остальные — банально-тоскливые. Опять же: кого-то застрелили, кто-то спился, кто-то остался без крова. Зачем об этом лишний раз писать?

Идея дополнения каждой из глав провалилась.

И все же право на «Исправление и дополнение» я добыл. Очень уж мне хотелось вставить в новый вариант «Записок» один эпизод. Случившийся недавно, два года назад. Собственно, это не совсем эпизод.

В полном виде история тянет на сюжет для отдельной книги. Но книга... Это, возможно, потом. А пока что...

Тогда у меня была странная, несколько нервная полоса. Полоса предложений. Они были двух видов. Отдельные граждане предлагали себя в качестве учеников. Отдельные издатели предлагали взяться за «Одессу бандитскую» или «Бандитскую Украину». (Был бум бандитских книжных серий). Ни то ни другое меня не занимало. Я только-только выбрался не без потрясений из одной из многих своих репортерских историй. Переводя дух, с удовольствием ушел с головой в работу над новой книгой.

А тут визитеры, как сговорились: «Давай — учи». Или: «Не выпендривайся, подписывай контракт». Это уже и не предложения были. Требования.

Накануне того самого эпизода у меня как раз состоялся вполне бесцеремонный разговор с одним дядечкой из Киева. Дядечка заявился ко мне домой и битый час настаивал на моем участии в проекте «Украина бандитская». Невнятно втолковывал, зачем ему нужен именно я. Хотя бы в качестве сборщика материала.

Самым удивительным было то, что я все-таки в эту история влез. Конечно, не благодаря дядечкиным втолковываниям, и несколько позже. Но все-таки... И влез благодаря тому самому эпизоду.

До того как я (и не только я) оказался по ноздри втянутым в трясину злосчастного проекта, произошла та встреча. Я многим обязан ей. Без нее вряд ли бы выбрался из топи, но, правда, и вряд ли бы подался в совсем уж гиблые места...

Не могу удержаться, чтобы не начать с немудреной банальной сентенции: все знакомства, встречи в этой жизни обязательно что-то дают нам, что-то открывают. Только большинство встреч мы не считаем открытиями. Из-за их незначительности.

Эта встреча оказалась открытием незаурядным. Впрочем, как оно обычно и бывает, сначала, в момент самой встречи, я этого как следует не понял...

Если бы между этим эпизодом-встречей и визитом дяди-киевлянина прошло больше времени, я, может, и не связал бы их воедино.

Но их разделяли всего два дня.

Очередной дядя обнаружился возле меня, когда я собирался усесться в свою машину на стоянке. Неожиданно обнаружился, пока я открывал дверцу. Внезапно возник рядышком, словно прятался на корточках за соседним джипом.

По облику его трудно было представить сидящим на корточках. Этот дядя выглядел куда респектабельней предыдущего. Импозантный, сухой гражданин лет пятидесяти с большущим стильным носом и в очках. Но сразу же и ощутилось: эта импозантность — всего лишь маска знающего себе цену закройщика престижного ателье.

Он окликнул меня по отчеству и, когда я обернулся, поприветствовал с закройщицкой улыбкой.

— Доброе утро, — и пояснил свое возникновение: — Не мог дозвониться. Дай, думаю, подъеду. — Он извиняющимся жестом указал на стоящий за его спиной джип. То ли указал, то ли приглашал сесть в него.

Я сразу решил: «Опять...»

Изобразив воспитанную улыбку, кивнул, здороваясь.

Закройщик улыбке обрадовался. С достоинством расцвел. Представился:

— Иннокентий Львович. — И поведал, вроде как

оправдываясь: — Оказавшись в Одессе, обидно было упустить случай пообщаться с автором.

Я учтиво исполнил застенчивость. Поинтересовался:

— Вы, простите, откуда?

— Из Москвы.

Я не поверил. Был уверен, что он и недавний киевлянин из одной шайки.

Должно быть, ательешный этикет требовал теперь моей реплики, потому что собеседник затих, подержал паузу.

Я молчал.

Тогда подал реплику он:

— У нас к вам серьезное предложение. Может, подъедем в гостиницу? Там и поговорим.

Я глянул на часы. Для приличия. Спешить мне было некуда.

После утренней отсидки за компьютером решил податься на пляж Десятой улицы Большого Фонтана. Рассчитывал отвлечься. Постоять за спинами уцелевших могикан-преферансистов. Подпитаться энергией, которую в юности беспечно рассеивал именно в этом месте.

Но и ознакомление с предложением закройщика обещало отвлечь от утренней работы-медитации.

В любом случае, каждое предложение стоит выслушивать. Иди знай, как и что в этой жизни обернется.

Я присмотрелся. За тонированным стеклом автомобиля просматривался силуэт водителя.

— Час у меня есть...

— С головой, — заверил собеседник.

— Езжайте. Я — за вами.

По дворцовой лестнице гостиницы «Красная» мы с закройщиком поднимались вдвоем. Водитель остался в джипе.

Вахтер, когда проходили мимо, подобрался. Разве что только честь не отдал. На меня пялился испуганно. Не знаю, кем для него был постоялец, но то, что тот уважительно пропустил меня вперед, потрясло старика.

Номер, к которому вел меня Иннокентий, оказался на втором этаже. Я вспомнил его еще до того, как мы вошли, у двери. Лучший номер гостиницы. Апартаменты. В нем много лет назад обыгрывали директора ленинградского универмага.

Вспомнилось, что директор все не мог успокоиться, огорчался тому, что ему пришлось ждать, когда из номера выселится принц. И мы огорчались. Тому, что не «хлопнули» работника торговли до переселения сюда. Столько, можно сказать, наших денег пустил на ветер, обитая в этой роскоши.

Роскошь с тех пор уцелела. Кажется, ее даже прибыло. К антикварной обстановке: озолоченной гнутой мебели, зеркалам, коврам добавилось несколько огромных картин.

В номере был только один человек.

Если интеллигентно-импозантный Иннокентий Львович производил впечатление закройщика престижного ателье, то человек в апартаментах мог быть клиентом этого ателье. При всей своей внешней беспородности. ·

Когда мы вошли (сначала, постучав, заглянул мой провожатый, потом пригласил жестом меня), он восседал в кресле, похожем на трон. Разговаривал по телефону.

Никак не отреагировал на наш приход. Еще несколько минут говорил, вернее слушал. Потом произнес в трубку только одно слово:

— Да. — И положил трубку.

Я к этому моменту уже устроился на мягком уголке. Уже успел разглядеть его.

Внешность у обитателя этих королевско-директорских хором, повторюсь, была вполне беспородной. Затруднительно даже выделить, что было самой впечатляющей деталью его физиономии. Изъеденная то ли оспой, то ли угрями кожа, махонькие, как пуговки, глубоко посаженные глаза и похожий на скрученную наспех дулю нос. И все это при выцветших бровях и плешивости. Вряд ли безукоризненность костюма могла исправить впечатление.

Выправило его другое. Я сразу понял: породы в этом уродце на десяток принцев, не говоря уже о завмагах. Она угадывалась с первого взгляда. Во властности, исходящей от него. Во флюидах уверенности, что все в этой жизни происходит так, как хочет он. Причем такое положение дел его даже не радовало. Принималось как норма.

И все же он мне улыбнулся. Улыбки таких субъектов обычно не предвещают ничего хорошего. В них не больше искренности, чем в оскале проголодавшейся гюрзы.

— Приветствую самого уважаемого мной преферансиста, — издал он хрипло.

Выбравшись из-за стола, хозяин апартаментов обнаружил рост намного ниже среднего и широченный торс. Направился ко мне.

— Добрый день, — улыбнулся и я. Насколько мог, искренне.

Прежде чем присесть рядом со мной на диван, он протянул широченную морщинистую кисть. Представился:

— Сева.

С отсутствием отчества я спорить не стал.

Иннокентий по-прежнему пребывал на ногах поодаль от нас. Как ввел меня, усадил, так сразу и самоустранился. По-видимому, этого требовал этикет.

Наблюдать церемониал было занятно.

— Правильно, — одобрил молчание хозяин. — Не против, если я перейду сразу к делу? Привычка не размазывать.

Я взглядом одобрил привычку.

Он кивнул и выдал:

— Как вы понимаете, кроме желания, как говорят у вас в Одессе, поговорить за жизнь, нас привело и дело...

Это я понимал.

— У меня к вам предложение. Думаю, оно не покажется вам неожиданным...

«Еще бы», — мелькнуло у меня.

— Я хочу предложить вам... — Он сделал паузу.

«Ну, что ты тянешь, — подумал я, доброжелательно улыбаясь. — Обещал же не размазывать».

— Организовать у нас в Москве школу игроков.

Я почувствовал, как по-дурацки стала стекать с меня маска-улыбка. Спохватился, поправил ее. Только спросил:

— В каком смысле?

— Буду с вами откровенен. Заурядная игра меня не интересует. Из уже готовых игроков вы будете делать профессионалов.

— Вы серьезно? — спросил я. Искренне.

Он улыбнулся с укоризной: как я мог заподозрить его в несерьезности. Пояснил:

— В «Записках» вы многого недоговорили. Но чувствуется... — Многозначительным взглядом он дал понять, что кое-что разглядел между строк.

А я все пытался собраться с мыслями. Сосчитать его. Поймать на том, что нужно ему совсем другое. Но зацепиться мне было не за что. Если он — по издательским делам, то... Эта легенда, насчет школы шулеров ничего ему не дает. Может, действительно...

— Нет, — взял и бухнул я.

Он не удивился. Кивнул.

— Я так и думал. И вас не интересует, как я себе это вижу?

— Как? — после паузы спросил я.

Моя благоразумная заинтересованность вызвала в нем одобрение. Он принялся излагать:

— Вы будете жить на дачной окраине Москвы. Особняк построен по европроекту. В вашем распоряжении автомобиль с шофером. — Он улыбнулся, пояснил: — В Москве так удобнее. Свободы перемещения — никакой. Зарплата... — Он осекся. — Скажем, тысяч пять в месяц. Ну и процент со всех будущих выигрышей ваших подопечных. Вы же сами все знаете... — Он давал понять, что главу «Об учениках» читал внимательно.

Черт возьми!.. Когда-то такое предложение показалось бы...

— Нет, — сказал я.

— Я так и думал. И вас не интересует, кто ученики?

— Кто? — вновь после паузы спросил я.

— Вот, — подчеркнуто заметил он. Дескать, в этом-то все и дело. — Учеников вы будете выбирать сами. Есть очень интересные кандидатуры.

Я смотрел на него с сочувствием. Жалко стало обескураживать его, всемогущего. Дело было даже не в том, что я — не соглашусь. Пусть за обучение возьмусь не я — кто-то другой. Его ошибка в том, что он полагает: ученики не проблема. Даже ему с его властными замашками не под силу снабдить перспективных игроков генами шулерства. Я-то за свой предыдущий опыт усвоил, что без них, без генов, все учение — псу под хвост.

— Нет, — в третий раз повторил я.

— Почему? — спросил он.

Я решил растолковать. В конце концов, за всю

свою суету он вправе был получить хотя бы разъяснения.

— Во-первых, я уже при деле. Во-вторых... Ваша
идея — утопия. Шулером сделать невозможно. Или
почти невозможно. Кандидаты, о которых вы говори-
те, могут быть очень неплохими игроками, но этого
недостаточно. Нужен божий дар.

— Вы сказали, почти невозможно, — попробовал
он поймать меня на слове.

— Оговорился.

Мы помолчали.

— Хотите, скажу, что по этому поводу думаю?
Прямо скажу. Как привык? — спросил он.

Я не ответил. Смотрел на него полуравнодушно-
полуожидающе.

— Думаю, в «Записках», как бы это выразиться...
все несколько преувеличено.

Я не спорил. Постарался придать взгляду исклю-
чительное безразличие.

— Я, как человек, готовый вложить в это дело серьезные деньги, обязан был это предусмотреть. Если
бы даже вы согласились, вам бы пришлось пройти экзамен...

Я хмыкнул. Посчитал, что уже имею право на некоторое хамство.

— Неужели отказались бы сыграть с начинающим
игроком? С кандидатом? — спросил он.

— Я дал обет.

— Вы дали обет не играть на деньги. Но в виде по-
единка...

Я смотрел на него снисходительно. Уже случалось
нарываться на жаждущих доказательств.

Сейчас не сомневался: игрок, которого припас для
экзамена этот уродец, не подарок. Но не собирался
играть не по причине сомнения в исходе. Этот распо-
рядитель чужими поступками действовал на нервы.

— Я бы посоветовал вам взять другого учителя, — заметил я.

— Кого? — тут же спросил он. Деловито спросил. С истинным интересом.

Я вдруг задумался. Кто из наших подошел бы для его проекта. И растерялся. Все, хоть что-то из себя представляющие, либо съехали, либо спились, либо... Не о кого споткнуться, вспоминая. Надо же..

— Вы написали, что мечтали найти достойного ученика, передать ему секреты, — проговорил он.

— Это время прошло.

— Вдруг кандидат вас заинтересует.

— Это невозможно. — Я встал.

— Одну минуту, — изрек Сева и бросил взгляд на Иннокентия.

Тот немедля вышел.

— У вас в Москве есть приличные исполнители, — уже миролюбиво заговорил я. — Зачем искать людей на стороне?

— Как их найдешь? — поддержал тему он.

Я подумал, что если бы меня действительно заинтересовал проект и я хотел бы помочь собеседнику, то добыл бы для него координаты Мопса, диспетчера столичных «катал» и гастролеров, снабжающего их игрой. Мопс знает все и всех. Насколько я слышал, он до сих пор при деле. Крестный отец одесских исполнителей при недавней встрече сетовал, что Мопс неплохо устроился, а коллег-провинциалов забыл.

— Да и зачем все это? — спросил я. — Ну, натаскаете вы людей. Где брать лохов? Нынче все по казино. Попробуй их оттуда смани. — Я усмехнулся.

Так и застыл с усмешкой, превратившейся в растерянность.

Дверь в номер открылась, и в проеме ее возникла девчонка-подросток лет пятнадцати, одетая в джинсы и футболку. Она смиренно шагнула в комнату. За ней вошел Иннокентий. Прикрыл дверь.

Я, не отрываясь, смотрел на вошедшую. Изумленно разглядывал ее скуластое восточное лицо с раскосыми глазами и смуглой кожей. Не понимал, что происходит. Потом перевел взгляд на всемогущего Севу.

— Проходи, — заметил тот девчонке. — Карты с тобой? — И мне, указав на стол: — Милости прошу.

Я растерянно сглотнул и не тронулся с места. Но не из вредности. Что тут было вредничать... Это оказалось возможным. Кандидат меня заинтересовал.

Девчонка приблизилась к столу. Вопросительно взглянула на Севу. Тот кивнул, и она села. Аккуратно положила нераспечатанную колоду на стол.

Сева не стал открыто наслаждаться моим замешательством. Демонстрировал деловитость.

— Попробуете? — спросил меня.

Я шагнул к столу.

— Девочка, как тебя зовут? — елейным голосом, как ребенка, спросил кандидатку.

Девчонка посмотрела на меня непонимающим взглядом. Перевела его на дедушку-наставника.

— На хера? — спросил Сева.

Грубость из его уст, особенно в присутствии малолетки, прозвучала вразрез с вежливой до сих пор манерой разговора. Но не особо и удивила. То, что он способен на нее, было очевидно с самого начала.

— Как-то же должен я обращаться к сопернику, — пояснил я.

— На хера? — повторил Сева.

— Оно мне действительно не надо. Но... — Я взял поучительный тон, — прежде чем играть, приличные люди знакомятся.

— Ее зовут Мо-хи-ра, — по слогам, как слабоумному, повторил Сева.

— А-а... — сказал я. — Красивое имя. И во что... — я не рискнул произнести красивое имя вслух, — девочка, ты хочешь поиграть? В «дурачка»?

— В покер, — спокойно выдал дедушка Сева.

— Ну? — удивился я. — Это такая игра, где́ сдают по пять карт. Знаешь? — Я обращался только к ребенку.

Сева принял мою ерничащую манеру. Отошел, уселся на диван. Дал возможность пообщаться нам тет-а-тет. Издалека, с любопытством, но и снисходительно слушал и следил за происходящим.

Снисходительность его не особо меня обеспокоила. Точнее, я уже был достаточно обеспокоен и без нее. Понимал: эта экзотическая малолетка — сюрприз. Иначе для чего весь спектакль. Но и как вести себя в такой ситуации, не знал. Не было у меня такого опыта. Опыт воспитания детей кое-какой был, а опыта профессиональной игры с ними в покер — ни малейшего. Вот я и ерничал.

Вариант отказа от игры мелькнул и отошел. Во-первых, после того как я лоханулся с двусмысленным имечком, отказ выглядел бы уже совершеннейшей насмешкой. Во-вторых, не мог я позволить себе не выяснить: что за всем этим кроется. Неужели это дитя и впрямь что-то может.

Дитя могло.

На вопрос об игре в покер, в которой сдают по пять карт, ответило серьезно и без акцента:

— Знаю. — И осведомилось кротко: — Почем?

Я ошалело посмотрел на Севу. Тот улыбнулся мне.

— На «Сникерс», — спохватился я. — Сдавай.

— Карты проверять будете? — вежливо спросило дитя-соперница.

Это уже было черт-те что.

— Распечатывай, — сказал я.

Девчонка послушно распаковала колоду. Спросила кротко:

— С семерок?

И после моего кивка убрала лишнюю мелочь. И принялась лихо врезать карты. То продольной, то поперечной врезкой.

Такого я еще не видел... Такой безупречной техники врезки. Или видел очень редко. При том, что девчонка не глядела на карты. И на меня не смотрела. Отрешенный взгляд ее был направлен вниз, в сторону, в никуда. Она словно опасалась нарваться взглядом на что-либо конкретное..

Конечно, в игре врезка мало что значит. Так... Полувыпендреж, полуудобство тасовки. Хотя некоторые сложные приемы «чеса» основаны именно на качественной врезке один в один. Исполнение ее требует долгой тренировки. И не всем дается.

Я не глянул на Севу не из вредности. Ошалело взирал на исполнительницу. Потом спохватился. Постарался придать взгляду одобрение, смешанное с умилением. Так смотрят взрослые на детвору, без запинки читающую стишки на новогоднем утреннике. Но думал: что же это творится?..

И все же... Манера тасовать колоду, особенно при поединке шулеров, — это некий ритуал, выражение своей уверенности, демонстрация духа. Здесь никакого ритуала не было. Да и какой дух могла продемонстрировать эта девочка? Движения ее рук были точны, но кротки. Она словно не колоду тасовала, а привычно полоскала белье у себя в горном озере. И при этом без радости, но и без особого огорчения, думала о том, что ей на сегодня еще предстоит печь, убирать, доить...

Наконец сдала карты. Заурядно, даже не попытавшись что-то «протолкнуть». И в следующую свою раздачу не попыталась. И в дальнейших.

Я тоже не торопился с исполнением. Удивлять-то собирались меня. Пусть удивляют. Конечно, сам образ претендентки и врезка произвели впечатление. Но не рассчитывает же продюсер, что я клюну на эти побрякушки. Он должен был припасти наживку поубедительней.

Минут десять игра шла впустую. Мы с раскосой в четыре руки полоскали белье. Я с некоторым даже разочарованием вынужден был признать: ни черта они не припасли.

В очередной раз сданные мне карты я не поднял, с сочувствием глянул на Севу. Встал.

— Что? — не понял тот.

— Умничка, — улыбнулся я девчонке, поднявшей на меня растерянные щелки. — Пять с плюсом. — И заметил Севе: — Идея хороша. Если выгорит, буду рад за вас.

— Вы не выиграли, — заметил Сева недоуменно. — Играли на равных.

Я усмехнулся. Не хватало того, чтобы я вздумал подтверждать свою репутацию на этом детеныше.

— Мы друг друга не поняли, — сообщил мне тогда продюсер. Глянул на подопечную, произнес:

— Ма, не жди.

Эта короткая реплика открыла мне две новости. Во-первых, краткое имя азиатки — Ма, во-вторых, оказывается, она чего-то ждала.

Ма послушно собрала уже розданные карты и принялась начесывать колоду. Вполне профессионально затасовывать нужный расклад. Потом чистенько исполнила вольт со стола.

Это уже было любопытно. Я вновь сел.

В следующие минут десять мне был предложен приличный арсенал трюков. Стандартный боекомплект шулера средней руки. Несколько вариаций на

тему «лишаков», четыре разновидности вольта, «гнут-
ка», «кладка», «чес» врезкой и счетом.

Девчонка усердно, невзирая на регулярное обезвреживание с моей стороны, выискивала хоть что-то,
что я бы проглотил.

Конечно, я был изумлен. И тому, что наблюдаю, и
настырности Севы. Зачем я им нужен? Ведь кто-то же
экипировал девчонку. Пусть этот кто-то и продолжает в том же духе.

Неужели у Севы хватает матерости понять: этого
недостаточно. Но для того, чтобы понять это, надо
быть самому игроком. И игроком с немалым стажем.
Или иметь знающего подсказчика.

Во времена, когда я вынашивал идею об ученике,
эту Ма воспринял бы как подарок судьбы. Но... даже
тогда понял бы, она — не попадание в десятку.

И сейчас наблюдал несвоевременно предложен-
ную ученицу с унынием. Вся эта демонстрация трюков всего лишь и была демонстрацией. Холодной, вы-
ставочно-декоративной.

Не было главного. Души. Того самого божьего
дара, о котором я говорил давеча Севе. Явно не было
генов.

Через десять минут я вновь встал. Пооткровенничал с Севой:

— Я вам не нужен.

Мое откровение-похвала не произвело впечатления. Он даже не вдумался в него. Его волновало только то, что я все-таки не клюнул.

— Вы не выиграли, — напомнил он. С дивана.

Я хмыкнул. Не возвращаясь на стул, собрал карты.
Если уж он так хочет...

Хаотично врезал колоду несколько раз, дал девчонке срезать.

Я менял три карты. Девчонка одну. То, что итого-
вая ее комбинация будет «фул» дам, я знал еще до

того, как начал тасовать. Как и то, что моя будет «фул макс». Еще я знал, что ей это будет неведомо. Трюк, который я использовал, не мог быть ей знаком.

— Слово? — спросил я, равнодушно глядя в раскосые глаза партнерши.

— Пас, — кротко сказала та после некоторой паузы.

Мне пришлось взять себя в руки, чтобы, собирая карты, не попытаться выяснить: неужто просчитался, сдал ей пустую карту?

При следующей сдаче ошибки точно быть не могло. Она паснула на «каре» валетов при моих королях.

Я ненавязчиво экспресс-методом проверил колоду на крап. И ничего не обнаружил.

При очередной сдаче блефанул. Дал плюс на мелкой «паре». Соперница переплюсовала. Причем несколько раз. До тех пор, пока я не спасовал.

Пацанка точно знала мои карты. Либо колоду подготовили профессионально, либо рубашка читалась по рисунку без всякого крапа. Определить это на ходу было невозможно. Когда столько лет не играешь, нет смысла заранее изучать особенности печатных валиков действующих полиграфкомбинатов.

— Другая колода есть? — спросил я у Севы.

— Мы вам подарим эту, — предложил тот со слышимой усмешкой.

Я обеспокоился. Значит, дело не в колоде. Но карты-то мои этой юной прачке известны. Остается два варианта. Из реальных. Либо я попал под научно-техническую новинку вроде изотопных карт (о таких слухи ходили), либо девчонка получает «маяки».

Новинка вряд ли имеет место. Зачем бы я был им тогда нужен. «Маяки»... Когда-то фокусника Акопяна-старшего обыграли на «маяках» в этой самой «Красной». Нахально просверлили дыры в стенах и сигналили из соседнего номера.

В любом случае... Черт возьми, мне приходилось напрягаться, чтобы вычислить, на чем меня «имеет» этот детеныш.

«Случайно» уронив карту, нагнулся за ней и украдкой глянул себе за спину. Дверь во вторую комнату номера была прикрыта не плотно, и темная щель вызвала подозрение.

Я стал собранней, поднимая карты со стола, теперь располагал их в руке так, как этого требовал бы поединок с профессионалом. Второй рукой делал окошко и даже сам видел их только под определенным углом и только одним глазом.

Это не помогло. Девчонка по-прежнему знала мои карты.

Но она не могла их знать... На столе не было ни одного отражающего предмета. И полировки не было.

И главное... Надежный метод определения того, что соперник пользуется крапленой колодой (отслеживание, куда направлен взгляд), ничего не дал. Соперник, словно издеваясь, пялился исключительно либо в свои карты, либо мне в глаза.

Ни на «рубашку» в момент сдачи, ни мне за спину. Только в глаза.

Как я ни напрягался... Напряжение ничего не дало.

Реального объяснения происходящему не находил. Оставалась мистика. Как всякий шулер, к потусторонним толкованиям я всегда относился уважительно. Прошлый опыт научил уважению. Черт его знает. С таким разрезом глаз... Может, в этом весь фокус? Вот тебе и отсутствие генов.

Если так... Остается только взгрустнуть о том, что эту юную колдунью не отдали мне на стажировку лет десять назад. Хотя сколько ей тогда было: годков пять?.. Шахматисты начинают и раньше.

Я спохватился, отмахнулся от мысли-наваждения.

Ясновидение соперницы явно имело более внятное объяснение. Может, и впрямь изотопы?

Как бы там ни было, мне приходилось признать себя... пусть и не проигравшим, но и не выигравшим. И странно, но я не считал себя задетым, облажавшимся. Против меня явно использовали трюк весомый. И я понял, что он имеет место. К тому же вышел из ситуации с достоинством. Отбросив карты, заметил не девчонке — Севе:

— Молодцы. Но...

И Сева, и Ма, и даже Иннокентий были само внимание.

— Это может не пройти. Если вычислят, подстрахуются, смогут помешать. Что она тогда будет делать?..

Сева несколько секунд вдумчиво смотрел на меня. Потом вдруг кивнул:

— Поэтому я и обратился к вам. Если бы к этому добавить нюансы...

Теперь кивнул я. Снисходительно:

— Хорошо бы. Погоняла бы нашего брата-афериста.

— Беретесь?

— Нет.

Возникла долгая пауза. В течение нее я разглядывал девчонку. То ли покорное, то ли виноватое выражение на ее лице. Думал: «Где вас, ребятки, носило раньше».

В нынешней моей жизни для предложенной экзотики места не было. Я знал это точно. И чувствовал примерно то же, что алкоголик, который вечером «зашился», а наутро обнаружил, что из его кухонного крана течет чистый «Абсолют».

От ностальгии отвлек меня Сева.

Я перевел на него взгляд и встряхнулся. Изумился. Этот хозяин жизни пребывал явно не в своей тарелке. Кажется, даже покусывал щеку изнутри.

— Я так понимаю, дело не в оплате? — понял он.
Я улыбнулся.
Он спросил:
— Есть конкретная причина?
— Да не нужен я вам, — попытался утешить его я. — Ма — умница. Готовый игрок. Я же ее не обыграл.
— Ты ее сосчитал, — вдруг перейдя на «ты», сказал Сева. — Значит, может сосчитать и другой. Нужна — гарантия.
Я развел руками: ничем не могу помочь.
Он вновь покусал щеку. Смотрел на меня исподлобья, не враждебно. Похоже, прикидывал, чем может взять меня. Зачем-то ему был нужен именно я. Или он просто закапризничал. Решил заполучить меня, как, должно быть, получал все в этой жизни.
Мне его стало почти жаль. И я не сомневался, что отвязаться от него будет непросто.
Но я ошибся. Сева вдруг взглянул на девчонку. Ненадолго, но пристально. И тут же что-то изменилось в нем. Он тут же сдался. Словно четко понял, что заполучить меня не удастся. Улыбнулся улыбкой гюрзы. Достал визитку. Отдавая ее, сообщил:
— Если надумаете, позвоните. Это телефон моего представителя в Киеве. — И тут же протянул руку, давая понять, что и так спалил на меня уйму драгоценного времени.
— Пока, — сказал я сосредоточенно разглядывающей меня девчонке. Кивнул и Иннокентию.
И вышел.
Выходя из гостиницы, нес в душе осадок неудовлетворенности. То ли от собственного поведения, то ли от поведения людей, которые, предлагая мне соучастие в сомнительном проекте, открыли явно меньше, чем я хотел бы.
С другой стороны: чего ради им было открывать мне все? До моего согласия. Но я не сомневался, и в

случае согласия ни черта бы мне не открыли. Разве что прожиточный минимум информации.

Неприятное чувство, когда тебя держат за «болванчика» в преферансе.

С ним, с этим неприятным чувством, я сел в машину, с ним отъехал от гостиницы. Ведомый им, сделав круг, вернулся, припарковал свою «БМВ» за углом здания, расположенного напротив «Красной». Через проходной угловой двор прошел к нужному мне подъезду. Поднялся на второй этаж. Аккуратно вынул осколок разбитого камнем запыленного стекла из рамы лестничного пролета. Сквозь отверстие выискал взглядом окна апартаментов. В зале шторы были по-прежнему разведены.

Что, кого рассчитывал увидеть?

Вряд ли и сам я смог бы ответить на этот вопрос. Но увидел...

Сначала долго наблюдал вышагивающего от окна в глубь номера и обратно хозяина Севу. Похоже, он что-то излагал в движении. Кому — видно не было. Понятно, что или Иннокентию, или девчонке. Или им обоим.

У меня уже прилично устали глаза от напряжения. От опасения хотя бы моргнуть, пропустить нечто важное. Я уже собирался ненадолго отвлечься, передохнуть, когда... увидел человека, вошедшего в поле зрения в сумеречной глубине номера. Я узнал его не сразу. Еще бы, столько лет не видел. Да и видел-то всего два раза, когда гастролировал в Москве. Но все же узнал. Этим человеком был Мопс...

...Перечитал описание этого эпизода и спохватился. Что это, послесловие к написанной книге? Или предисловие к следующей?..

Барбакару Анатолий Иванович
Я — ШУЛЕР

Редактор *В. Дольников*
Художественный редактор *В. Щербаков*
Технические редакторы
Н. Носова, Л. Косарева
Корректор *М. Меркулова*

В оформлении использованы фотоматериалы *А. Артемчука*

Налоговая льгота — общероссийский классификатор
продукции ОК-005-93, том 2; 953000 — книги, брошюры

Подписано в печать с готовых диапозитивов 14.12.99.
Формат 84×108 ^{1}/32. Гарнитура «Таймс».
Печать офсетная. Усл. печ. л.17,64. Уч.-изд. л. 13,72.
Тираж 20 000 экз. Зак. № 1220.

ЗАО «Издательство «ЭКСМО-Пресс»
Изд. лиц. № 065377 от 22.08.97
125190, Москва, Ленинградский проспект,
д. 80, корп. 16, подъезд 3.
Интернет/Home page — www.eksmo.ru
Электронная почта (E-mail) — info@ eksmo.ru

Книга — почтой:
Книжный клуб «ЭКСМО»
101000, Москва, а/я 333
E-mail: bookclub@ eksmo.ru

Оптовая торговля:
109472, Москва, ул. Скрябина, д. 21, этаж 2
Тел./факс: (095) 378-84-74, 378-82-61, 745-89-16
E-mail: eksmo_sl@msk.sitek.net

Мелкооптовая торговля:
Магазин «Академкнига»
117192, Москва, Мичуринский пр-т, д. 12/1
Тел./факс: (095) 932-74-79

Всегда в ассортименте новинки издательства «ЭКСМО-Пресс»:
ТД «Библио-Глобус», ТД «Москва», ТД «Молодая гвардия»,
«Московский дом книги», «Дом книги на ВДНХ»

ТОО «Дом книги в Медведково»
Москва, Заревый пр-д, д. 12 (рядом с м. «Медведково»)
Тел.: 476-16-90

ООО «Фирма «Книинком»
Москва, Волгоградский пр-т, д. 78/1 (рядом с м. «Кузьминки»)
Тел.: 177-19-86

ГУП ОЦ МДК «Дом книги в Коптево»
Москва, ул. Зои и Александра Космодемьянских, д. 31/1
Тел.: 450-08-84

Отпечатано в Тульской типографии.
300600, г. Тула, пр. Ленина, 109.

Книжный клуб "ЭКСМО" - прекрасный выбор!

Приглашаем Вас вступить в Книжный клуб "ЭКСМО"! У Вас есть уникальный шанс стать членом нашего Клуба одним из первых! Именно в этом случае Вы получите дополнительные льготы и привилегии!

Став членом нашего Клуба, Вы четыре раза в год будете БЕСПЛАТНО получать иллюстрированный клубный каталог.

Мы предлагаем Вам сделать свою жизнь содержательнее и интереснее!

С помощью каталога у Вас появятся новые возможности! В уютной домашней обстановке Вы выберете нужные Вам книги и сделаете заказ. Книги будут высланы Вам наложенным платежом, то есть БЕЗ ПРЕДВАРИТЕЛЬНОЙ ОПЛАТЫ. Каждый член Вашей семьи найдет в клубном каталоге себе книгу по душе!

Мы гарантируем Вам:
- Книги на любой вкус, самые разнообразные жанры и направления в литературе!
- Самые доступные цены на книги: издательская цена + почтовые расходы!
- Уникальную возможность первыми получать новинки и супербестселлеры и не зависеть от недостатков работы ближайших книжных магазинов!
- Только качественную продукцию!
- Возможность получать книги с автографами писателей!
- Участвовать и побеждать в клубных конкурсах, лотереях и викторинах!

Ваши обязательства в качестве члена Клуба:
1. Не прерывать своего членства в Клубе без предварительного письменного уведомления.
2. Заказывать из каждого ежеквартального каталога Клуба не менее одной книги в установленные Клубом сроки, в случае отсутствия Вашего заказа Клуб имеет право выслать Вам автоматически книгу – "Выбор Клуба"
3. Своевременно выкупать заказанные книги, а в случае отсутствия заказа – книгу "Выбор Клуба".

Примите наше предложение стать членом Книжного клуба "ЭКСМО" и пришлите нам свое заявление о вступлении в Клуб в произвольной форме.

По адресу: 101000, Москва, Главпочтамт, а/я 333, "Книжный клуб "ЭКСМО"

В заявлении обязательно укажите полностью свои фамилию, имя, отчество, почтовый индекс и точный почтовый адрес. Пишите разборчиво, желательно печатными буквами.

Отправьте нам свое заявление сразу же, торопитесь! Первый клубный каталог уже сдан в печать!

«КРИМИНАЛ»

С.Романов «Мошенничество в России. Как уберечься от аферистов»

Многим из нас приходилось становиться жертвой мошенников. Что поделаешь? Доверчивых людей легко обвести вокруг пальца. И это с успехом проделывают аферисты всех мастей — от уличных попрошаек до строителей «финансовых пирамид».

О способах и видах мошенничества, а также о доступных методах борьбы с этим явлением пойдет речь в этой книге.

А.Максимов «Российская преступность. Кто есть кто»

Книга российского журналиста А.Максимова — первая попытка подведения итогов Великой криминальной революции. Крупнейшие московские и подмосковные преступные группировки 1995–1997 годов. Проникновение мафии в Государственную Думу. Институт современного киллерства. Оборотни в погонах. Пройден ли порог терпимости общества, которое захлестнул криминальный беспредел?

В.Карышев «А.Солоник – киллер мафии»
В.Карышев «А.Солоник – киллер на экспорт»

Одни называют А.Солоника преступником и убийцей (хотя суда над ним не было), другие – Робин Гудом, выжигающим «криминальные язвы» общества. Но так или иначе Солоник – личность, способная на Поступок. Три его побега из мест заключения, включая последний из «Матросской тишины», сделали его легендой преступного мира. Автор этой книги – адвокат и доверенное лицо Солоника, владеющий уникальной информацией, полученной «из первых рук», рук своего «героя».

- С.Дышев «Россия уголовная»
- С.Дышев «Россия бандитская»
- В.Карышев «Солнцевская братва»
- В.Карышев «Сильвестр»
- В.Карышев «Воровской общак Паши Цируля»
- А.Барбакару «Одесса-мама – каталы, кидалы и шулера»

500-700 стр., целлофанированный переплет, шитый блок.